Вуди Аллен

КОМИК С ГРУСТНОЙ ДУШОЙ
ИЛЛЮСТРИРОВАННАЯ БИОГРАФИЯ

Вуди

Аллен
КОМИК С
ГРУСТНОЙ
ДУШОЙ
ТОМ ШОН

Примечание автора:

Хочу поблагодарить Вуди Аллена, который любезно согласился ответить на некоторые мои вопросы для этой книги; Лесли Дарта за его помощь; Sunday Times за то, что послали меня на интервью с Алленом в Париже в 1997; журнал Elle за еще один контакт с режиссером в 2011; Рэйчел Макадамс за информацию о съемках «Полночи в Париже»; и Эрика Лакса, чьи биография и книга с интервью с режиссером стали бесценными источниками.

Также мне были полезны «Сборник прозы Вуди Аллена» Вуди Аллена; «Несговорчивое киноискусство Вуди Аллена» Питера Джея Бейли; «Вуди Аллен о Вуди Аллене» Стига Бьоркмана; «Вуди Аллен: интервью» под редакцией Роберта Е. Каписиса и Кэти Коблентц; «Кое-что еще» Дайан Китон; «Что исчезает» Мии Фэрроу; «Вуди; фильмы из Манхэттена» Джулиан Фокс; «Вуди Аллен на натуре» Тьерри де Наваселя; «Когда съемки заканчиваются… начинается монтаж» Ральфа Розенблюма; «Вуди Аллен» Ричарда Шикеля; «Фильмы Вуди Аллена: Критические очерки» под редакцией Чарльза Л.П. Сайлета; и «Критическая масса» Джеймса Уолкотта.

Страницы 2—3: Портрет, сделанный Николасом Муром, 2003.
Источники фотографий на обложке:
«Быть смешным: Вуди Аллен и комедия» Эрика Лакса (New York: Charterhouse, 1975;
«Вуди Аллен о Вуди Аллене» Стига Бьоркмана (New York: Grove Press, 1993).

УДК 791.43
ББК 85.374

Tom Shone
Woody Allen, A Retrospective

Шон, Том.
Вуди Аллен. Комик с грустной душой. Иллюстрированная биография / Том Шон. - Москва : Эксмо, 2019. - 288 с.- (Подарочные издания. Кино).

Ш 78 «Я не хочу стать бессмертным благодаря своим фильмам. Я хочу стать им, не умирая!» Вуди Аллен

Вуди Аллен знаком каждому, кто любит независимый кинематограф. Остроумные, ироничные, сатиричные – его фильмы имеют свой собственный уникальный стиль, который не поддается копированию и моментально узнается. ЭННИ ХОЛЛ, МАНХЭТТЕН, ЛЮБОВЬ И СМЕРТЬ, ПОЛНОЧЬ В ПАРИЖЕ, МАТЧ ПОИНТ – вот лишь немногие и самые популярные картины режиссера, отмеченные критиками и награжденные самыми престижными наградами. включая три Золотых Глобуса, четыре Оскара и десять британских премий BAFTA! Вклад Вуди Аллена в развитие кинематографа не раз отмечался мировым сообществом – режиссер является обладателем «Золотого глобуса», «Золотого льва», премии от Режиссерской гильдии США, премии принца Астурийского, а также «Пальмовой ветви пальмовых ветвей» – редкой награды, которая до этого вручалась лишь Ингмару Бергману.

Эта книга – дань уважения мастеру, написанная в честь пятидесятилетия творческой жизни режиссера и опубликованная в честь его восьмидесятилетия. Автору удалось собрать более 100 интервью разной степени давности и 250 архивных снимков со съемок и личных фотографий режиссера, пообщаться со всеми друзьями и родственниками и разбавить это комментариями самого Аллена – в результате получилась уникальная иллюстрированная биография режиссера, которая не оставит вас равнодушным!

УДК 791.43
ББК 85.374

ISBN 978-5-04-095530-5

Издание для досуга

Подарочные издания. Кино

Шон Том
Вуди Аллен. Комик с грустной душой. Иллюстрированная биография

Главный редактор Р. Фасхутдинов
Руководитель направления Т. Коробкина
Ответственный редактор З. Сабанова
Художественный редактор Е. Мишина

ООО «Издательство «Эксмо»
123308, Москва, ул. Зорге, д. 1. Тел. 8 (495) 411-68-86,8 (495) 956-39-21.
Home page: www.eksmo.ru E-mail: info@eksmo.ru

Өндіруші: «ЭКСМО» АҚБ Баспасы, 123308, Мәскеу, Ресей, Зорге көшесі, 1 үй.
Тел. 8 (495) 411-68-86, 8 (495) 956-39-21
Home page: www.eksmo.ru E-mail: info@eksmo.ru.

Тауар белгісі: «Эксмо»
Қазақстан Республикасында дистрибьютор және өнім бойынша арыз-талаптарды қабылдаушының өкілі «РДЦ-Алматы» ЖШС, Алматы қ., Домбровский көш., 3«а», литер Б, офис 1.
Тел.: 8(727) 251-59-89,90,91,92, факс: 8 (727) 251-58-12, вн.107; E-mail: RDC-Almaty@eksmo.kz
Өнімнің жарамдылық мерзімі шектелмеген.
Сертификация туралы ақпарат сайтта: www.eksmo.ru/certification
Өндірген мемлекет: Ресей
Сертификация қарастырылмаған

Сведения о подтверждении соответствия издания согласно законодательству РФ о техническом регулировании можно получить по адресу: http://eksmo.ru/certification/

Подписано в печать 14.12.2018. Формат 60х100/8.
Печать офсетная. Усл. печ. л. 40,00
Тираж 2000 экз. Заказ № ВЗК-06306-18.

Отпечатано в АО "Первая Образцовая типография", филиал "Дом печати — ВЯТКА"
610033, г. Киров, ул. Московская, 122

ISBN 978-5-04-095530-5

Содержание:

Введение

«Я люблю писать, потому что это спокойно, ты не торопишься, и ты делаешь это один. Делать фильм – это много шума». Портрет, сделанный Артуром Шатцом, 1967.

Любитель точных привычек и непогрешимого распорядка дня, Вуди Аллен предпочитает вставать каждое утро в 6:30. Он везет своих детей в школу, немного занимается на тренажере, затем садится за свою печатную машинку Olympia SM-3, которая была куплена, когда ему было 16, она до сих пор работает. На самом деле, больше всего он любит работать не сидя, а развалившись на кровати с пологом в своем кабинете, если он не работает с другим писателем, тогда он перемещается в гостиную. «Я приходил, и он работал несколько часов в день, – вспоминает Дуглас МакГрат, его соавтор по сценарию «Пули над Бродвеем». – К четырем часам дня наша энергия иссякала, мы расслаблялись в наших креслах. В тот момент положение солнца отражало контур Вест Сайда в его глазах. Я мог сказать точно, который сейчас час, по очкам Вуди».

Время, достаточное ему для написания сценария, было разным. «Обычно комедии мне писать было проще, потому что они были более естественными, но точного времени их написания я не могу назвать, – сказал он мне. – Я пишу сценарии за месяц, а драмы за два месяца, некоторые другие комедии за три месяца. Это зависит лишь от общих замечаний, что комедии мне писать проще». Подготовка к съемкам также проходит быстро, на нее уходит около двух месяцев, в течение которых Джульет Тейлор, режиссер по работе с актерами, предоставляет ему длинный список возможных актеров на каждую роль. Кастинг проходит достаточно быстро, Аллен пытается не пустить актеров за порог просмотрового зала, прежде чем они даже успеют занять свое место. «Вы не должны обижаться, – объяснит вам Тейлор. – Он делает это с каждым». И: «Это может быть очень быстрой процедурой». С паузами и несколькими радушными кивками головы, все это может длиться лишь минуту.

«У нас был классический трехминутный разговор, в течение которого он предложил мне работу, – сказала Рейчел МакАдамс, которой Аллен предложил роль в «Полночи в Париже» 2011 года, после того как увидел ее в фильме «Незваные гости». Он сказал: «Если ты не хочешь сниматься, мы что-нибудь придумаем еще когда-нибудь». Я не могла понять, предлагает ли он мне работу или позволяет мне отказаться, если я вдруг не хочу, но на работу я, конечно, согласилась. Я была очень счастлива быть частью его творчества. Это забавно, ты узнаешь столько смешных историй. «Он ненавидит синий! Никогда не приходи в синем!» И в какой-то момент я надела абсолютно очевидно синюю рубашку. Костюмер надела ее на меня, я сказала: «Но он ненавидит синий, что вы делаете? Мне нужно надеть что-то другое». А она такая: «Ну, это серо-синий». И

«Я бы вряд ли назвал это гением, но у меня иногда случаются внезапные озарения».

мы начали спорить о том, насколько синим является синий, и, в конце концов, я уверена, что он даже не заметил, что я там была в этот день».

Съемочная площадка Вуди Аллена хаотичная, но спокойная, на самом деле она настолько тихая, что невозможно догадаться, что он снимает комедию. Он не кричит «Камера!» или «Снято!» сам – это делает ассистент режиссера. Иногда Аллен играет в шахматы с техническим персоналом между кадрами, во время съемок он стоит поодаль от своих актеров, смотрит, выносит суждения, размышляет и изредка что-то предлагает, в основном, чтобы побудить отклонения от сценария. «Вы знаете, я сижу на кровати и пишу диалог, но первое, что я говорю актерам: «Забудьте сценарий», – сказал мне Аллен, когда я впервые интервьюировал его в середине 90-х. «Он дает не так много указаний, и он дает довольно много свободы, – говорит МакАдамс. – Иногда я чувствую, как будто бы я в театре. Он расставляет декорации, довольно красиво освещает комнату, и ты можешь свободно по ней перемещаться и брать в руки любой реквизит; ты можешь закурить сигарету. Он говорил: «Вы знаете, если вам кажется, что ваш персонаж сделал бы это, тогда попробуйте».

Аллен делает как можно меньше склеек между сценами, предпочитая собирать их из длинных общих планов, иногда они снимаются с рук, иногда нет. «Не оставляй свои лучшие реплики на крупные планы, – посоветовал Майкл Кейн актрисе Джине Роулендс, после его появления в фильме «Ханна и ее сестры». – Он не собирается снимать никаких крупных планов». Иногда он меняет актеров, когда что-то идет не так, как он сделал с Майклом Китоном в «Пурпурной розе Каира», но в общем ему легче найти ошибку в своем сценарии, чем в актере, и всегда проще найти бюджет на пересъемку, иногда для полностью нового материала: второй ужин на День благодарения в фильме «Ханна и ее сестры» был просто наспех написанной сценой, но Аллен в какой-то момент осознал, что ему нужен другой обед, чтобы уравновесить фильм. Таким образом создание кино дает ему такой же уровень контроля, какой дает и писательство, он ищет свой путь к законченной работе путем последовательных набросков. Он обладает необычной роскошью – пересмотром своего мнения. «Я лично всегда относился к своим фильмам, как к писательству на кинопленке, – говорит он. – Для меня это как печатать на машинке, за исключением того, что ты имеешь дело с другой субстанцией. Кто-то соглашается финансировать меня, зная по моей репутации, чего следует ожидать, и где лежат трудности, и после того, как я получаю деньги, спустя несколько месяцев я появляюсь с фильмом. Они никогда не видят сценария и ничего не могут сделать с проектом, но я из вежливости, конечно, информирую их об актерском составе и месте съемок, но это все».

Его менеджеры Джек Роллинс и Чарльз Йоффе изначально выбили договор с United Artists много лет назад, и это требовало некоторого покровительства, но в сегодняшнем раздробленном кинематографическом мире Аллену пришлось шевелиться, перемещаясь от Miramax к DreamWorks, а потом к Fox, как и любому другому независимому режиссеру, но основное осталось неизменным. Ни разу со времен Чарли Чаплина ни один комический артист не был создателем своей собственной судьбы, хотя, в действительности, именно Чаплин здесь выигрывает от такого сравнения. Если Чаплин бы пережил переход к звуку, справился бы с развитием от комедианта до драматического артиста, смог бы заменить себя в своих собственных фильмах, расширил бы свою киновселенную до особенности, имеющей все больше и больше слоев, и создал бы карьеру, длящуюся 50 лет (сравнивая с 20-ю лучшими годами Чаплина), тогда бы его достижения могли бы выдержать сравнение с достижениями Аллена. Недавно Vanity Fair спросили: «Сколько необходимо выдающихся фильмов, чтобы создать репутацию великого режиссера?» Терренс Малик заработал свою репутацию двумя фильмами («Пустоши», «Дни жатвы»), Мартин Скорсезе – тремя («Злые улицы», «Таксист», «Бешеный бык»), Фрэнсис Форд Коппола – тремя («Крестный отец», «Крестный отец 2», «Апокалипсис сегодня»), Роберт Олтмен – тремя («Военно-полевой госпиталь», «Маккейб и миссис Миллер» и «Нэшвилл»). Аллен снял по крайней мере 10, которые могут выдерживать конкуренцию в такой компании – «Энни Холл», «Манхэттен», «Зелиг», «Пурпурная роза Каира», «Ханна и ее сестры», «Дни радио», «Мужья и жены», «Загадочное убийство в Манхэттене», «Пули над Бродвеем», «Жасмин». Он может гордиться еще рядом практически настолько же великолепных фильмов: «Спящий», «Любовь и смерть», «Воспоминания о звездной пыли», «Бродвей Дэнни Роуз», «Преступления и проступки», «Сладкий и гадкий», «Матч Поинт», «Вики Кристина Барселона».

Эта оценка может стать сюрпризом для тех, чье мнение о нем перекрывается тучами спекуляций медиа на тему его личной жизни. Ему приписывали «комбеки» больше раз, чем это логически возможно. Сама вездесущность Аллена приобрела свою собственную форму невидимости, его неиссякаемую продуктивность тяжело созерцать, его репутация прячется на глазах у всех. Он просто «Вуди» – тот самый, как знаковое здание или туристическая достопримечательность, он выпускает по фильму в год большую часть последних пятидесяти лет, но каким-то образом он никак не упоминается на страницах книги «Беспечные ездоки, Бешеные быки» – это оценка Питером Бискиндом великих золотых лет американского кинематографа

Напротив: Портрет, сделанный Майклом О'Нилом, 1994

На следующей странице листа: 10 лучших фильмов Аллена, охватывающих более трех десятилетий – от «Энни Холл» 1977 года до «Жасмин» 2013.

во времена поздних 60-х и 70-х, когда удивительные режиссеры, как Олтман, Скорсезе и Коппола, восторженные в равных частях наркотиками и Теорией авторского кино, штурмовали Голливудскую цитадель и производили один дикий скандальный шедевр за другим, в которых было много съемок с рук, резких смен кадра в стиле Годара, неловких повествований и сырых актерских импровизаций, которые осмеливались подвергать сомнению длительные поиски Америки своего хэппи энда.

Но достаточно об «Энни Холл». Нежность застилает наши глаза от этого фильма: там нет шаблона романтической комедии, но, напротив, это горько-сладкая оценка мимолетности любви, где все видно на экране – расщепленная картинка, пустые кадры, черные кадры, титры, внезапные вспышки анимации, – точно так же два главных персонажа, которые болтают, как сумасшедшие, которые пытаются найти верный аккорд во всем этом ментальном джазе, они две ноты, которые вместе могут спеться. Пока не появился Аллен, комедии не выглядели и не звучали так – верно сказать, как фильмы Жана Люка Годара. Как отмечал сам Аллен: «В основном хорошо выглядящие вещи – это вещи вообще не смешные». Внешний вид комедии, ее статус как кинематографического артефакта, мало кого заботил. Никто не разговаривал о мизансценах братьев Маркс. Студенты киноведческих институтов не смотрели фильмов с Чаплиным для изучения композиции. Среднестатистическая голливудская комедия, когда Аллен начал делать фильмы, снималась и освещалась как магазин по продаже автомобилей: ярко и приземисто, средними планами, так, чтобы было видно все. «Я не вижу ни одной причины, по которой кинокомедии не могут выглядеть так же хорошо», – настаивал Аллен, нанимая бельгийского оператора Гислена Клоке, который работал с Жаком Деми и Робертом Брессоном, на съемки «Любви и смерти» и оператора «Крестного отца» Гордона Уиллиса на съемки фильма «Энни Холл», тем самым начав смелый эксперимент в модернистской композиции, которая достигла своего угловатого апофеоза в «Манхэттене». «Операторское мастерство – это посредник», – настаивал он.

WOODY ALLEN
DIANE KEATON
TONY ROBERTS
CAROL KANE
PAUL SIMON
JANET MARGOLIN
SHELLEY DUVALL
CHRISTOPHER WALKEN
COLLEEN DEWHURST
"ANNIE HALL"
A nervous romance.

TOW AWAY ZONE
WOODY ALLEN
DIANE KEATON
MICHAEL MURPHY
MARIEL HEMINGWAY
MERYL STREEP
ANNE BYRNE
MANHATTAN
"MANHATTAN" Music by GEORGE GERSHWIN
A JACK ROLLINS-CHARLES H. JOFFE Production
Written by WOODY ALLEN and MARSHALL BRICKMAN
Directed by WOODY ALLEN
Produced by CHARLES H. JOFFE
Executive Producer ROBERT GREENHUT
Director of Photography GORDON WILLIS
United Artists
A Transamerica Company

Editor
SUSAN E. MORSE
Director of Photography
GORDON WILLIS
Written and Directed by
WOODY ALLEN

RADIO
DAYS
A Jack Rollins and Charles H. Joffe Production "Radio Days"
Costume Designer-Jeffrey Kurland Editor-Susan E. Morse, A.C.E. Production Designer-Santo Loquasto
Director of Photography-Carlo Di Palma A.I.C. Musical Supervision-Dick Hyman Associate Producer-Ezra Swerdlow

HUSBANDS
AND WIVES
Woody Allen Blythe Danner Judy Davis Mia Farrow Juliette Lewis Liam Neeson Sydney Pollack
TRISTAR PICTURES PRESENTS A JACK ROLLINS AND CHARLES H. JOFFE PRODUCTION "HUSBANDS AND WIVES" CASTING BY JULIET TAYLOR CO-PRODUCERS HELEN ROBIN AND JOSEPH HARTWICK
COSTUME DESIGNER JEFFREY KURLAND EDITOR SUSAN E. MORSE, A.C.E. PRODUCTION DESIGNER SANTO LOQUASTO DIRECTOR OF PHOTOGRAPHY CARLO DIPALMA, A.I.C.
A TRISTAR RELEASE
TRISTAR

ALLEN
MIA FARROW
Production Designer
MEL BOURNE
BERT GREENHUT
THE PURPLE ROSE OF CAIRO
"...pure enchantment."
—VINCENT CANBY, NEW YORK TIMES
"...an event..."
—GENE SHALIT, NBC-TV, THE TODAY SHOW
"...a gem..."
—JACK KROLL, NEWSWEEK
"...it's a jewel...perfect."
—MICHAEL WILMINGTON, LOS ANGELES TIMES
"...it deserves a medal."
—REX REED
"...an enduring classic."
—PETER TRAVERS, PEOPLE MAGAZINE
"...masterpiece..."
—RICHARD SCHICKEL, TIME MAGAZINE
"...funny and charming..."
—SISKEL AND EBERT, AT THE MOVIES
"...I love this movie."
—JOEL SIEGEL, ABC-TV, GOOD MORNING AMERICA
"...inventive, funny and magical..."
—PAT COLLINS, CBS-TV, CBS MORNING NEWS

HANNAH AND HER SISTERS
WOODY ALLEN MICHAEL CAINE
MIA FARROW CARRIE FISHER
BARBARA HERSHEY LLOYD NOLAN
MAUREEN O'SULLIVAN DANIEL STERN
MAX VON SYDOW DIANNE WIEST
JACK ROLLINS and CHARLES H. JOFFE Production
Editor SUSAN E. MORSE A.C.E.
Director of Photography CARLO Di PALMA A.I.C.
Executive Producers JACK ROLLINS and CHARLES H. JOFFE
Produced by ROBERT GREENHUT
Written and Directed by WOODY ALLEN
ORION

WOODY ALLEN'S NEW COMEDY IS THE TOAST OF THE TOWN
"A BRIGHT, ENERGETIC, SIDE-SPLITTING COMEDY!
The kind of sharp-edged farce Woody Allen has always done best."
Janet Maslin, THE NEW YORK TIMES
Bullets over Broadway
JIM BROADBENT JOHN CUSACK HARVEY FIERSTEIN
CHAZZ PALMINTERI MARY-LOUISE PARKER ROB REINER JENNIFER TILLY
TRACEY ULLMAN JOE VITERELLI JACK WARDEN DIANNE WIEST

Alec Baldwin
Cate Blanchett
Louis C.K.
Bobby Cannavale
Andrew Dice Clay
Sally Hawkins
Peter Sarsgaard
Michael Stuhlbarg
Blue Jasmine
Written and Directed by
Woody Allen

Ранние годы

В 1952 году, во время последнего года учебы в Мидвудской старшей школе, обычный день Вуди Аллена складывался из следующих пунктов. Он уходил с учебы в час дня, шел прямо к станции метро и садился в поезд BMT (Бруклин – Манхэттен) от Флэтбуша, в Бруклине, по Манхэттенскому мосту на 60-ю улицу и Пятое авеню, все это время он карандашом писал шутки. В транспорте всегда была толпа народа и Аллену приходилось ехать стоя, но он все равно писал, и к тому времени, как он добирался до Манхэттена, у него было как минимум 25 шуток. Он проходил несколько кварталов на восток, возле ночного клуба «Копакабана» к офису журналиста в сфере шоу-бизнеса Дэвида Альбера на Мэдисон-авеню – немного обветшалому зданию, которому требовалась покраска, там в четырех кабинетах трудились 6–7 человек, которые фабриковали гэги, чтобы выпустить их в таблоидах под именем той или иной знаменитости. В следующие три часа он сидел там и писал, пока число его шуток не достигало 50 – это 10 страниц, пять шуток на странице. За это ему платили 20 долларов в неделю. «Это было просто», – говорил он. Ему было 16.

Аллен всегда имел талант к гэгам, точно так же некоторые люди имеют талант к рисованию или обладают абсолютным слухом. «Если ты пишешь шутки, тебе трудно не создавать шутки», – сказал он в телешоу CBS «Как оно есть» 1967 года, будучи молодым человеком с небрежной спрецzатурой. «Я всегда впечатлялся, когда видел кого-то, кто мог нарисовать лошадь. Я не могу себе представить, как они это делают. Потому что они реально могут нарисовать лошадь карандашом на бумаге, и это великолепно. Сейчас я не могу нарисовать лошадь и вообще ничего. Но я могу писать шутки. Тяжело не писать их. Я имею в виду, когда я иду по улице, это почти становится моим дискурсом. Так просто происходило».

Работа появилась после того, как Аллена к ней подтолкнула его мать Нетти – так происходила большая часть вещей в доме Конингсбергов. Он очень плохо учился в школе, в этом невеселом месте со строгой дисциплиной, управляемой неприятными, лишенными юмора учителями. «Я ее ненавидел больше, чем крысиный яд, – сказал он своему биографу Эрику Лаксу. – Я обращал внимание на все, кроме учителей». Он занимался хорошо только по одному предмету – сочинению на английском, где его изобретательные импровизации на такие темы, как какой подарок он хотел бы получить, если бы был болен и лежал в кровати, всегда вызывали смех в классе. Когда он сказал своей матери, что подумывает стать писателем шуток, она повела его в магазин купить печатную машинку Olympia SM-3, которую продавали за 40 долларов. Она выглядела как маленький танк. «Эта машинка прослужит дольше, чем ты», – пообещал менеджер по продажам. По предложению его кузины он отправил образцы своих работ некоторым самым крупным журналистам желтой прессы того времени – Уолтеру Уинчеллу в Daily Mirror, Эрлу Уилсону в New York Post. Его письма всегда сопровождались одной и той же запиской: «Здесь представлены на ваше рассмотрение несколько шуток, они отправлены эксклюзивно вам». К своему удивлению, однажды он открыл Mirror на странице с колонкой Ника Кенни и понял, что тот использовал одну из его шуток. «Самый счастливый человек из всех, что я знаю, имеет зажигалку и жену – и обе они при деле».

Вскоре за Кенни последовал более читаемый Эрл Уилсон («Говорит Вуди Аллен: «Лицемер – этот тот, кто пишет книгу об атеизме и молится о том, чтобы она продавалась»). Это было «изумительное прикосновение славы» от мира, в котором он не считал себя даже малейшей крупинкой. «Я был просто нелепым парнем в старшей школе, и тут внезапно мое имя прогремело». Но прогремело не настоящее имя Аллена – Аллан Конигсберг, – а литературный псевдоним, потому что он не хотел обращать на себя внимание на математике на следующий день. Его талант вскоре толкнул его вперед, дальше, чем его скромность толкала его назад. Однажды вечером, на концерте Пегги Ли в кафе La Vie en Rose в Манхэттене, личный менеджер Дэвида Альбера спросил у одного из ассистентов Уилсона, не может ли он посоветовать хорошего писателя шуток. Ассистент поведал ему об этом ученике старшей школы в Бруклине, которого так много цитировали, что читатели начали смущаться: кто такой этот Вуди Аллен? На первой встрече с 16-летним вундеркиндом писатели Альбера – всем им было по 30–40 лет – были ошеломлены.

«Он был полон удивления, – вспоминает Майк Меррик. – Он всегда говорил «Вау!» или «Вот это да!». Он был чрезвычайно располагающим. Он был харизматичным,

Портрет Аллена в молодом возрасте. К 16 годам он уже зарабатывал себе на жизнь придумыванием шуток.

«Я приложил немало усилий, чтобы подписываться другим именем, потому что я думал: «Господи, если кто-нибудь когда-нибудь использует это имя, будет так неловко, если мое имя появится в газете». Поэтому я поменял свое имя на Вуди».

милым, любопытным… антитезой саркастичного остряка. Он пришел совершенно не претенциозным, он никогда не делал много шума и выдавал эти оригинальные смешные строки, скажем, для Сэмми Кая. Мы их читали и говорили: «Сэмми Кай, должно быть, такой умный».

В конце рабочего дня Аллен полчаса ехал на метро обратно в Бруклин, он выходил на наземной станции на 16-й улице,и шел квартал до своего дома – небольшого строения с деревянными рамами на две семьи с зацементированной лестницей на 15-й улице Мидвуда, к югу от Флатбуша, глубоко в сердце Бруклина. Там он жил со своими родителями Нетти и Мартином, младшей сестрой Летти, бабушкой, и дедушкой. В их доме всегда было много людей: его дядя Сесил, дядя Абе, сестра Нетти Сэди и ее муж Джо, какая-нибудь из семи тетушек, плюс множество холостых, находящихся в дозамужних или постзамужних заботах, так что Аллен часто спал со всеми вместе на одной большой кровати. Вокруг него всегда было шумно, это очень похоже на то, что он изобразил в «Днях радио». Главным впечатлением было то, что очень много людей живет в слишком маленьком пространстве, все орут друг на друга языком, смешанным из идиша, немецкого и английского. «Всегда очень весело, люди что-то делали, орали друг на друга и были активными. Там все время был сумасшедший дом», – вспоминает Аллен. Кто-то может сказать, что это прекрасный фундамент для театральной механики и эмоционального градуса фарса.

Гвоздем программы всегда была сама чета Конигсберг и ее чудесные безгармоничные отношения. «Они только и делали, что обменивались колкостями, – говорил Аллен. – Я бы сказал, что они были на грани разрыва каждый божий день первые тридцать лет их брака, особенно, в первые двадцать. Это было поразительно». Они спорили обо всем на свете, но особенно о безрассудных тратах Мартина и его шатком успехе в делах. Мужья, по умозрению Нетти, должны были зарабатывать деньги и оплачивать счета, но Мартин, который всем говорил, что он богатый провинциальный торговец, приехавший в большой город, менял работу за работой, продавая украшения по почте, работая в бильярдной, делая ставки на ипподроме в Саратоге для жуликов. Он был таксистом, барменом, гравером, официантом в Sammy's Bowery Follies; когда он приходил домой, то всегда находил время и деньги на новый костюм или игрушку для Аллена, что заставляло Нетти приходить в бешенство. Мальчик с широко раскрытыми глазами и молчаливо впитывал это все в себя, намного позже он наполнил свою комическую вселенную рядом бездельников, авантюристов, мошенников, мелких жуликов и аферистов, начиная от Вирджила Старквила в фильме «Хватай деньги и беги» до сутенера Мюррея в фильме Джона Тортурро «Под маской жиголо». Примум мобиле этой вселенной – аферист.

«В моем доме было столько агрессии, и все мошенничали, особенно мой отец. Он провоцировал и разводил. Я научился всем отцовским аморальным, подозрительным, жестким позициям по отношению всего. Он не мог не проехаться на машине без того, чтобы ввязаться в драку с другим водителем. В этом смысле он был очень сложным, он всегда был готов плохо поступить с человеком ради своей выгоды. Наблюдая за ним, я не знал, что люди вообще могут себя вести приятно по отношению друг к другу… Я думал, что именно так ты общаешься с миром», – говорит Аллен. Когда Аллен нашел фальшивую монетку на улице, он попытался всучить ее своему деду, думая, что он слишком стар, чтобы увидеть разницу, но его поймала мать, которая была сторонником жесткой дисциплины в их доме, у нее был горячий темперамент и тяжелая правая рука. Она «всегда пыталась ударить его, – вспоминает его друг в юности Джек Фрид, – как только он вызывал ее гнев, она начинала вопить и орать, прежде чем сильно ударить его. У него была невероятная способность сдерживать эмоции. А его мать вообще не умела себя контролировать».

И опять же, тут не нужен психоаналитик, чтобы установить источник всех мегер, сварливых и ворчливых женщин, которые сформировали одну нить, охватывающую все женские персонажи в работе Аллена. «Она била меня каждый день моей жизни», – сказал он создателям документального фильма Барбары Копл «Блюз дикого человека» 1997 года. Но в тот момент единственная тактика, которую он знал и использовал в разной мере искусности, была бегством. В нем была черта, которая, кажется, появилась из рассказа Дэймона Раньона. Он мечтал стать картежником, шулером, мошенником и бесконечно практиковал в своей комнате трюки с ловкостью рук либо же сидел со своими друзьями на крыльце, выдумывая

Будучи подростком, Аллен мог свободно слоняться по бруклинским улицам. Местные магазины с пластинками и кинотеатры были среди его любимых мест.

схемы, как облапошить своих одноклассников игрой с подтасованными картами или краплеными костями. «Никогда не играй в карты с Конигсбергом», – советовал редактор газеты Мидвудской школы «Аргос». Субботними утрами он со своими друзьями совершал паломничество в Магический магазин Ирвинга Теннена на Вест 52-й улицы в Манхэттене либо зависал в магазине с пластинками на Кингс Хайвэй, там они тратили свои карманные деньги на пластинки на 78 об/мин Джелли Ролл Мортона, потом они проигрывали их в доме их друга Эллиота Миллса, где они часами слушали джаз на его проигрывателе за 12,5 долларов. «Мы не переставали слушать, я имею в виду, одержимо ноту за нотой. Я не могу даже сказать, насколько одержимыми мы были», – рассказал Аллен. Его друзья всегда удивлялись, что ему не нужно просить разрешения уйти из дома, как нужно было им. Он просто свободно уходил.

Кроме всего прочего, были фильмы, которые являлись как бы сборником его любимых вещей: Манхэттена, магии, музыки, девушек, иллюзий, мелкого хулиганства, побега от действительности – все это было смешано в одно. Аллену было три, когда мать взяла его на его первый в жизни фильм «Белоснежка и семь гномов» в 1939 году; он побежал потрогать экран, но она притянула его. В первый раз, когда его отец взял его в город, ему было 6; они сели в поезд из Бруклина и вышли на Таймс-Сквер. «Это самая невероятная вещь, которую можно себе представить. Во всех направлениях в обозримом пространстве были кинотеатры. Теперь мне кажется, что в Бруклине, где я вырос, было много кинотеатров, и так оно и было, но здесь каждые 25 или 30 футов был кинотеатр – тут и там по Бродвею, и мне это казалось самым пленительным. Это было очертание всех этих знаков – значок Howard Clothes и значок Camel, – все эти вещи теперь стали иконичными. А на улицах были толпы солдат и моряков, и все они прекрасно выглядели в своих униформах. А женщины в то время все походили на Бетти Грейбл, Риту Хэйворт, Веронику Лейк – именно к этому они все стремились. И они прогуливались по улицам, держались за руки с моряками, а рядом со зданиями стояли парни, которые торговали как будто без ниток управляемыми марионетками, и там были прилавки с папайей и тиры. Это было похоже на момент, где Фред Астер идет по улице в начале «Театрального фургона». Это не было преувеличением… Это было невероятно увидеть. И в тот момент, как я это видел, я понял, что все, чего я когда-либо хотел – это жить на Манхэттене и работать на Манхэттене, я был просто в восторге от этого места».

Легко забыть, что, когда Айзек Дэвис произносит известный список вещей, которые делают «жизнь стоящей жизни» в фильме «Манхэттен» («Окей, для меня, я бы сказал Граучо Маркс, если назвать что-то одно, Уилли Мейс и вторая часть симфонии «Юпитер», и запись Луи Армстронга Potato Head Blues, шведское кино, естественно, «Воспитание чувств» Флобера, Марлон Брандо, Фрэнк Синатра…»), Аллен не впадает в старомодную ностальгию

«Когда я был маленьким мальчиком, я любил комедии и я любил Боба Хоупа и Граучо Маркса. Я с этим вырос. До подросткового возраста я старался вести себя как Хоуп и шутить, и спокойно придумывать колкости».

Боб Хоуп и Граучо Маркс, два комедийных героя детства Аллена.

по культуре предыдущих поколений. Он говорит о вещах из своего детства. Братья Марк еще выступали в театрах, когда он родился в декабре 1935; Potato Head Blues играла в музыкальных автоматах. Когда Уилли Мейс пришел в «Нью-Йорк Джайентс», а Марлон Брандо сыграл в «Трамвае «Желание», Аллену было 15. Ему было 19, когда Синатра подписал контракт с Capitol Records. Даже если оставить в стороне явно автобиографичные фильмы, которые он снял – «Бродвей Дэнни Роуз», «Дни радио», – фильмы Аллена до невероятного уровня уходят в его детство и культуру, через которую он думал бежать от реальности. «Реальность мне никогда не казалась красивой, – сказал он Джону Лару в 1997. – Мне нравилось быть в мире Ингмара Бергмана. Или в мире Луи Армстронга. Или в мире «Нью Йорк Никс». Потому что это не наш мир. Всю свою жизнь ты пытаешься выбраться из него».

Если дорога в Голливуд в лучшем случае казалась нереальной, у Аллена была идеальная возможность воспользоваться комедийным бумом, который охватил Америку в 1950-е. Во всех больших городах как грибы начали появляться кофейни и джазовые клубы, а больше всего в Гринвич Виллидж в Нью-Йорке, где в клубах, таких как Фигаро и Реджио, такие музыканты, как Пит Сигер и Бит, такие писатели, как Джек Керуак и Аллен Гинзберг, выступали, чтобы говорить с молодой аудиторией, которая тянулась к кому-то, кто помог бы ей стряхнуть с себя всю абсурдность эры Джозефа Маккарти. В Чикаго театр «Компас» впервые столкнул Майка Николса и Элани Мэй, в Калифорнии Мэл Брукс и Карл Райнер впервые сыграли в скетче о человеке, которому две тысячи лет и который рассказывает о всех известных людях, с которыми он знаком (Иисус: «Я его хорошо знал. Худой, бородатый. Зашел в магазин. Мы ему воды дали»), на LP, продажи которого превысили миллион копий. В 1954 году Аллен увидел первый стенд-ап Морта Сала в ночном клубе Blue Angel. Он был одет не в смокинг, но в широкие брюки и свитер, у него под мышкой был New York Times, он не шутил на обычные темы о женах и женском нижнем белье, но вместо этого импровизировал на тему «дилеммы жителя мегаполиса, тонущего в окружении, которое он сам себе создал». Используя формулировку Джонатана Миллера, Сал был потрясающим.

«Это было похоже на появление Чарли Паркера, который произвел машинальную революцию в джазе. Такого, как он, никто раньше не видел. И он был таким естественным, что другие комедианты начинали завидовать. Они говорили: «Почему он нравится людям? Он просто говорит. Он ничего не играет». Но его шутки выходили из целого ряда сознательных вещей, как джазовые ритмы. И он отклонялся от главной темы. Он начинал говорить об Эйзенхауэре, а от этой темы он переходил к ФБР и упоминал что-то, что с ним случилось, а потом что-то об электронном наблюдении, а потом он начинал говорить о высококачественной технике и женщинах, а потом возвращался к своему мнению об Эйзенхауэре. Это был ошеломляющий формат». В первую очередь, выступления Сала представляли собой триумф голоса. Он не звучал, как играющий актер, он звучал, как кто-то, кого одолевают его собственные мысли: он был быстрым, рассуждающим, искренним и резким – этот звук подпитывал собственный голос Аллена, менее раздражительный, чем голос Сала, но он оживлялся тем же небрежным ритмом.

Другим ключевым влиянием того периода был Дэнни Саймон, брат драматурга Нила и главный автор The Colgate Comedy Hour телеканала NBC, где Аллен получил место новичка как часть программы NBC по развитию писательства. Шоу закрыли практически сразу после того, как туда пришел Аллен, но Саймон показал себя как бесценный учитель и верный друг. «Все, что я узнал о написании комедии, я узнал от Дэнни Саймона», – рассказал он Эрику Лаксу. Он научил его важности чистых реплик – непринужденных острот – и разницы между стенд-апами, которые основаны на шутках, и скетчами, основанных на ситуациях, которые ты развиваешь, а потом осваиваешь вместе с персонажами; он научил его доводить любой концепт до крайности: «А что потом?» Он также дал ему работу, порекомендовал его в курортный комплекс Тамимент около Страудсберга, Пенсильвания. Тамимент был летним курортом возле озера, он был похож на еврейские горы Катскилл, где молодые евреи и еврейки могли собираться вместе и наслаждаться представлениями на сцене, сыгранными такими неопытными талантами, как Сид Сезар, Карл Райнер, Мэл Брукс, Дэнни Кей и Нил Саймон, каждый из них, прежде чем попасть на Бродвей, начинал именно здесь.

Печатная машинка Аллена звучала из его маленького кабинета как циркулярная пила. Каждый понедельник исполнителям нужен был новый материал, они репетировали его до среды, с финальным прогоном в театре в четверг, прежде чем исполнить его вечерами субботы и воскресенья. «Ты не мог сидеть в своей комнате и ждать, пока тебя посетит муза и вдохновит тебя. Тебе было нужно, чтобы был написан материал», – говорил Аллен. Его шоу в Тамименте включало в себя церемонию награждения преступников, в которой бандиты получали ежегодные призы за Лучшее убийство, Лучшее ограбление, Лучшее вооруженное нападение со смертельным оружием; также там была зарисовка о психологической войне, где неприятели встречаются на поле брани и подкрадываются друг другу, шепча: «Ты коротышка, ты коротышка, и тебя никто не любит». Его шутки безотлагательно стали хитами и привели к созданию выпусков «Шоу Сида Сезара» в 1958 году, в котором он создал пародию на Playhouse 90 для Сезара, которую назвал Hothouse 9D, и пародию на American Bandstand с Артом Карни, представляющим такие новомодные рокгруппы, как «Сестры Карамазовы». Аллену не очень нравилось писать для Сезара, который на тот момент находился на спаде своей карьеры; другие писатели критиковали и травили друг друга. «Маленькая рыжая крыса», – описывал Мел Брукс Аллена. «Вуди выглядит, как будто ему 6 лет», – говорил его товарищ Ларри Гельбарт. «Его предыдущие авторские заслуги, я предполагаю, должны заключаться в изучении алфавита. Он выглядит таким хлипким, доходяга в роговой оправе».

Шоу Арта Карни продолжалось, а Аллен для него писал пародию на бергмановскую «Земляничную поляну» 1957 года, которую он назвал «Ура любви!», где Карни говорил на псевдошведском языке с абсурдными субтитрами. «Пародии на Теннесси Уильямса и Ингмара Бергмана, – написал один критик. – Дружище, это слишком

Принципиально новый комедиант Морт Сал здесь, в Mister Kelly's в Чикаго в 1957 году, был другим сильным влиянием.

Мел Брукс, Вуди Аллен, «маленькая рыжая крыса», и Мел Толкин делятся идеями с Сидом Сезаром. Аллен работал одним из писателей Сезара в середине 50-х.

«Я бы сказал, что гений комедии относится к реальному гению так же, как президент Лосиной ложи (Moose Lodge) к президенту США».

далеко от массового зрителя». Интеллектуальная сфера Аллена расширялась. Двумя годами раньше ранее, в 1956 году, он женился на Харлин Розен, дочери владельца обувной лавки, которую он встретил во флатбушском еврейском социальном клубе. Осенью 1957 года Харлин поступила в колледж Хантер на философский факультет, а ее муж, чтобы не отставать, нанял тьютора в Колумбийском университете, который должен был помочь ему пройти курс Великих книг – Платона, Аристотеля, Данте, Джойса, – они читали эти книги и обсуждали. Аллен не брал в руки книги до своего юношества, считая это занятие «скукой», но он был таким же усердным и методичным в своем самообучении, как и в любом другом занятии. Каждый день в 16:00 он проходил четыре квартала от своего дома в Метрополитен-музей и проводил 1,5 часа, изучая разные выставки, пока он не изучил весь музей. Приключения Аллена в высшем образовании во многом были обусловлены сексуально-романтическими причинами: он не хотел отставать от Харлин, а потом, когда их брак распался в 1962, он хотел привлечь другой тип женщин. «Они мной не интересовались, потому что я был отбросом в культурном и интеллектуальном плане. Мне пришлось начать пытаться делать какие-то усилия, чтобы узнать, что их интересует; все, о чем я знал, был бейсбол. Я шел с ними куда-нибудь, и они говорили: «Куда я бы хотела пойти сегодня, так это послушать Андреса Сеговию», а я говорил: «Кого?» Или они спрашивали: «А ты читал этот роман Фолкнера?», а я отвечал: «Я читаю комиксы».

К концу 1950-х большая часть элементов, которые составят комедию Вуди Аллена, была на нужном месте: ловкая способность незаметно ввернуть шутку, которая была в долгу у заученной повседневности Морта Сала; удовольствие от порчи интеллектуальных желаний культуры столичных кафе; отношение к женщинам, которое скрывало некоторую его подростковую неопытность («Моя жена нарушила правила дорожного движения. Зная ее, могу сказать, что это было не со стороны водителя»), чтобы открыто раскрыть мужскую неуверенность в себе; и все более живую способность развивать кичливость на больших дистанциях, благодаря его разминке в фабрике шуток в Тамименте и на вещательном телевидении под руководством Дэнни Саймона. Не хватало лишь одного элемента – типажа, таланта к исполнению и хотя бы какого-то признака того, что Аллен однажды представит свой собственный материал.

«Мы чуяли, что этот маленький застенчивый парень может стать великим исполнителем», – сказал Джек Роллинс после того, как он и его партнер Чарльз Йоффе увидели Аллена в своих кабинетах с разбросанными газетами на Вест 57-й улице в 1958 году. Аллен читал ряд своих скетчей. «Он был до смерти серьезен, когда он читал свой скетч, но это нам казалось смешным. Он не понимал, почему мы смеемся. Он делал такой вид: «И что здесь смешного». Он был очень исключительным. Тихим и скромным». Роллинс и Йоффе были в то время Роллс-Ройсами менеджмента шоу-бизнеса, людьми, которые привезли Ленни Брюса в Нью-Йорк, которые нашли Гарри Белафонте и Николса с Мэй. Они оба сразу же были очарованы непритязательной личностью Аллена, его уклончивым, извиняющимся чувством. Они оба чувствовали потенциал для «тройной профессии» – что-то вроде Орсона Уэллса, который пишет, режиссирует и исполняет свой собственный материал, и они решили подписать с ним контракт.

После периода промедления, в течение которого Аллена наняли и уволили с длительного «Шоу Гарри Мура», угроза безденежья подсластила предложение Роллинса и Йоффе,

Сверху: «Мы чуяли, что этот маленький застенчивый парень может стать великим исполнителем». Джек Роллинс (по центру) и его партнер Чарльз Йоффе (слева) пользуются шансом использовать талант Аллена. Здесь фотография 1970-х.

На следующей странице: полный цикл дерганий и судорог Аллена, запечатленных фотографом Роуландом Шерманом в середине 60-х во время стенд-апа в Вашингтоне.

и они заказали ему его первый стенд-ап в октябре 1960-го после выступления Шелли Бермана в Blue Angel. Это было очень сложным местом для выступления, дорожка туда была выстелена красным ковром, она вела посетителей по коридору вниз в маленькую черную комнату, наполненную дымом, с низкими потолками и крошечной сценой, у подножия которой располагалась линия круглых столиков, за которыми сидели представители богемы и телевидения. Ларри Гелбарт был на первом выступлении Аллена, он описал, что тот выглядел как «Элани Мэй в мужской одежде». Он курсировал и бежал по своим рутинным делам – в одном из них он поступил на курсы колледжа по Продвинутой правде и Красоты и Смерти, но он смухлевал на экзамене, спародировав парня, который сидел рядом. Он громко произносил слова, проглатывал слоги, его правая рука стиснула микрофон до такой степени, что его костяшки побелели, левая его рука сжимала держатель микрофона так, как будто там было намазано клеем. Он выглядел нагим, беспомощным, как кролик без шкуры.

«Он мог бы просто там встать и обмотать провод вокруг своей шеи, – вспоминает Роллинс об этом первом выступлении. – Казалось, что он себя задушит. Ох, и у него был нервный тик. Нервный, нервный. Вот это было зрелище. Я имею в виду, его надо было видеть». Йоффе говорил: «Вуди был просто ужасен». За этим последовал, согласно Аллену, «худший год в его жизни». Каждое утро он вставал со страхом, притаившемся в его желудке, который не утихал, пока он не уходил со сцены, затыкая уши, чтобы не слышать отклика зрителей. Йоффе вместе с Роллинсом привозили его на шоу, боясь, что он сбежит. Однажды, вспоминает Роллинс, «он ходил, как маленький львенок в клетке, туда-сюда, туда-сюда», оставляя дорожку на ковре. Несколько раз его рвало до выхода на сцену. Им буквально приходилось подталкивать его. «Много раз мы с Вуди стояли за сценой, и он дрожал как лист», – рассказала Джейн Уолман, которая владела клубом и представляла исполнителей. «Его маленькое тельце подрагивало, а я его поддерживала. Он подходил ко мне. А я хлопала его по спине и говорила: «Да ладно тебе, ты будешь великолепен».

После выступления они все вместе ехали в Stage или Carnegie Deli, где Роллинс и Йоффе проводили критический обзор выступления, указывали на реплики, над которыми надо поработать, или движения, которые следует сдерживать, пока Аллен не начинал их просить позволить ему уйти: «Я не смешной, я не комик, я не могу этого делать, я это ненавижу, я не люблю эту работу, я скромный, мне не нравится стоять перед публикой», – говорил он, а Роллинс всегда спокойно убеждал его: «Дай себе немного времени». Потом в три часа ночи он шел домой спать, просыпался, и цикл повторялся. Аллен почти что уходил с этой работы пять или шесть раз. Внезапно что-то щелкнуло в его голове. Вместо того, чтобы прорывать свой материал, как будто бы надеясь, что он сможет найти выход, он понял: «Они платят за то, чтобы меня увидеть». Дерганное исполнение и нервные движения однажды повернулись на 180 градусов, внезапно став очерком типажа: «Маленький человек с ошарашенным взглядом на самого себя, как будто его только что поймали за отвратительным действом», – словами Фила Бергера.

Цикличность служила исполнению: именно об этом было алленовское исполнение. Невыразимый страх. Тревога исполнения. Экзистенциональный шантаж. Это создавало превосходное ощущение того, что происходило на сцене для зрителей: исполнитель подловил себя на своей собственной панике, он держится за микрофон, как будто бы изо всех сил, он выделяется на фоне подсветки, как будто на фоне

8
8A
13
13A
KODAK TRI X PAN FILM
9
9A
14
14A
10
10A
15
15A

На деревянной лошади с Моникой ван Вурен в рекламе водки Смирнофф 1960-х.

фар приближающегося автомобиля. Аллен обернул свой страх перед выступлением в свою собственную фишку. Намного позже, когда он появился в Saturday Night Live, он объяснил кое-что Лорну Майклзу, это Майклз хорошо помнит: «Он сказал, что сам является своим замыслом».

«Когда я начинал, я думал противоположным образом. Я просто хотел выходить на сцену и шутить мои шутки, потому что я думал, что именно над ними смеются зрители. Но Джек Роллинс постоянно мне говорил: «Они второстепенны». Я не знал, что первостепенно, потому что я был полностью ориентирован на писательство. Я думал, что, если С. Дж. Перельман выйдет и прочтет «Никакого крахмала в дхоти, S'il Vous Plait», они начнут хохотать. Но дело вообще не в этом; дело в том, что шутки становятся способом для человека выразить свою личность или отношение к чему-то. Как Боб Хоуп. Вы смеетесь не над шутками, но над парнем, который тщеславен, малодушен и полон притворной бравады. Вы все время смеетесь над персонажем».

К концу 1961 года Аллен действительно нашел свой путь. Он был таким хитом в Bitter End, что ему приходилось делать четыре шоу в пятницу и субботу, чтобы удовлетворить своих зрителей, и за выходные более 400 человек не попадали на шоу. Статья в New York Times сподвигла людей вставать в очередь, тянувщуюся вплоть до улицы Макдугал. «То, что проекты Аллена и его работу назвали свежей, яркой и индивидуальной, является меланхолической бессмыслицей», – написал Артур Гельб в ноябре 1962 года. «Он находка в одежде простака, всегда терзаемый миром и обществом… Он чаплиновская жертва с перельмановским ощущением абсурдности и манерами Морта Сала, несмотря на то, что он избегает актуального для данного времени материала». В New York Journal Джек О'Брайан хвалил алленовское «чудесное современное остроумие, в отличие от мортовского… оно направлено прямо на него самого, его собственную крохотную бесполезность, его совиное лицо и то, что он считает своей ужасающей склонностью к умопительным социальным и физиологическим пренебрежениям». Эти комментарии проделали большой путь, чтобы объяснить, почему достижения Аллена были долгосрочными, тогда как репутация Сала была заслонена теми, кто следовал за ним, к его раздражению: Ленни Брюсом, Биллом Косби, Ричардом Прайором, Биллом Хиксом. «Когда мы видим его фильмы, все наши эмоции прикованы к нему, – отметила Полин Кейл о его фильмах. – Его страх и тщедушность – то, вокруг чего все крутится».

Это касается всех великих комедиантов, но алленовская поглощенность самим собой задела определенные чувства в эру национального солипсизма, определенную с одной стороны Уотергейтским скандалом, а с другой – терапией. «Новой алхимической мечтой является изменение личности человека – переделка, коррекция, возвышение и придание блеска самой сущности человека… и наблюдение, изучение и обожание этого (Меня самого!)…» – написал Том Вулф в статье в журнале New York, где он говорил о возрастающем влиянии фрейдистского анализа, шутцианских групповых встреч, групповой терапии и терапии первичного крика, при помощи которой американцы старались снять с себя свои защитные механизмы и внешние проявления, столкнуться лицом к лицу с правдой и осознать свой потенциал. Аллен, который начал психоанализ в 1958 году из-за «ужасного и пугающего» чувства, что он не может расслабиться (эта дата совпадает с его первым появлением на телевидении), должен был стать низкорослым придворным шутом «Я-десятилетия», Чаплиным эры Фрейда, дерганным недочеловеком, в чьей ничтожной оболочке зрители нашли материальный упрек устаревшему мировоззрению мачо, которое тогда критиковали во всем, начиная от фильмов с Джоном Уэйном до войны во Вьетнаме. «Когда он использовал свое остроумие, он становился нашим Д'Артаньяном, – отмечает Кейл. – Это комедия сексуальной дисгармонии. Классным, а не мазохистским и ужасным, это делают его мысли о том, что женщины хотят идеального мачо из медиа, а мы зрители начинаем подозревать, и он в тайне тоже это делает, что на самом деле речь идет о дисгармонии. Вуди Аллен как латентный гей, только по отношению к силе; он знает, что он обладает силой, но он боится сказать об этом миру. И подростковый и постподростковый возраст абсолютно точно может быть идентифицирован именно с этим… Он не приятель для студентов колледжа; он герой».

В 1962 и 1963 Аллен продолжает привлекать всеобщее одобрение, его все больше и больше приглашают на телешоу, он появляется в «Шоу Мерва Гриффина», «Скрытой камере», «Шоу Эда Салливана», «Шоу Стива Аллена», The Tonight Show, где он становится первым из бесчисленных приглашенных Джонни Карсона. На него начал обращать внимание Голливуд. Однажды вечером на его выступлении в Blue Angel в 1964 году были Ширли МакЛэйн и кинопродюсер Чарльз К. Фельдман, которые увидели, как молодой комик заставляет зрителей хохотать в конвульсиях. Следующим утром Фельдман сделал Роллинсу и Йоффе предложение на 35 тысяч долларов, он предлагал Аллену адаптировать рассказ, на который у него были права – легкий постельный фарс о неисправимом Дон Жуане. Рассказ, названный «Жена Лота», впоследствии получил название «Что нового, киска?» Это была «квинтэссенция голливудской продукции, практически в чистом виде сатира», – скажет позже Аллен. «Я не мог терпеть этот фильм, когда он вышел. Я был полностью растерян и унижен от такого опыта. Я поклялся никогда больше не писать другой киносценарий, если я не буду режиссером. И вот так вот я попал в киноиндустрию».

Юмор Аллена дал ему множество приглашений на ток-шоу, включая регулярные появления с Джонни Карсоном в The Tonight Show.

«Если на улице серо и идет дождь, все в порядке. Если ясно и солнце, у меня в этот день будут проблемы личного характера».

Голубое небо впереди?
Портрет, сделанный
Джоном Минихеном, 1971.

Прорыв в Голливуд

1965–1967

«Милые маленькие кошачьи глаза». Работа с редактором-кошкой над «Что нового, киска?» в 1965.

«Что нового, киска?» – было фразой, которую Уоррен Битти использовал, чтобы приветствовать своих подружек по телефону. «Название!» – вскричал Чарльз Фельдман, когда услышал это. Загорелый и усатый, с домами на Беверли Хиллс и во Французской Ривьере, Фельдман был блестящим воплощением голливудского шика. Адвокат превратился в менеджера, потом в продюсера, он помогал в выходе «Зуда седьмого года» и «Трамвая «Желание» на экраны, его знали за щедрые подарки – дом, Роллс-Ройс – его друзьям и партнерам. «Чарли был щедрым, он был тем парнем, к которому вы обратитесь, когда вам что-то нужно, – говорит Аллен. – Он мог подойти к столику с баккарой и проиграть кучу тысяч долларов так же, как вы бы потеряли свою зажигалку Zippo, но у него был блок, психологический блок, который не позволял ему говорить правды. Поэтому с ним было трудно работать».

Подготовка к съемкам «Что нового, киска?» была похожа на спуск Алисы в нору Белого кролика. Они собирались снимать в Париже с Битти в главной роли. А можно дать роль новой девушке Битти Лесли Карон? Вообще-то нет, Битти этого сделать не мог. А что насчет Питера О'Тула в Риме, а роль психоаналитика отдать Питеру Селлерсу? Нет, Селлерс отказывается сниматься в Италии. А что насчет Парижа, в конце концов? А может ли роль Селлерса быть более важной? Изначально из-за проблем с сердцем Селлерс согласился играть небольшую роль, но, когда съемки шли полным ходом, он захотел намного более важную роль, забрав сцены, которые Аллен писал для него и импровизировал, создавая новые. О'Тул, тем временем, только что закончил сниматься в фильме «Бекет», где он сыграл врага Ричарда Бертона. Может быть у Бертона будет камео?

«То, что я писал, я считал крайне неординарным, некоммерческим фильмом, – сказал Аллен. – А продюсеры, которым я передал сценарий, были квинтэссенцией голливудской машины... Люди давали роли своим подружкам. Люди писали специальные роли, только чтобы дать их звездам, и неважно нужны были эти роли или нет. Это самый страшный кошмар, который можно себе представить». Он сидел в просмотровом зале, пока все смотрели пробные кадры, и говорил: «Это ужасно», но на него только шикали. «Вуди был никем на съемочной площадке», – говорила актриса Луиза Лассер, которая стала второй женой Аллена спустя год после выхода фильма. «Его полностью затмевали Селлерс и О'Тул. Никто его не слушал».

Он развлекал себя, как только умел. Он остановился в отеле Георг V, недалеко от Елисейских полей, он писал и играл на кларнете, в течение шести месяцев каждый вечер он ел один и тот же ужин в Le Boccador – суп дня, филе палтуса, карамельный пудинг. Он разыскал идола своего детства, кларнетиста Клода Лютера в Slow Club, встретил Сэмуэла Бекетта в кафе, сходил в Лувр. Но, когда начались съемки, ссоры с Фельдманом становились все сильнее. Продюсер хотел погоню с автобойней в стиле «Розовой пантеры» с полицейскими автомобилями и картами в конце; тем временем, коллега Аллена по фильму Роми Шнайдер начала возражать против женитьбы на нем в финальной части фильма; и Селлерс злился из-за того, что в конце появляется Аллен, а не он. В конце концов, во время просмотра мнения свиты Фельдмана заполнили все окружающее пространство: «Ну, мне это смешным не кажется...», «Я думаю, что ему стоит быть более сумасшедшим в этой сцене...» – Аллен огрызнулся и в несвойственном ему выражении чувств послал Фельдмана куда подальше. Если продюсер и был оскорблен, он не показал виду. «Моя вспышка чувств просто проскользнула мимо него, – заметил Аллен. – Может быть, его так часто посылали, что это не стало для него хлопотой».

В центре этой фотографии с актерами «Что нового, киска?», хотя Аллен чувствовал себя все более отчужденным в течение съемок.

Многое можно сказать о влиянии Аллена на финальную версию фильма, безумного, затянутого, периодически смешного сексуального фарса, в котором О'Тул мигает своими невинными голубыми глазами в роли Майкла, редактора журнала, истощенного своим успехом у женщин, сказки о котором заставляли глаза его психоаналитика (Селлерс) вылезать из орбит. Как отметила Полин Кейл: «Селлерс в роли Вуди Аллена, но и Вуди там тоже появляется» в роли лучшего друга Майкла, Виктора, который безнадежно влюблен в его невесту, Кэрол (Шнайдер). С аккуратно зачесанными по школьному волосами, Аллен пытается испробовать свое впечатление от Боба Хоупа в первый раз в сцене в библиотеке, где Виктор защищает честь Кэрол от мускулистого блондина «Ты видела кулаки этого парня? Они здоровенные…», но в битве комических персонажей побеждает Селлерс. Элегатное комическое дарование Аллена бледнеет рядом с Селлерсом в парике в стиле Beatles, высмеивающего Доктора Стрейнджлава, с немецким акцентом говорящего о Фрейде и доходящего до вагнеровского масштаба. У них есть одна совместная сцена, где Селлерс пытается покончить с собой в стиле викингов, на борту горящей лодки, завернутый в огромный баварский флаг, его останавливает Аллен, который устроил себе ужин с курицей на берегу Сены. Все кончается тем, что Аллен лежит в похоронной лодке, Селлерс становится его психоаналитиком, а он беззаботно выкидывает куриные ножки через плечо в реку. Это странно прозвучит, но Аллен является практически самым спокойным персонажем во всем фильме.

Получает инструкции от режиссера «Что нового, киска?» Клайва Доннера на съемочной площадке в Париже с Питером О'Тулом и Николь Карэн.

Большой кричащий фильм имел большой кричащий успех, получивший 17 миллионов долларов, немедленно поставив новый рекорд кассовых сборов в жанре комедии. Вне ток-шоу Аллен утешал себя умными вычурными оскорблениями в адрес фильма, описывая его как «результат того, как двухсотстраничный манускрипт выбросили из окна такси, и его так и не смогли вернуть в правильном порядке». Позже он придет к следующей формулировке: «Если бы мне удалось осуществить свой замысел, фильм бы получился в два раза более смешным, но в два раза менее успешным» – парадокс, в котором самооценка и амбиции прекрасно сбалансированы, но в центре которого можно найти маленького червячка неудовлетворенности, который в конечном итоге въестся в отношения Аллена со зрителями. «У меня не было полномочий сказать зрителям: «Это не моя вина, я бы такого кино не снял». «Киска» была рождена, чтобы работать. Не было варианта, что они облажаются, как бы они не старались, они бы не смогли. Это была одна из тех вещей, когда химическая реакция внезапно происходит верным образом».

«Что нового, киска?» дал Аллену перерыв, который так был ему нужен, и в 1965 году он свободно соглашался на предложения, которые ему давали. В августе он появился в статье Playboy, озаглавленной: «Что голого, киска?» – очкарик в море стриптизерш. Годом ранее он издал озаглавленный в его честь комедийный альбом, сейчас он видел, как его продолжение – «Вуди Аллен, часть 2» – добралось до пятой позиции в комедийных чартах. Его пригласили в Белый дом Линдона Джонсона, он переодевался в смокинг в уборной Национального аэропорта Вашингтона. Вне всяких сомнений, самое странное предложение было от телевизионного продюсера по имени Генри. Дж. Саперштейн, вдохновившись работой Роджера Кормана по переозвучиванию и переизданию иностранных научно-фантастических фильмов по дешевке, попросил Аллена написать новый диалог для японского клона Бонда студии Toho под названием Kagi no Kagi («Ключ всех ключей») с целью переделать шпионскую сагу в часовую комедию для телевидения.

«Они сделали из «Что нового, киска?» фильм, которым я был очень недоволен. Я поклялся никогда больше не писать другой киносценарий, если я не буду режиссером».

«Полегче, Тигр!» Аллен реагирует на чары Акико Вакабаяси в заключительных титрах к «тупому и недоразвитому» фильму «Что случилось, тигровая лилия?» (1966). Аллен повторит этот рык почти 30 лет спустя в финальном кадре фильма «Загадочное убийство в Манхэттэне» (1993).

Снимая комнату в отеле Stanhope Hotel на Пятой авеню, Аллен наполнил ее полудюжиной приятелей, включая Ленни Максвелла и Фрэнка Бакстона, и запускал фильм по несколько раз, пока все вокруг пытались его озвучить. «Если Вуди это нравилось, он это включал в фильм», – говорил Максвелл. Финальная версия фильма концептуально блестящая, она даже опережает свое время. Аллен со своими товарищами по озвучанию подготовили почву для таких диванных всезнаек, как Бивис и Батхед, хоть и исполнение подвело фильм. Это безделничество, иногда высокомерное, это кинематографическое караоке. В пересказе Аллена главный герой фильма, шпион в стиле Бонда, становится «любезным плутом» Филом Московитцом, зацикленным на борьбе со своими злыми усатыми врагами за рецепт лучшего в мире яичного салата. «Назови трех президентов», – шепчет азиатская красотка в полотенце. «Хочешь посмотреть на мою коллекцию непристойных итальянских жестов?» Как и многие ранние проекты Аллена, в этом фильме только и говорится о сексе, но японский оригинал в первую очередь является полупародийным – рука героя ложилась на плечо каждой женщины, которую он видел, – и предположение, что некоторые шутки были преднамеренными, резко прерывает алленовское веселье. К тому времени, как Московитц встречает злобного главаря Шеферда Вонга и обещает доставить «радость и блаженство в их наиболее примитивной форме» своим подругам Суки и Тери Яки, любая двусмысленность исчезает, и боги комедии раскланиваются и покидают сцену. «Незрелое упражнение», – позже назовет этот фильм Аллен, «тупой и недоразвитый». Почувствовав запах легких денег, Саперштейн добавил несколько песен Lovin' Spoonful, налепил еще 20 минут, взятых из другого японского фильма категории B, и выпустил на экраны результат, который назывался «Что случилось, тигровая лилия?», чтобы добавить немного успеха фильма «Что нового, киска?». Аллен подал иск, чтобы студия сняла фильм с проката, но фильм начали показывать, и на него ломились толпы, и его хвалили критики, и он отозвал иск. Он понял, что ему будет трудно объяснить суду, чем ему навредили успешные кассовые сборы фильма. Казалось, что он обречен на дешевый успех.

Уже немного более утомленным Аллен полетел в Лондон весной 1966 года, чтобы появиться в другой пародии на Джеймса Бонда, в этот раз основанной на романе Яна Флеминга, которым не владели Брокколи, «Казино Рояль», в нем были заявлены Орсон Уэллс, Дэвид Нивен, Уильям Холден и Питер Селлерс, продюсером его выступил Чарльз Фельдман. Все сомнения, которые Аллен имел по поводу создания другого фильма с Фельдманом и Селлерсом после выхода «Что нового, киска?», были уничтожены Йоффе. «Просто закрой рот и будь в фильме, – сказали Аллену. – Ты пытаешься попасть в кинобизнес. Это будет громкая картина, и ты в ней будешь с кучей звезд, это поможет тебе стартовать».

Что изначально предполагалось как шесть недель работы вскоре превратилось в шесть месяцев, так как проблематичные съемки начали разрастаться и им потребовалось три павильона, они прожигали таланты 12 писателей и 6 режиссеров, а Селлерс саботировал съемочную группу так же, как он делал это в «Киске», заставляя всех ждать, пока он ходил за новой иглой для проигрывателя, или заказывая 45 костюмов из модного ателье и принося их на съемки. На сей раз Аллен, который начинал работать, только когда у него уже были сверхурочные часы, устроился поудобнее и

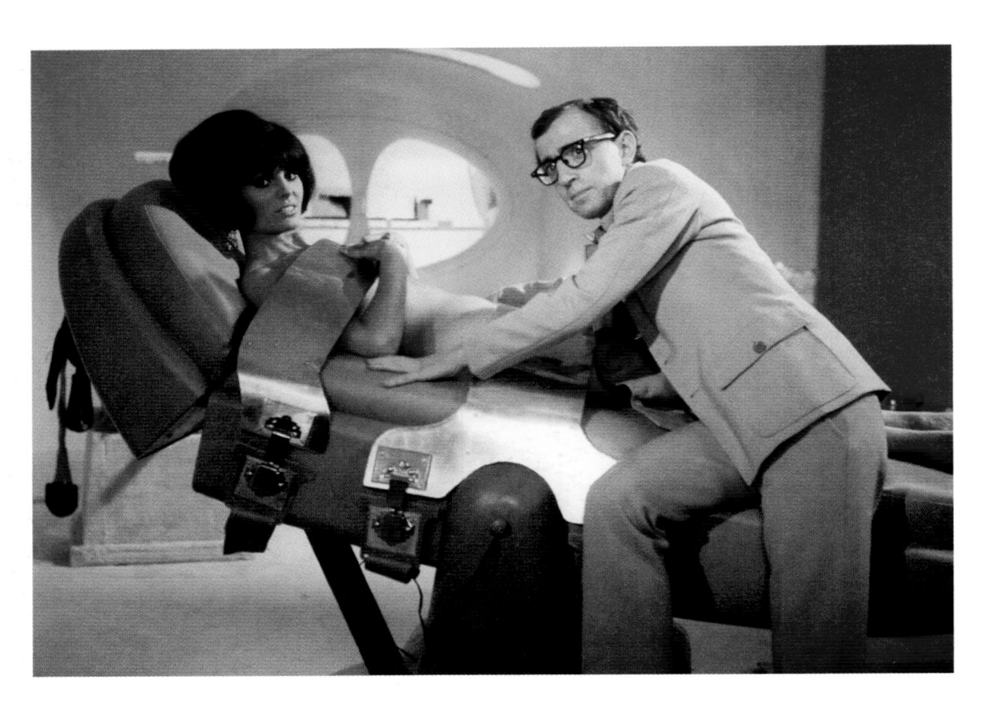

«Просто закрой рот и будь в фильме». Менеджер Чарльз Йоффе справился с нежеланием Аллена появляться в пародии на Джеймса Бонда «Казино Рояль» (1967).

наслаждался своей суточной ставкой, которую он тратил на игру в покер с актерами фильма «Грязная дюжина» Ли Марвином, Чарльзом Бронсоном, Телли Саваласом, которые также остановились в Хилтоне на съемки своего фильма. «Казино» – это сумасшедший дом, – писал он своему другу Ричарду О'Брайану. – Видел отснятый материал, и я скептически настроен, мягко говоря, но, возможно, фильм получит много денег… моя роль меняется каждый день, так как прибывают новые звезды».

Он так и не увидел финальную версию фильма, в которой он сыграл на тот момент самую уверенную комедийную роль в образе молодого Джимми Бонда, племянника Джеймса Банда (Нивен). В финальных кадрах Джимми разоблачают как злодея Доктора Ноя, главу организации СМЕРШ. Аллен одет в серый китель в стиле Доктора Ноу, исполняет балетные па, передразнивает Дебюсси, передает флейтовый, дискантный аккорд, отражающий артистическую претенциозность мегаломанов, что будет характерно для Доктора Зло Майка Майерса в фильмах про Остина Пауэрса или Грю Стива Карелла в «Гадком я». «Пока его лучшие моменты в кино», – сказала Кейл. Отсиживаясь в своей комнате в Хилтоне, он закончил пьесу «Не пей воду», первый черновик которой впоследствии станет сценарием к фильму «Бананы». Тогда же его первый рассказ опубликовали в New Yorker. «Письма Косседж-Варпетян» с все более враждебными письмами между двумя интеллектуалами, играющими в шахматы по почте. «Я был бы счастлив, если бы все время только писал для них», – сказал Аллен о журнале, который в течение следующего десятилетия напечатает несколько десятков таких отрывков, включая «Шлюха из Менсы» о девушке по вызову, которая специализируется на псевдоинтеллектуальной болтовне с мужьями, чьи жены не говорят о Т.С. Элиоте с ними, и «Образ Сиднея Кугельмаса в романе «Госпожа Бовари» о профессоре классической словесности, который попал на страницы «Мадам Бовари», чтобы насладиться страстным романом с героиней книги, смутив этим филологов: «Сначала неизвестный персонаж по имени Кугельмасс, а теперь она исчезла из книжки. Ну я думаю, что это свойство классики, что ты можешь перечитывать ее тысячу раз и всегда находить что-то новое».

Проза Аллена позволяет взглянуть на бойлерную его воображения, абсурдистский дворец выкрутасов в стиле Перельмана, где высокая и низкая культура меняются местами, а фантазия и реальность наслаиваются, идут параллельно и обгоняют одна другую, как железнодорожные вагоны. Это бесспорно самая выдержанная часть его карьеры. «Это очень часто проявляется в моих фильмах. Я думаю, что все сводится к тому, в действительности, что я ненавижу реальность, – однажды сказал он. – Но, к сожалению, это единственное место, где вы можете заказать хороший ужин со стейком». Между метавымышленным путешествием Кугельмасса и сломом четвертой стены в «Пурпурной розе Каира», «Сыграй это снова, Сэм», «Энни Холл» или в «Разбирая Гарри», «Полночи в Париже» всего один маленький шаг – все эти фильмы охватывают промежуток между фантазией и реальностью; иногда этот промежуток похож на пропасть, иногда он настолько тонкий, что тишайший шепот будет отражаться своим собственным эхо, вызывая духов, персонажей и целые сюжеты из воздуха. Ни один из ныне живущих режиссеров не был так занят изображением не своих снов, но своих грез наяву, точно так же было и со столкновениями с реальностью Тербера, благодаря которым реальность в конечном итоге и неизбежно побеждала. Наследник Тербера и Феллини, Аллен является великим американским иллюзионистом кинематографа, печальным писарем разбитых надежд и ошибочных мечтаний – Гарри Гудини, пойманный в свои собственные цепи. И его режиссерский дебют это докажет.

7'
6'6"
6'
5'6"
5'
4'6"
4'
3'6"
3'
Ft. WAYNE
34683
5-21-59

Хватай деньги и беги

1969

Комедия о неисправимом, но ни на что негодном воре по имени Вирджил Старквелл «Хватай деньги и беги» сделана в духе, если не буквально списана с опыта Аллена, который в подростковом возрасте мечтал быть аферистом, выдумывая аферы и схемы на родительской веранде в Бруклине. Это один из двух фильмов, которые он писал в соавторстве со своим старым школьным приятелем Микки Роузом, который играл в той же бейсбольной команде и помогал с «Что случилось, тигровая лилия?». Мужчины менялись местами за пишущей машинкой, они шли по сценарию шутка за шуткой. «Для нас не было ничего святого, – говорил Аллен. – Шутки могли быть анахроничными, а могли быть сюрреалистичными. Это было неважно. Нам не было ни до чего дела, кроме каждого движения истории, каждый дюйм этого пути был смешным».

Слева: главный подозреваемый. В роли незадачливого преступника Вирджила Старквелла.

Справа: наконец получив возможность быть режиссером своего собственного фильма, Аллен делает успехи по обе стороны камеры.

Фильм ознаменовал его дебют в качестве режиссера – с большой натяжкой. Думая, что еще слишком рано делать Вуди Аллена новым Орсоном Уэллсом, Роллинс и Йоффе, теперь в первый раз выступающие как продюсеры, пошли к Вэлу Гесту, который частично режиссировал «Казино Рояль», чтобы узнать, захочет ли он за это взяться. Они также попытали счастья с Джерри Льюисом, но Льюис был занят над своим проектом. Только позже они договорились с только что созданной компанией Palomar Pictures, которая была филиалом ABC и которая профинансировала хитовую пьесу Аллена «Сыграй это снова, Сэм» 1969 года на Бродвее, они гарантировали 1,7 миллиона долларов и пообещали полный творческий контроль, включая чистовой монтаж, что станет отличительным знаком легендарной независимости Аллена.

«Они никогда мне не докучали, – говорил он. – Это был крайне приятный опыт. И с того дня у меня никогда не было проблем в кинематографе с точки зрения вмешательства любого рода».

«Мне ни на секунду не приходило в голову, что я не буду знать, что делать. Чтобы шутка была смешной, здесь должна быть камера. Это разумно». Он обедал с режиссером «Бонни и Клайда» Артуром Пенном и ухнал некоторую основную техническую информацию о цветокоррекции, контролировании поведения толпы и тому подобное. Со своими актерами и командой он устроил просмотр «Фотоувеличения» (1966), «Эльвиры Мадиган» (1967), «Я – беглый каторжник» (1932) и «Истории Элеонор Рузвельт» (1965), чтобы они поняли, чего он пытается достичь. И тем не менее, за ночь до первого съемочного дня Луиза Лассер зашла в спальню и обнаружила, что Аллен лежит на кровати со скрещенными ногами и читает книгу «Как быть режиссером». На следующее утро он порезался во время бритья.

Фильм снимали 10 недель в районе Сан-Франциско, выбранном из-за дешевизны, благодаря которой это было единственным местом, где Аллен чувствовал уверенность, что закончит 87 сцен, не выходя из бюджета. Он приезжал на съемочную площадку каждое утро на новеньком красном кабриолете – страшное зрелище

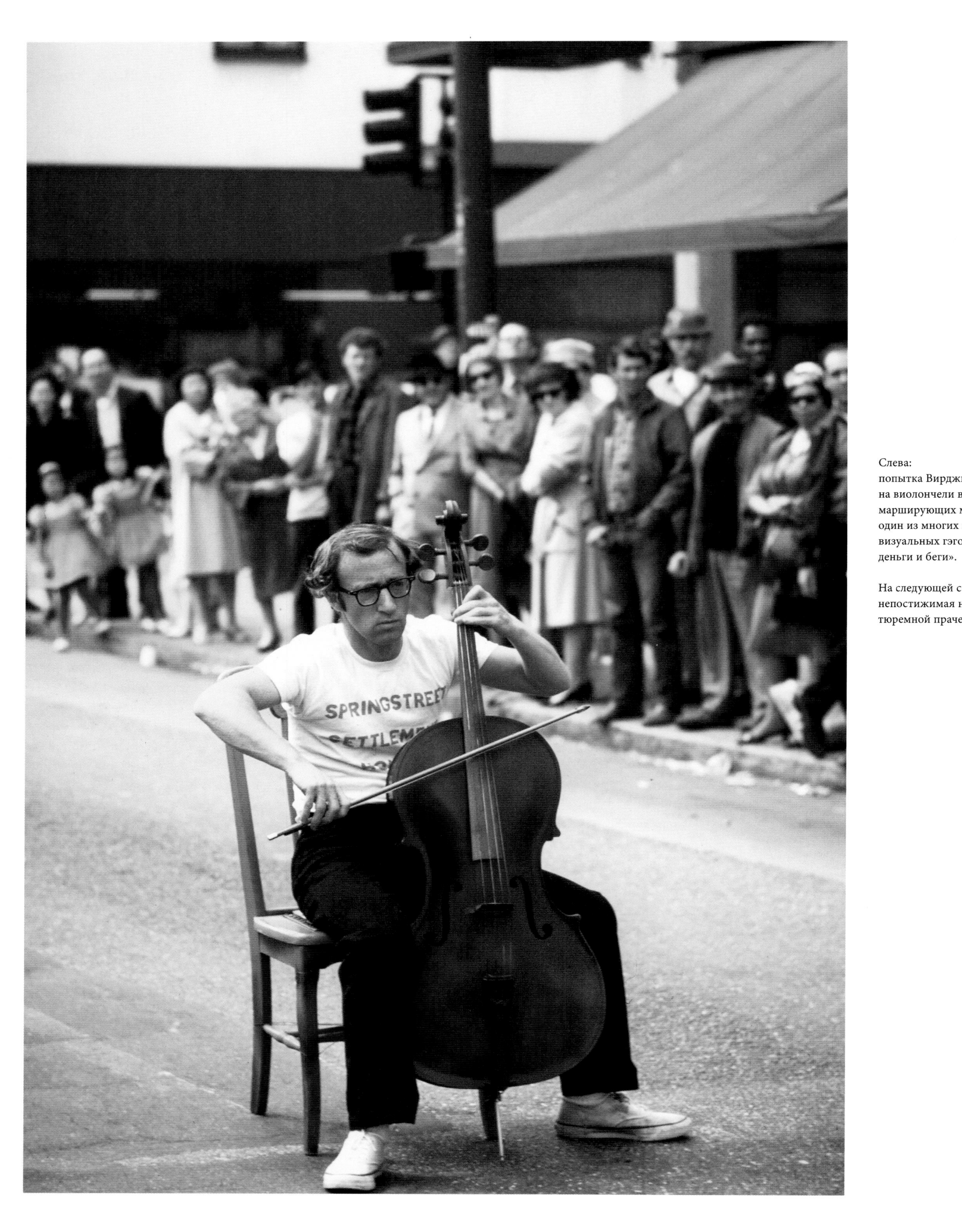

Слева:
попытка Вирджила играть на виолончели в оркестре марширующих музыкантов – один из многих вдохновенных визуальных гэгов в «Хватай деньги и беги».

На следующей странице:
непостижимая находка в тюремной прачечной.

«Мне дали возможность чистового монтажа, я мог делать все, что хотел. Это был крайне приятный опыт. И с того дня у меня никогда не было проблем в кинематографе с точки зрения вмешательства любого рода».

«лучше, чем кино», согласно ассистенту режиссера Фреду Галло, и снимал кучу пленки, чтобы подстраховаться, но даже с импровизациями он мог пройти через ни много ни мало шесть локаций за день, иногда заканчивая аж в 4 часа дня с перерывом на обед, в который он мог позвонить своему психоаналитику из телефонной будки. «Мог быть жаркий солнечный день, и я задыхался в телефонной будке, и я высказывался по спонтанной ассоциации стоя», – вспоминает он.

Он закончил на неделю раньше графика и потратил почти на полмиллиона долларов меньше. Но во время монтажа картины он зашел в тупик. Он начал паниковать из-за того, насколько не смешным кажется все в фильме, он резал, резал и резал, пока у него фактически не осталось никакого фильма. Он показал черновой вариант без музыки и с карандашными пометками, оставшимися от процесса монтажа, дюжине солдат, которых перевезли из клуба Объединения зрелищных предприятий Вооруженных сил в просмотровый зал на Бродвее. Они весь фильм сидели с каменными лицами. Во время первого просмотра с четырьмя членами руководства Palomar один из них обернулся после первой части фильма и спросил: «А все остальное будет таким же?» После последней сцены, гротескной перестрелки в стиле «Бонни и Клайда», в результате которой Вирджил был продырявлен множеством пуль, Аллен вспоминает, что они сказали: «Вот так действительно ты хочешь закончить этот фильм?» Они были очень мягкими, они были крайне вежливыми, но они не могли скрыть своего разочарования. Я знал, что они говорили о том, чтобы не выпускать его».

Аллен попросил помощи у опытного монтажера Ральфа Розенблюма, который монтировал «Продюсеров» Мела Брукса. Он был крупным мужчиной в громоздких очках в черной оправе и бородой с проседью, он увидел, что Аллен подавлен. «Конечно, ты собираешься умирать, ведь ты показал черновой монтаж без музыки 12 военнослужащим из Монтаны», – сказал он ему и попросил показать весь материал до монтажа. Грузовой автомобиль доставил 200 коробок кинопленки в его офис; просматривая материалы Розенблюм чувствовал себя издателем, натолкнувшимся на утерянные дневники Роберта Бенчли. Материал был настолько «оригинальным, очаровательным, таким смешным в абсолютно неожиданном смысле, что он сделал эту работу одной из самых приятных за все годы его работы монтажером». В то время как Аллен играл в «Сыграй это снова, Сэм», Розенблюм восстановил большую часть материала, которую отрезал режиссер, расширил или сократил некоторые сцены, используя интервью с родителями Вирджила в качестве связующего материала, и записал новый саундтрек: немного регтайма Юби Блейка в одном месте, в другом – боссановы – чтобы оживить сентиментальные отрывки фильма, «худшей стороны Чаплина», согласится позже Аллен. По просьбе Розенблюма он также снимет новую концовку фильма, излагающую события, которые привели к аресту Вирджиа в пародийном стиле на тележурналистику. «Это было так, будто мы открыли дверь и впустили свежий поток воздуха, – сказал Аллен. – Я думаю, Ральф спас меня с этой картиной».

Фильм подается в форме фейкового документального фильма или «мокьюментари» – форма, приобретшая небольшую популярность в поздние 60-е благодаря клипу Beatles A Hard Day's Night, к этому жанру Аллен вернется в «Зелиге». «Хватай деньги и беги» – это быстро перелистывающийся альбом со скетчами, иногда с гэгами, с фейковыми интервью и старой хроникальной пленкой –

Слева: «Элегантно триумфальный», – как описал один критик фильм. Стоящая на защите общества горилла срывает планы Вирджила по ограблению зоомагазина.

Справа:
«Это выглядит как «орудие» или «оружие»? Неразборчивая записка Вирджила становится предметом дебатов с кассиром.

все это сплетено с невозмутимостью Драгнета Джексона Бека. «1 декабря 1935 года миссис Вирджиния Старквелл, жена разнорабочего из Нью-Джерси, родила своего единственного ребенка. Они назвали его Вирджилом…» Это день рождения самого Аллена. В первоначальной версии сценария главного героя звали Вуди. Далее следует комическая экстраполяция и гиперболизация периода, когда Аллен был честолюбивым подростком-аферистом, который обманывал своих товарищей по школе карточными фокусами, краплеными костями и нечестной игрой на деньги – потрет художника-воришки в юности.

Вирджил лажает практически в каждой работе, на которую он накладывает свои руки, начиная от чистильщика сапог до виолончелиста («У него не было никакой концепции относительно того, как на ней играть. Он просто в нее дул»), прежде чем он вступил на преступный путь. Он ограбил местный зоомагазин, но после за ним погналась горилла. Он нападает на магазин мясника и «удирает с 116 телячьими отбивными», что означает, что после ему приходится красть «невероятное количество панировки». В конце концов, он совершает ограбление банка, но кассир не может прочесть его написанную от руки записку («Это выглядит как «орудие»… «Да нет же, это оружие»). Его карьера в качестве преступника не дает ему покоя, вернее сказать, та же самая абсурдность приводит его к жизни преступника – парадокс ограбления, который также заряжает энергией все: от «Бутылочной ракеты» Уэса Андерсона до «Воспитывая Аризону» и «Фарго» братьев Коэнов. Многие режиссеры, включая Кубрика, Аллена и Андерсона, начинали свою карьеру с фильмов об ограблении, так что появляется соблазн увидеть жанр как практически полную аллегорию для неопытных кинорежиссеров. Акт креативной смелости, месяцы планирования предполагают педантичное исполнение, иллюзию стабильности и внимание к самым мелким деталям. И все равно что-то всегда идет не так.

Для Аллена привлекательность пропасти между планом и его исполнением, мечтой и реальностью с преступником в качестве мечтателя происходит из лиричности Митти, которая покрывает фильм и всю его череду гэгов, подъемов и жизнерадостности бросания гальки в озеро. «Я опоздаю на ограбление», – жалуется Вирджил, когда видит свою жену Джанет Марголин принимающей душ, это и является в основе своей главной шуткой фильма – карьера преступника ничем не отличается от других карьер. И хотя некоторые шутки получились лучше других, в целом фильм вписывается в теорию комедии по аналогии с автобусным сообщением: если в шутке чего-то не хватает, другая подоспеет через секунду. «Я не могу надеть бежевое на ограбление», – протестует Вирджил, это маркирует мировой дебют этого особого цвета в творчестве Аллена.

Персонаж Аллена поразительно хорошо сформирован. Мы видим, как он съеживается во время потасовки; надевает раввинскую бороду; строит себе глазки в зеркало; лижет конверты как ящерица; устраивает свой номер с учащенным сердцебиением – все эти элементы трусливого похотливого неудачника он воссоздаст и усовершенствует в следующих фильмах. «Это ограбление, а не кино», – говорит Вирджил одному из членов своей банды, кинорежиссеру, который хочет, чтобы все репетировали свои роли, но он режиссирует так, как будто разницы никакой нет, воруя из «Хладнокровного Люка», «Я беглый каторжник», «Эльвиры Мэдиган» и даже тонкий мягкий фокус романтизма из «Мужчины и женщины» Клода Лелуша. «Я не хочу, чтобы этот фильм был эклектичным», – подслушала Марголин Аллена,

«Идея снимать документальные фильмы, которую я позже усовершенствовал, когда работал над «Зелигом», была со мной с первого дня, когда я начал работать в кино. Мне казалось, что это идеальный формат для комедии, потому что документальный формат очень серьезный, поэтому ты тут же попадаешь в область, где любая безделица, которую ты сделал, расстраивает серьезность и поэтому становится смешной, и ты можешь рассказывать историю шутка за шуткой».

Слева:
Вирджил планирует избавиться от вымогателя, замаскировав динамит под свечами.

На следующей странице:
«Хорошо, все врассыпную!» Связанная одной цепью банда совершает побег.

Интервьюер: Как Вам в голову пришла эта идея?
ВА: Я кайфанул от польских кукурузных хлопьев. И она внезапно пришла мне.
Интервьюер: Понятно. Как Вы оцените свое творение?
ВА: Это лучше, чем шедевр Феллини «Сладкий мой палец», но она не такая хорошая, как бергмановская греческая трагедия «По ту сторону перхоти».

который давал интервью в Сан-Франциско. «Я не хочу, чтобы люди говорили, что я заимствовал немного у этого режиссера, а немного у того…» И Марголин перебила его: «Но Вуууууд. Это именно то, чем ты занимаешься».

Премьера фильма состоялась 18 августа в Театре на 68-й улице, маленьком артхаусном кинотеатре, который использовали в основном для иностранных фильмов, в конце концов этот фильм побил все рекорды этого кинотеатра и получил более широкую премьеру. Критики наслаждались. Newsweek назвали фильм «глупой симфонией, которая может вернуть жизнерадостность жизни». В New York Times Винсент Кэнби описал его как «что-то очень особенное, эксцентричное и смешное». Только Полин Кейл придиралась к мелочам, она смогла найти в неудаче Аллена с его женой черту мазохизма, которая отдавала пафосом одинокого сердца Чалина. «Мы хотим, чтобы ты получил девушку в конце, – сказала она Аллену после просмотра фильма. – Мы не хотим, чтобы ты провалился. У тебя другая концепция самого себя».

Концепция себя Аллена пережила революцию также и с другого ракурса после того, как он встретил коллегу, которая, возможно, больше, чем другие, перестроила его комедию, его карьеру, саму форму его фильмов. Ее влияние будет таким сильным, что на самом деле его карьеру можно разбить на две части: до Китон и после Китон. Впервые он встретил 22-летнюю актрису, когда она проходила кастинг на роль Линды на Бродвее в «Сыграй это снова, Сэм». Она вертела в руках свои волосы, терла нос, была одета в футболку, юбку с берцами, она носила митенки. «Реальная деревенщина, она того типа, что может сжевать восемь жевательных резинок за раз, – сказал он. – Я не был к ней неравнодушен, но я и не был равнодушен к ней». Дайан Китон тут же влюбилась в комедианта, к тому моменту уже очень известную личность. «Моя программа действий заключалась в том, чтобы заставить Вуди обратить на меня внимание, – говорила она, – поэтому я постоянно составляла планы и схемы, как можно сделать так, чтобы он увидел меня как привлекательную женщину».

Однажды вечером во время перерыва в репетициях они пошли на ужин в Frankie and Johnnie's Steakhouse. Собственно, это не было свиданием, у Аллена было свидание следующим вечером с другой девушкой, но он так хорошо провел время с Китон, что он понял, что думает следующим образом: зачем мне идти на свидание с этой другой девушкой завтра? Что я делаю? Она такая великолепная. Она прекрасная. В один прекрасный момент Китон провела вилкой по тарелке, создав скрипучий звук, из-за которого Аллен вскрикнул. «Я не понимаю, как отрезать стейк, чтобы не совершить одну и ту же ошибку, – писала Китон своей матери после ужина, – поэтому я перестала есть и начала разговаривать о статусе женщины в искусстве, как будто бы я что-то знаю о женщинах и искусстве. Что за идиотка».

Аллен позже написал, чтобы разубедить ее:

«Люди – чистые листы. Нет никаких качеств, характерных только для женщины или для мужчины. Правда в том, что есть разная биология, но определенный выбор в жизни определяет оба пола, и женщина, любая женщина, способна определить себя тотальной СВОБОДОЙ…»

Малая толика «Зелига», возможно, есть в алленовском феминизме, но беседа, которая началась в тот вечер, о женщинах, мужчинах и искусстве была той, что они продолжали на протяжении нескольких десятилетий, сквозь восемь фильмов, которые они впоследствии создали вместе. После восьми месяцев в монтажной комнате он доверил практически чистовой монтаж «Хватай деньги и беги» именно Китон. «Это хорошо. Это смешно. Это смешной фильм», – сказала она. «Я каким-то образом знал в тот момент, в ту секунду, что со зрителями будет все в порядке, – вспоминает Аллен. – Ее одобрение было очень значимо для меня, потому что я чувствовал, что она соприкасается с чем-то более глубоким, чем я. Так что в течение многих лет мы проводим время вместе. Мы жили вместе, и мы по-прежнему остаемся друзьями».

«Если я не делаю фильмы,
если я не работаю, то
я сижу дома и думаю,
размышляю, и мой разум
доходит до неразрешимых
вопросов, которые очень
депрессивны».

Персона Вуди Аллена
к настоящему времени
отлично сформирована.
Портрет Филиппа
Хальсмана, 1969

Бананы

1971

Руководство United Artists было так сильно впечатлено фильмом «Хватай деньги и беги», что обратилось к Чарльзу Йоффе с предложением о контракте. «Я хочу, чтобы Вуди снял фильм для моей компании, – сказал ему Дэвид Пикер от имени председателя компании Артура Крима. – Что для этого нужно?» Договор, который составили Роллинс и Йоффе на три картины бюджетом в 2 миллиона долларов, плюс гонорар для Аллена в размере 350 тысяч долларов за написание сценария, режиссуру, игру и чистовой монтаж, без утверждения сценария с United Artists, без утверждения списка актеров, без ничего, был беспрецедентным. Хотя 70-е принято считать эрой авторского кино, когда режиссеры, такие как Мартин Скорсезе, Фрэнсис Форд Коппола и Майкл Чимино, боролись за такие прерогативы и иногда выигрывали, только Аллен сохранял творческую автономию согласно контракту фильм за фильмом. «Начиная с моего первого фильма, когда я определенно не сделал ничего, чтобы добиться полного контроля, я его имел, и у меня не было ни одного фильма в жизни, который я бы полностью не контролировал».

Первая вещь, которую он им показал, был сценарий «Джазовая детка» о джазовом гитаристе в Новом Орлеане в 20-е годы – это была ранняя, более пессимистичная версия «Сладкого и гадкого». Руководство UA «с белыми лицами» читали этот сценарий, сказал Аллен, который прервал их. «Если вы, парни, не хотите этого делать, я этого делать не буду. Я не собираюсь снимать фильм, который вам не нравится». Он вернулся к своему соавтору Микки Роузу, сказав ему: «Нам надо что-то написать. Эти парни определенно хотят от меня фильм».

«А что насчет фильма о южноамериканском диктаторе?» – сказал Роуз.

«Фильм о южноамериканском диктаторе» был тем, что набрасывал Аллен во время нескончаемых дней, которые он проводил в своем гостиничном номере в Лондоне во время съемок «Казино Рояль». Режиссер фильмов категории B Сэм Катцман попросил Аллена адаптировать сатирический роман Ричарда Пауэлла «Дон Кихот, США» о наивном американском члене «корпуса мира», брошенном на произвол карибской диктатуры, в комедию для актера Роберта Морса. Книга была настолько скучной, что он просто бросил ее и вернулся к своему обычному свободному стилю: шутка, шутка, шутка, шутка.

Интервьюер: Почему вы назвали фильм «Бананы»?
ВА: Потому что в нем нет бананов.

Морсу это не понравилось, и когда Аллен достал сценарий из ящика своего стола, он был не в лучшей форме, но вместе с Роузом он потратил следующие две недели в своей квартире на переделку сценария. Так появилась история о Филдинге Меллише, субтильном, ушлом нью-йоркском контролере за качеством потребительских товаров, который оказывается втянутым в революцию в Сан-Маркосе, вымышленном южноамериканском диктаторском режиме, чтобы завоевать сердце прекрасной идеалистки по имени Нэнси и вернуться в США бородатым, похожим на Кастро лидером страны. Сценарий быстро одобрили в UA, съемки должны были начаться в Пуэрто-Рико с Луизой Лассер в роли возлюбленной Меллиша Нэнси.

Аллен и Лассер развелись к съемкам фильма, но то, что у него было лучшее женское исполнение главной роли после разрыва, впоследствии вошло в привычку. «И, конечно, она мне обошлась дешевле», – пошутил он на «Шоу Дика Кэветта». «Я шла туда, готовая ко всему», – сказала Лассер, и хотя фильм мог быть полон импровизаций и экспромтов, которые так любил Аллен, в нем не было Дайан Китон, устроившейся в гостиничном номере режиссера. С тех пор, как они встретились в «Сыграй это снова, Сэм», их отношения нашли свой собственный сбивчивый ритм с остановками и возобновлениями. «Мы встречались время от времени, мы никогда не были уверены, просто время от времени, пока не пришло время уезжать и снимать «Бананы», – говорил он. Съемки не были романтической идиллией. Выбравшись однажды в кинотеатр в Сан-Хуане, они обнаружили, что им приходится перемещаться по зигзагообразной траектории от сидения к сидению, чтобы избежать капель, падающих с протекающей крыши. «Мне было скучно быть в Пуэрто-Рико, – жаловался Аллен. – Там было нечем заняться. Еда была невкусная. На улице стояла жара и влажность. Кинотеатр протекал, и я нашел мертвую мышь в своей комнате».

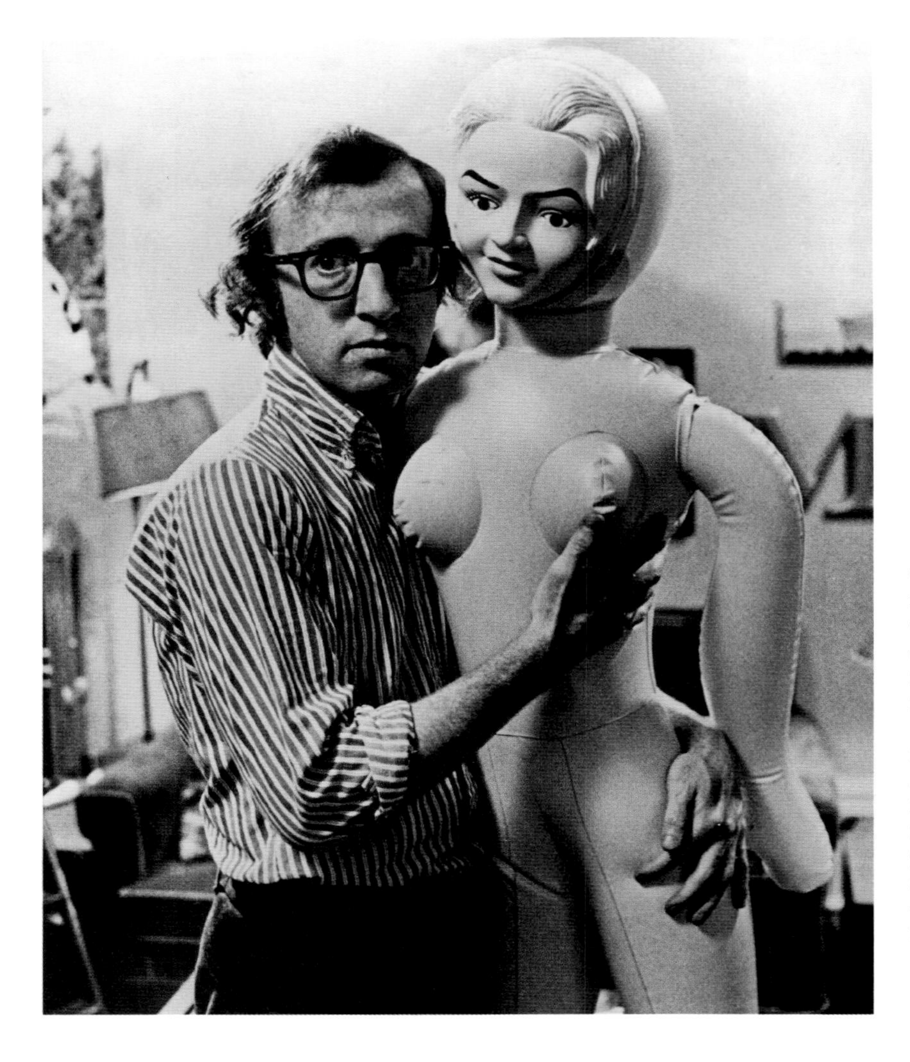

Слева:
в «Бананах» Аллен сыграл Филдинга Меллиша, субтильного, ушлого контролера за качеством потребительских товаров.

На следующем развороте: Меллиш едет в выдуманную южноамериканскую республику Сан-Маркос и возвращается в США бородатым, похожим на Кастро лидером страны.

На съемках было много импровизации и специальной, и вынужденной. Неожиданная атака на протестующих правительственными войсками, скрывающимися под маской любителей румбы, танцующих ча-ча-ча, была смочена внезапным ливнем. Когда инструменты для камерного квартета, на которых должны были играть во дворце диктатора, не привезли, Аллен быстро выдумал шутку, где квартет сидит с пустыми руками, играя на пустоте. Научившись по «Хватай деньги и беги», что многие из его задумок не попадут в финальную версию фильма, Аллен упаковал «Бананы» «таким количеством шуток, что можно было сделать еще один фильм из того, что выбросили», – сказал Ральф Розенблюм, который приехал в Пуэрто-Рико в своей новой должности ассоциированного продюсера. «Если ему казалось, что ему нужно 150 шуток за полтора часа, он писал и снимал 300».

Когда смотришь ранние фильмы Аллена, есть соблазн воспринимать их через призму влияний. «Хватай деньги и беги» более остальных фильмов Аллена был исполнен в стиле Чаплина, «Спящий» добавляет Бастера Китона в этот микс, а в «Любви и смерти» прекрасно видно впечатление от Боба Хоупа. В таком случае, источник «Бананов» легко определить. С его вымышленной ничтожной диктатурой Сан-Маркоса, его сигарами, шутками нон-стопом и ощущением анархии – это алленовский «Утиный суп». Зажатый в угол полицией, Меллиш даже исполняет танец с резиновыми ногами, как это делает Граучо в «Дне на скачках», когда его руки движутся в египетском стиле, а ноги заворачиваются по спирали. «Я часто делал такое сравнение, но если вы возьмете какого-нибудь Пикассо, и он нарисует маленького кролика, обычного кролика, а потом школьники на уроке нарисуют такого же кролика, в нем будет что-то от его стиля. Ему не нужно делать ничего роскошного, никакой взрывоопасной идеи. Но в его линиях есть что-то, чувство в его линиях на бумаге, которое так красиво».

С этой точки зрения, «Бананы» – красивый фильм. Не внешне. Освещение в этом фильме, возможно, худшее из всех его картин – дешевая единственная лампочка, освещающая холостяцкое жилище Филдинга Меллиша, превращается в неожиданное упражнение неореалистического гранжа, в то время как революция проходит под полинялым небом цвета грязного носка. Режиссура Аллена по-прежнему изобилует мельчайшими деталями, в ней слишком много продуманных до мелочей сторон, длинных кадров и замашек на годардианский монтаж во время убийства президента. Но работа Аллена

в качестве писателя – работа между локацией и шуткой – никогда не была столь простой и открытой, в то время как его работа в качестве актера, физическая работа движения его тела на экране, невероятна, она является балетом изгибов, съеживаний, вздрагиваний.

Он впервые украшает своего персонажа-неудачника интеллектуальными стремлениями, поэтому его комедия достигает высшего регистра. «Ты читал «И Цзин»?» – спрашивает выпускница философского факультета Нэнси. «Не само «Цзин»…» – обманывает недоучка Меллиш. Его кинопародии шагают на ступеньку или на две выше: на это раз на Бергмана (отрывок со сном, где соперники по распятию начинают драться за место на парковке) и Эйзенштейна (во время штурма дворца детская коляска катится по ступеням вниз). Сценарий Аллена также почти всегда открыто язвительный, он делает выпады в сторону американской внешней политики и лупоглазой телевизионной культуры репортажем Коварда Коссела о «ярких бунтах» и обещанием «записать на пленку повтор избиений» – буквальный остроумный ответ на слоган «Черной пантеры», который позже стал названием песни Гила Скотта-Херона The Revolution Will Not Be Televised (Революцию не покажут по телевизору).

Такая злободневность удержала «Бананы» от классического статуса, оцененного в «Спящем» и «Любви и смерти», но фильм показывает решительные движения навстречу будущим поколениям. Немногие другие комедии в 1971 году смотрели на Чаплина или на братьев Маркс как на модели, и даже несмотря на то, что Аллен систематически умалял свои навыки создания буффонады, они достаточно очевидны; будь то охота за куском замороженного шпината по полу комнаты, как за шайбой в хоккее, или кривляния перед хулиганом Сильвестра Сталлоне в вагоне метро, Филдинг Меллиш, кажется, родился без костей в теле. Сцена со Сталлоне доведена до совершенства. Меллиш выкидывает его из вагона, и, когда двери закрываются, поворачивается к камере, чтобы насладиться признательностью других пассажиров, но Сталлоне ломает дверь за его спиной и возвышается над Меллишем в момент его величайшего триумфа. Это

Cutty people know.

Слева: бритье вместе с Эспозито (Якобо Моралес), революционером из Сан-Маркоса.

Внизу: подругу Меллиша на экране, Нэнси, сыграла бывшая жена Аллена, Луиза Лассер.

«Бананы» был по-прежнему фильмом, в котором я заботился только о том, чтобы быть смешным… Я хотел быть уверенным в том, что все смешно и быстротечно. Именно на этом я концентрировался. Так что, если я снял или смонтировал некоторые сцены похожими на мультфильмы, это было по этой причине».

исполнено несравненно, шутка, нафантазированная прямо перед камерой и зависящая от положения камеры и расположения кадра точно так же, как взбалмошная игра Аллена, эта сцена в первый раз показывает, как гармонично он в конечном итоге может совмещать роли писателя, актера и режиссера.

Другое в первый раз: прислушавшись к совету Кейл, Аллен в конце концов получает девушку. Изначально фильм заканчивался тем, что Меллиша взорвали во время выступления в Колумбии из-за сажи на черном лице, черные революционеры спутали его со своим. «Вуди, концовка не сработает, – сказал Розенблюм, эта фраза уже стала знакомой. – Почему бы не сделать что-то, что соотносится с началом картины?» Аллен посидел и подумал, и на следующее утро он пришел с новым концом, который перекликался с первой сценой, в которой Коселл рассказывает об убийстве президента в стиле телепрограммы «Широкий мир спорта» («Итак, вы это слышали своими собственными глазами»), но в этот раз Коселл комментирует брачную ночь Меллиша. «Они работают в тесном контакте, – говорит он, – все происходит быстро, ритмично, скоординированно…» Рука Меллиша высовывается из-под одеяла, он показывает пальцами знак V. «Все! – провозглашает Коселл. – Все кончено! Поединок закончен! Свадьба завершена!»

На следующей странице: юный Сильвестр Сталлоне в ранней роли хулигана в метро, не вошедшей в титры.

Сыграй это снова, Сэм

1972

Аллену очень понравилось играть на сцене в «Сыграй это снова, Сэм» в бродвейском театре Бродхерст на Вест 44-й улице в 1969. «Нет проще работы, чем играть в спектакле, – говорил он. – Я имею в виду, у тебя целый день выходной, и ты делаешь все, что ты хочешь. Ты можешь писать, ты можешь расслабиться… Ты приходишь в театр только в восемь вечера». Он гулял до театра из своей квартиры вместе с Дайан Китон, был одет в свою обычную одежду и шел прямо на сцену. Он был настолько расслаблен относительно своей игры, что часто ошибался, портя реплику, а потом искал взглядом одного из своих коллег, Китон или Тони Робертса, и давился от смеха. «Если Вуди забывал реплику, он просто прекращал, – рассказала Китон. – Он не мог продолжить сцену. Тони и я могли перепутать реплики и продолжить играть, но не Вуди. А потом ты начинаешь смеяться. Дисциплина у нас иногда сильно страдала». Неспособность Аллена импровизировать имела интересную причину, говорил Роберт. «Мы притворялись, что были теми людьми, которых он выдумал, а он был одним из них. Так что если история хотя бы секунду не продолжалась, это экзистенциально ошеломляло его».

Справа:
На сцене бродвейского спектакля по оригинальной пьесе Аллена. Фотография сделана Деннисом Браком.

На следующей странице:
«Я был очень счастлив, что режиссером «Сыграй это снова, Сэм» стал Герб Росс. Я не хотел из этого делать фильм».

Пьеса была написана в Чикаго в 1968 году, когда Аллен играл в ночном клубе Mister Kelly's, тогда его брак с Луизой Лассер сходил на нет, и пьеса заимствовала опыт его знакомства с девушками, которых представляли его женатые друзья: «О, мы знаем одну хорошую девушку для тебя». Но он терял дар речи в окружении этих девушек, чего с ним никогда не происходило, когда он был с женами своих друзей. «Я вел себя с ними естественно, и они во мне находили более приятную компанию, чем женщины, которых я пытался впечатлить, – сказал Аллен. – И именно это дало мне идею: ты испытываешь давление с незнакомцами, и ты чувствуешь себя как дома со своими друзьями, потому что тебе наплевать». Сначала он и не помышлял о роли для Хамфри Богарта, но, пока он жил в отеле Astor Tower, он понял, что печатает на машинке: «Появляется Богарт…» Потом он сделал это снова. К концу Богарт появился шесть раз – главный герой.

Роллинс и Йоффе продали права на фильм Paramount, которые изначально хотели Дастина Хоффмана, только что закончившего съемки в «Выпускнике» на роль Аллана Феликса, разведенного мужчины, который не может расслабиться ни с одной девушкой, кроме жен своих друзей; Ричард Бенджамин, который позже появится в фильме «Разбирая Гарри», тоже предлагался на эту роль. «Они не хотят, чтобы я там был, пока у «Бананов» не будет успеха», – говорил Аллен, который не стал режиссером этого фильма, потому что работал над «Все, что вы всегда хотели знать о сексе, но боялись спросить». Герберт Росс, который только что снял «Смешную леди», стал режиссером, а Аллен адаптировал сценарий всего за 10 дней, расширив сюжет несколькими сценами с вечеринок и дискотек и фантазиями, в которых он представлял свою бывшую жену (Сьюзан Энспач), изучающей свою сексуальность с арийскими

SAN FRANCISCO INTERNATIONAL FILM FESTIVAL
FILM WEEKLY
BOGEY
YEAR BOOK

Главным персонажем был Аллан Феликс, фанат кино, который слушает романтические подсказки от воображаемого Хамфри Богарта (Джерри Леси).

байкерами, он также перенес действие из Нью-Йорка в Сан-Франциско после того, как рабочие киноиндустрии в Нью-Йорке объявили забастовку летом 1971 года. Они начали снимать в октябре.

Из всех фильмов Аллена легче всего представить, что именно «Сыграй это снова, Сэм» сняла Нора Эфрон, его кинолюбовь-реальность становится очевидной предтечей фильма «Неспящие в Сиэтле». Фильм начинается с кадра из «Касабланки», отражающегося в очках Аллена, его рот медленно открывается, пока он смотрит с упоением на экран во время великодушного прощания Богарта с Ингрид Бергман. Включается свет, Аллен смотрит по сторонам, как будто говоря: «Куда все собрались?», и издает звук разочарования – милое прикосновение натурализма в его игре, заложено в персонаже больше, чем что-либо, что он делал до этого момента, при этом он также подводит итог своим способностям к буффонаде. Вспомните момент с трудностями с феном или момент, когда он пытается впечатлить девушку, которую на свидание с ним привели его друзья Дик (Робертс) и Линда (Китон), Аллан прерывает свои странные вступления в разговор («а я люблю дождь») бросанием как фрисби пластинки с музыкой через всю комнату, а ее обложки в другую сторону – идеальный фарс в холостяцком жилище.

На свиданиях лицо Аллана нервно дергается, когда он пытается соблазнить девушку. Только критические разборы прошедших свиданий с Линдой помогают ему расслабиться. Интересно, как застенчивость персонажа Вуди Аллена незаметно сливается с ситуацией для совершения и оправдания супружеской измены, сценарий – это докторская диссертация в романтическом макиавеллизме. Они подружились благодаря лекарственным препаратам («Яблочный сок и пропоксифен прекрасно сочетаются!», «Ты когда-нибудь пробовала хлордиазепоксид с томатным соком?»), они становятся двумя таблетками из одного рецепта, хотя Аллен не знал, как заставить сюжет работать с другой стороны, нежели чем через персонажей. Он прекрасно улавливает незрелые иллюзии Аллана («Кого я обманываю, я был очень горячим прошлой ночью»), но он до сих пор не может написать женщину. У Китон наивный взгляд, и она пассивна, она всего-навсего простофиля в сцене, когда Аллан пользуется романтическими подсказками от Богарта («Скажи ей, что у нее самые неотразимые глаза, что ты когда-либо видел»), приспособление, которое объединяет его со зрителем, но оставляет Китон не у дел («Сработало!»). Это единственная роль, которую Аллен писал не под нее саму, и это видно. Он уже прислушивается к особенному тембру голоса Китон – распевная смесь дурмана и язвительности, которую он так хорошо уловит в «Энни Холл». «Влечение между Дайан и мной развивалось в течение долгого времени. Это что-то, что происходило и вне сцены, и на ней. На самом деле, наши внесценические отношения становились влечением, которое точно передавалось в фильмах… Я часто смотрел на вещи ее глазами, и это в действительности улучшило и расширило мое восприятие. Она сильнее всего повлияла на меня».

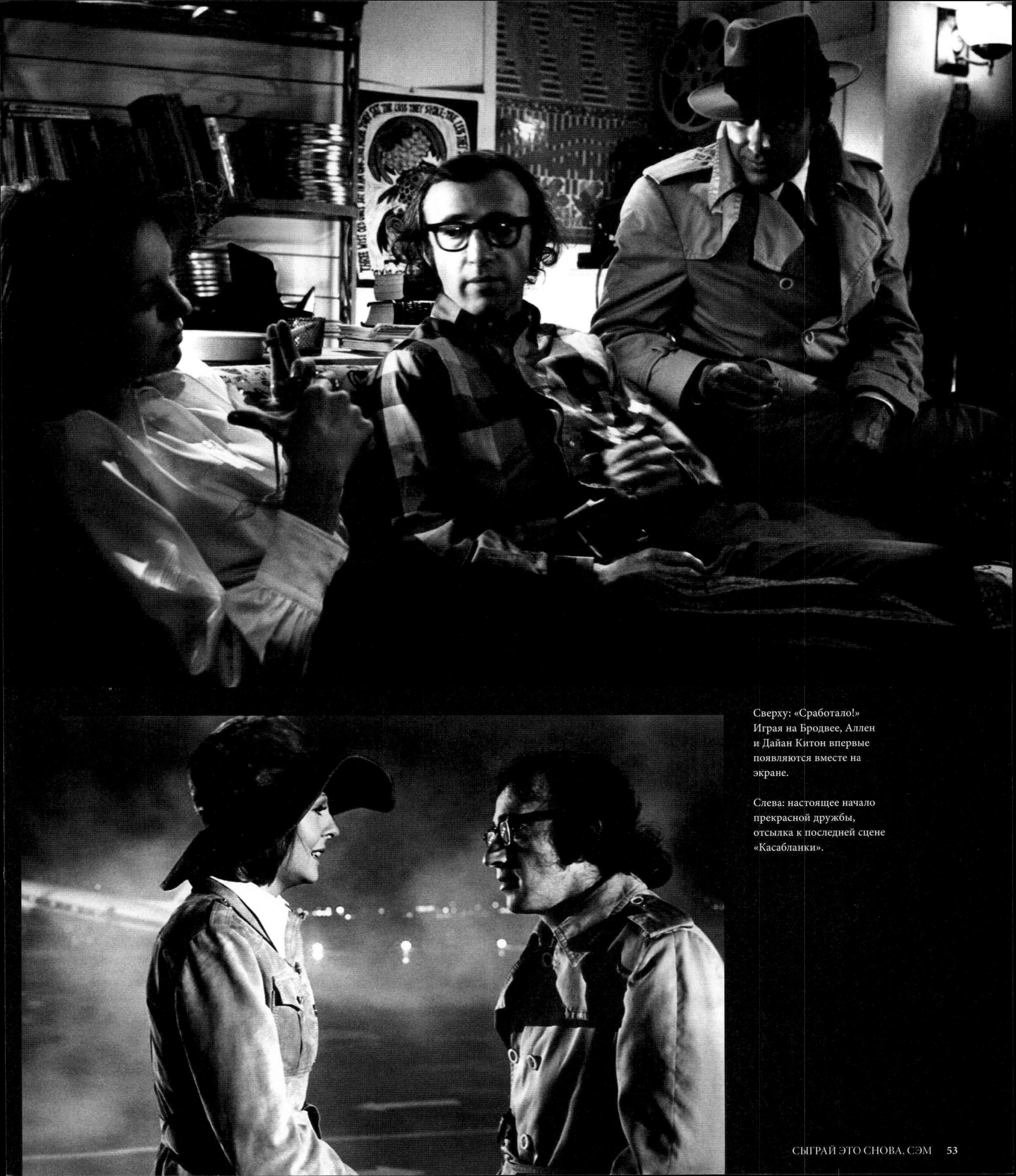

Сверху: «Сработало!» Играя на Бродвее, Аллен и Дайан Китон впервые появляются вместе на экране.

Слева: настоящее начало прекрасной дружбы, отсылка к последней сцене «Касабланки».

«Я редко думаю о мужских персонажах, кроме моего собственного. Но меня чрезвычайно привлекают фильмы, спектакли или книги, которые исследуют ментальность женщины, особенно умной женщины».

Аллан: Вы были фантастической прошлой ночью в постели.
Линда: О, спасибо.
Аллан: Как вы себя чувствуете сейчас?
Линда: Я думаю, что Пепто Бисмол помог.

cross
the
acific
MARY
ASTOR
SYDNEY
GREENSTREE
Directed by
JOHN HUSTON
Presented by
WARNER BRO

Все, что вы всегда хотели знать о сексе, но боялись спросить

1972

Аллен недооценил неудобства в носке своего костюма паука и хрупкость 15-футовой ткани на груди.

Аллен думал: «Это была моя тема, начиная с «Хватай деньги и беги». Потом он подумал: «Может быть, будет смешно сделать серию скетчей о сексе, основанных на книге?» «Я думал, что у меня будет миллион комических идей на тему секса, – говорил он позднее, – но это была не такая уж и плодотворная идея, как я себе представлял, и у меня получилось около шести».

Работая с оператором Дэвидом М. Уолшем, который сначала не хотел браться за работу, так как видел однообразность предыдущих попыток Аллена, и художником-постановщиком Дейлом Хеннеси, который ранее работал над «Фантастическим путешествием» (1966), Аллен столкнулся с значительными логистическими проблемами во время съемок.

Ветхозаветная пародия о мастурбации была написана, но не была снята, так как бюджет не позволял правдоподобно воссоздать то время. Мародерствующую 15-футовую грудь сделали из такого тонкого материала, что она порвалась, когда начался ветер. Другой отрывок «Что делает мужчину гомосексуалистом?» с Луизой Лассер в роли черной вдовы и Алленом в красно-коричневом костюме паука, который вскоре станет ее бывшим, стал «самым ужасным опытом в моей и ее жизни, – вспоминает он. – Я не мог сидеть, у меня все чесалось, у меня был ужасно неудобный костюм, она ненавидела свой костюм, мы постоянно ссорились. Сидеть на металлической решетке паутины было больно. И по-прежнему мы думали, что сможем из этого сделать отрывок в несколько минут. Мы отсняли целую тьму пленки за две недели съемок, на две или три камеры, все это для шести с половиной минут. У меня была хорошая сублиминальная шутка, которая вытягивала весь эпизод с музыкой из сюиты из балета «Щелкунчик» – и все это не сработало».

Во время съемок Аллен оставался мрачным. «Было похоже, как будто ты гуляешь по съемочной площадке Бергмана, – сказал Джин Уайлдер, снимавшийся в эпизоде с доктором, который влюбился в овцу. – Вуди делает фильм так, как будто он зажигает 10 тысяч спичек, чтобы осветить город». Он колдовал над фильмом вплоть до его финального релиза, меняя порядок эпизодов и, в конце концов, решив вырезать скетч с пауком во благо скетча с Лу Джакоби, где он играет трансвестита. Он так близко подошел к дедлайну, что им пришлось дважды пропускать только что проявленную пленку через проектор, чтобы высушить ее.

Так как любая студия должна получить выгоду,е «Все, что вы всегда хотели знать о сексе, но боялись спросить» стал массовым хитом, заработав 18 миллионов на кассовых сборах, достаточно, чтобы стать второй самой крупной комедией 1972 года после «В чем дело, док?» с Барбарой Стрейзанд. Ну и что с того? Если говорить о деньгах, карьера Аллена никогда не превышала значительных доходов «Что нового, киска?» и «Казино Рояль» (его два самых больших хита с учетом

События первых двух скетчей фильма разворачиваются вокруг елизаветинского придворного шута, который использует афродизиак, чтобы соблазнить королеву, и любовного треугольника между доктором (Джин Уайлдер), его пациентом и овцой.

«Это не были истории, в которые вы должны были вкладываться эмоционально. Это были обычные сырые наброски. Вы могли бы смеяться над ними и даже подумать: "Отлично, я потратил на это шесть минут, можно посмотреть еще одну. По какой-то причине это работало."»

инфляции). Аллен понял, что секс не является настолько продуктивным источником его комедий, как он об этом думал – его главным предметом было сексуальное желание, – и слишком многие скетчи здесь казались отголосками «Американской жены» (Run for Your Wife) с шутками о гомосексуальности, трансвеститах, соблазнительном нижнем белье, которое напрашивается на шлепок и подмигивание от комедианта из «Борщевого пояса». Ничто не устаревает так быстро, как пахабщина из другой эры.

Первый скетч – «Помогают ли афродизиаки?» – о елизаветинском придворном шуте (Аллен), который использует афродизиак, чтобы соблазнить королеву, в основном является возможностью веселья в стиле Перельмана с лингвистическим анахронизмом («Со проворностью, доступной мне, открою сей замок и окажусь у ней меж ног»). Второй – «Что такое содомия?» – рассказывает о докторе (Уайлдер), который наблюдает пациента, влюбившегося в свою овцу, доктор и сам влюбляется в эту овцу. Уайлдер играет непревзойденно, он вкрадчивый и невозмутимый, он проходит через всю гамму эмоций – нежность, стеснение, безрассудство («Я никогда не забуду этих вечеров, Дейзи»), лесть, злость, боль и покинутость, – и он ни разу не подает ни одного знака, что это комедия.

Третий скетч – «Почему некоторые женщины испытывают трудности с достижением оргазма?», в нем Аллен играет итальянского эстета в стилистике Феллини – солнечные очки, зачес, сигарка, его любовница может достичь оргазма только в публичных местах. Этот скетч примечателен в основном из-за стилизации под минималистичность Микеланджело Антониони, но Аллен говорит по-итальянски с бруклинской интонацией, из-за этого все становится вполовину менее смешным. «Гомосексуальны ли трансвеститы?» – четвертый скетч о женатом мужчине среднего возраста (Джакоби), который освобождает себя от вечеринки, чтобы переодеться в женскую одежду. Это, возможно, самый слабый сегмент фильма: такой волнующий из-за комических возможностей трансвестизма («Она мой муж!»), в терминах драматического развития этот скетч исчерпывает себя почти сразу. Юмор здесь для Аллена

В роли сперматозоида, готовящегося к великому неизвестному в финальном скетче сегмент «Что происходит во время эякуляции?»

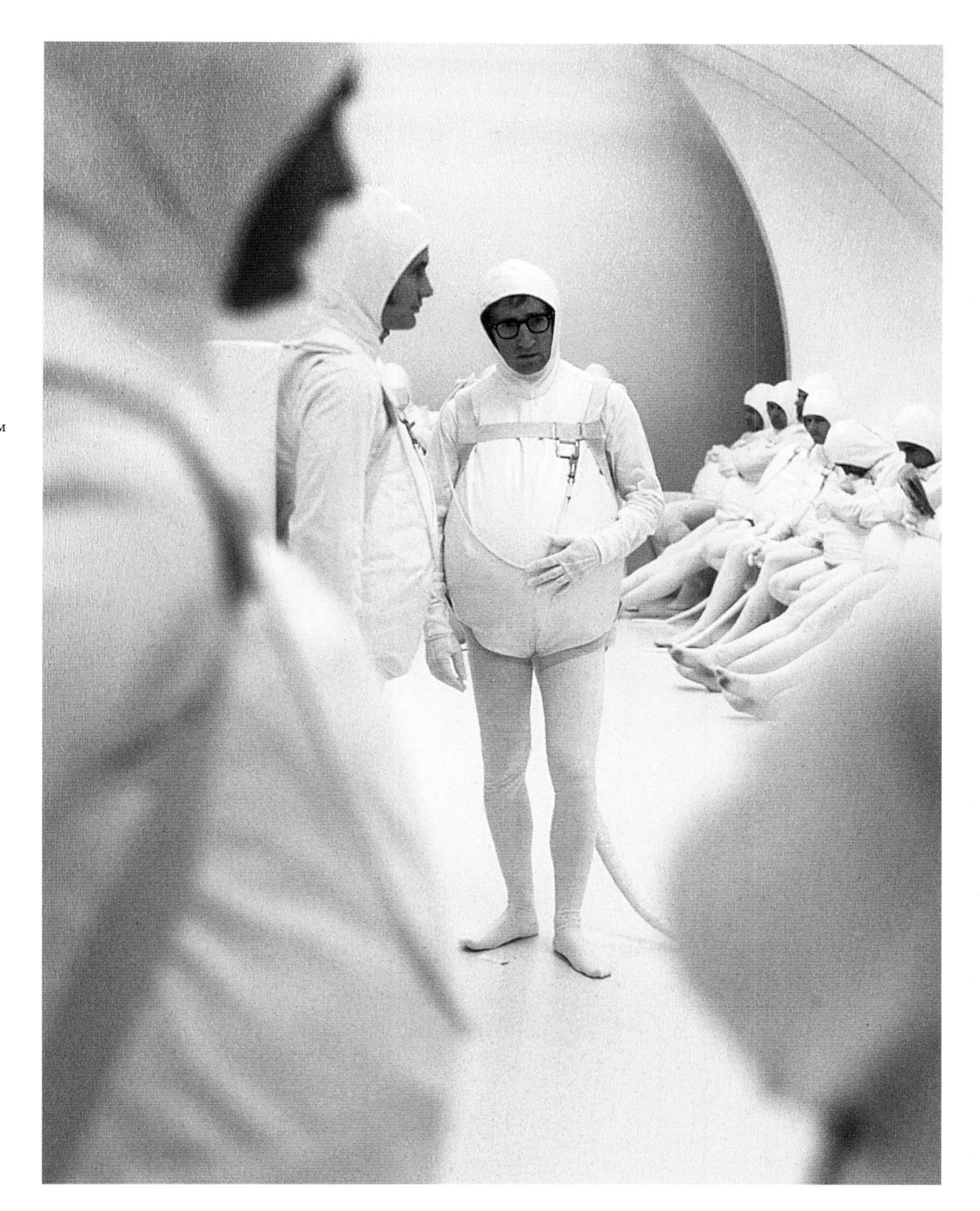

самый консервативный, без его самоуничижительного персонажа-неудачника.

Все становится пободрее к 5-му скетчу «Каковы сексуальные извращения?» – пародии на телевизионное шоу, в котором четыре участника – Регис Филбин, Тони Холт, Робьерт К. Льюис и Памела Мэйсон – пытаются отгадать извращения соперников («Любит раздеваться в метро»). Кульминацией шестого отрывка «Точны ли открытия врачей и клиник, которые занимаются сексуальными опытами и исследованиями?» становится известная погоня за Алленом гигантской сбежавшей груди – пародия на фильм «Капля» и Филипа Рота. Седьмой сегмент «Что происходит во время эякуляции?» – это заслуженная классика, в которой свидание рассматривается как Центр управления наподобие НАСА, который расположен внутри тела человека («Фетуччини продвигается хорошо»). Все заканчивается сексом в машине («Угол эрекции 40 градусов, и он растет») и кучей сперматозоидов, одного из которых играет чрезвычайно нервный Аллен, который готовится к выходу из тела. «А что если он мастурбирует? – беспокоится Аллен. – И я закончу где-нибудь на потолке». Белая съемочная площадка и костюмы, полярность разума и тела, уморительность Аллена в любой тюбетейке или шлеме – все указывает на приемы «Спящего».

Спящий

1973

Аллен находился в крайне оптимистичном настроении относительно выхода «Спящего». «Спящий» – это такая картина, которую любой американский ребенок найдет смешной, – сказал он. – Именно такие фильмы я смотрел, когда был ребенком, и мне они нравились. Я не хочу ограничивать себя интеллектуальным юмором, особенно потому, что у меня нулевые профессиональные успехи в этой сфере. У Чаплина было несколько хитовых шуток. Я устал от того, что обо мне думают, как об особенном человеке для этой толпы с Третьей авеню». Изначальная идея была даже более амбициозной: трехчасовой фильм, разделенный на две части. В первой мы должны были встретить Майлза Монро, владельца магазина полезной пищи «Счастливая морковка» на Бликер-стрит в Нью-Йорке, который лег в больницу на обычную операцию, связанную с язвой желудка, но в больнице он падает в цистерну с жидким азотом. Потом должен был быть перерыв, а когда зрители вернулись бы в зал, история перенеслась бы на 200 лет вперед. Аллен написал 40 страниц, но потом застопорился.

«Я действительно хочу написать фильм так, чтобы я смог только упасть в цистерну с замороженным соком? – спросил он себя. – Я подумал, давай просто сделаем вторую часть, давай сделаем только будущее, когда герой просыпается».

Он поделился своей идеей с Маршаллом Брикманом, телевизионным сценаристом, который играл на банджо в клубе Bitter End, когда Аллен выступал со стенд-апами. Мощь Брикмана заключалась в его нарративе – переход от точки А к В, а потом к С. Они сидели в гостиной Аллена и разговаривали час или полтора, потом один из них говорил: «Давай прогуляемся», и они шли на прогулку и дышали свежим воздухом, все время перебрасываясь идеями. Аллен хотел, чтобы людям в будущем запрещалось разговаривать, что сделает фильм подобием неудавшегося немого кино. Он также хотел снять бóльшую часть фильма в Бразилии в футуристическом столичном городском комплексе. В конце концов, он перенес действие в Денвер, пустыню Махаве и на студию Pathé Selznick в Калвер-Сити, где Аллен остановился в примерочной Кларка Гейбла – в симпатичном трехкомнатном коттедже с газоном и садом, усеянном маргаритками, и декоративным белым заборчиком. Кларнет Аллена звучал из его окна каждое

«Я не знаю, какого черта я здесь делаю. Мне 237 лет, я должен пенсию получать». Попав в криогенную камеру после неудачной операции, владелец магазина здоровой еды Майлз Монро пробуждается спустя 200 лет в будущем.

«Мы все бессильны перед отснятым материалом. Я смотрел эти кадры и думал: ни один из них не выглядит смешным, и я их переснимал, и когда я начинал монтировать фильм и вставлять их, два самых худших в отсмотренном материале были самыми смешными. Поэтому делать комедию так трудно».

Под давлением желания успеть к новогоднему релизу Аллен использовал терапию кларнетом, самым важным устройством из многих других.

утро до начала съемок в 8:30.

«Фильмы, сделанные за два миллиона, – занозы в заднице, и мне пришлось уехать из Нью-Йорка, – жаловался он. – В ЛА все – это автомобили, и там все надо было сделать быстро, за 12 недель». United Artists хотели, чтобы фильм успел к новогоднему релизу с серьезными финансовыми санкциями, если его создание превысит бюджет или выйдет за рамки графика. Аллен начал съемки 30 апреля, и к августу он уже пренебрег своими 350 тысячами долларов и отставал от графика на 51 день. Роботы, механизированные приспособления, трюковые съемки сказались на этом. Надувной космический костюм отказывался надуваться. 12-футовый банан выглядел неправдоподобно. Провода и буксировочный канаты то и дело появлялись в кадре. «Это фильм о проводах, – вздыхал Аллен. – Для United Artists это по-прежнему был период узнавания-как-со-мной-работать. Они послали несколько человек в Колорадо, и я показал им некоторый отснятый материал, и, как обычно, они были милыми до невозможности. Они сказали: «Оставьте его в покое, он все хорошо делает».

Среди людей из United Artists был и Ральф Розенблюм, которого студия попросила начинать монтировать семь дней в неделю, пока Аллен продолжал съемки. «Я испытывал невероятный стресс, в котором он находился в тот момент, когда позвал меня на площадку, и я видел, что, несмотря на его усилия, он начинал выказывать признаки нетерпения относительно съемочной группы». К моменту, когда Аллен и Розенблюм вернулись в Нью-Йорк к сентябрю, они создали солидную часть фильма, и к концу месяца эти двое – каждый из них работал с ассистентом, монтировавшим разные сегменты и потом предоставляющим результаты, – завершили черновой монтаж, длящийся 2 часа 20 минут. Отрывок со сном, снятый в Мохаве, где Алленом жертвуют как фигурой в огромной гигантской шахматной игре («одна из тончайших частей кинематографа, которую когда-либо создавал Аллен», – глазами Розенблюма), поразил всех в монтажной комнате, как и первоначальная концовка, которую Розенблюм посчитал «шаблонной». Однажды в субботу Аллен с Китон вернулись в Калифорнию, которая к тому времени снималась в фильме «Крестный отец 2», чтобы снять новую концовку.

«Только благодаря урагану наслоившихся задач мы завершили работу к новогоднему выходу», – сказал Розенблюм. Финальный монтаж, ужавший 35 часов кинопленки в 90 минут, был завершен за два дня до премьеры.

«Спящий» был первым реальным фильмом Вуди», – сказал Розенблюм, имея в виду, что в нем было больше органов – больше съемочных площадок, больше костюмов, больше спецэффектов, чем в любом другом фильме Аллена

«Это фильм о проводах». Сложные кадры в «Спящем» имели свое влияние на бюджет и график.

к этому моменту. «Нахождение чистого визуального стиля для современной эксцентричной цветной комедии является главной победой», – написала Полин Кейл, хоть и похвала имела скрытое жало:

«Спящий» сохраняет единство, в отличие от его самых острых и ранних фильмов; он не бьет струей и не срывается, как это было в «Бананах» и «Сексе». Он очарователен, даже сама работа, в ней почти нет плохих реплик. Но в нем нет открыто проявляющихся маниакальных пиков, как в других фильмах. Вы выходите с улыбкой, вы невероятно счастливы, но вы не без ума… Часто цитируют слова Аллена, что он хочет оставаться сырым в своей кинотехнике; раньше мне нравилось читать эти цитаты, потому что я думала, что он прав, и в «Бананах» его инстинкт позволяет шуткам течь беспорядочно, а не приводит их в порядок и просит незамедлительно приносить свои плоды. Этот эффект был яростным и оригинальным».

Эту критику Аллен будет слышать много раз в последующие годы по мере того, как его фильмы будут становиться более профессиональными с точки зрения техники и не достигнут определенной ценности. «Просто слишком красиво, – скажет Стенли Кауффман о фильме «Любовь и смерть». – Картину снимали во Франции и Венгрии, и что-то в ней невероятно. Вообще там не должно быть ничего невероятного». Определенно, пока не появился Вуди Аллен, идея хорошо выглядящей комедии была приблизительно анафемой мейнстрима Голливуда. Никто не помнил братьев Маркс за их операторскую работу. Критики восхваляли работу Бастера Китона как режиссера, но Чаплин маэстро не был. Престон Стерджес добился элегантных длинных кадров, но, как заметил сам Аллен: «По большей части красивые вещи вообще не смешные». Его режиссерские амбиции заведут его в неизведанные дали, когда он добьется сотрудничества с оператором «Крестного отца» Гордоном Уильямсом для съемок «Энни Холл», «Манхэттена» и «Воспоминаний о звездной пыли»; оператора Бергмана Свена Нюквеста для создания «Преступлений и проступков» и «Знаменитости»; оператора Антониони Карло Ди Пальму для создания фильмов «Ханна и ее сестры», «Дни радио», «Загадочное убийство в Манхэттене» и «Элис» – комедии, которые все-таки представляют собой полностью обозначенные фильмы, – красивые вещи и при этом смешные.

Все это началось со «Спящего», где будущая популяция людей развилась в обдолбанных хиповатых свингеров, которые наслаждаются собой в прилизанных, белых овальных домиках дизайна Чарльза Дитона, просто напрашивающихся на коротышку Аллена, который рухнет рядом с ними – как оконные стекла, ждущие жука. Будущее окажется даже лучшим окружением для комедии Аллена, чем джунгли. Конечно, речь идет о сельском

Красивая вещь и при этом смешная. Аллен начал запрашивать такой же стандарт операторского искусства, который считался нормой для других, более престижных киножанров.

«Я хотел сделать кино в стиле эксцентричной комедии, эффектное кино в каком-то смысле. По больше части, мне было легко».

будущем: в нем рассказывается кое-что о том, насколько яро эта среда для Аллена негостеприимна, ведь в этом будущем нет городов. В первые 45 минут или около того фильм достигает такого же маниакального пика, как и его более ранние работы. Мы видим последовательность шуток Вуди-против-гаджетов (космический багги, реактивный рюкзак), за ними следуют шутки Вуди-в-роли-гаджета, где Аллен переодевается в беззвучного робота, в этот момент его кража у классики немого кино становится изнурительной. Он качается на незакрепленной лестнице, как Гарольд Ллойд в фильме «Безопасность прениже всего!», за ним гонятся в стиле полицейских из Кистоуна под аккомпанемент кларнета самого Аллена, он съеживается в магазине по починке роботов, как чаплинский боксер в «Огнях большого города». А потом появляется Дайан Китон.

Это ее первое появление в фильме, режиссером которого был Вуди Аллен, и у нее это получилось прекрасно. На ее лице маска из зеленой грязи, она задирает к верху сигарету с мундштуком, цитирует свои отвратительные стихи о гусеницах, Китон (Луна Шлоссер) находит музыку в женском нестройном гуле нервов, которая созвучна собственному ритму Аллена. Они вместе подаются в бега, они играют на своих неврозах как на виолончелях, и впервые в фильме Вуди Аллена его сцена с кем-то еще лучше, чем сцена, где он один или играет своего антагониста. Майлз поддразнивает Луну («Я постоянно шучу, ты ведь меня знаешь, это защитный механизм»). Она сознается в неуверенности в своем интеллекте («Ты думаешь, я тупая?»). Потом Майлз пытается переубедить ее («Как ты могла такое подумать?»), смягчая тревожность, которую он сначала вызвал. И так до их первого поцелуя

Майлз переодевается роботом и становится командой с Луной Шлоссер, которую сыграла Дайан Китон. Это была ее первая роль в фильме Вуди Аллена.

на ступеньках строения Дитона в форме яйца, когда Аллен чинит старый кларнет, это первая по-настоящему романтичная сцена в его фильме, в противоположность сексуально-юмористичным, – знаменательный Рубикон.

Их роман развивается по странно похожему сценарию. Сперва Майлз спасает Луну от буржуазных условностей; затем, когда его ловит государство, она спасает его, теперь она украшена революционным хаки и фонтанирует марксистскими слоганами, к большому изумлению Майлза («Она прочла несколько книг, и вот внезапно она интеллектуалка»). Другими словами, это первое появление сюжета со ставшей осознанной женщиной, который он позже усовершенствует в «Энни Холл» – «Пигмалион» в лице Эрики Йонг. В этом сюжете мужчина-учитель, которого внезапно превосходит и отодвигает его подруга-протеже. Фильмы Аллена будут возвращаться к этой теме снова и снова, как беспокойство о некой фатальной ошибке, ведь только в этом фильме все заканчивается счастливо, там Майлз и Луна уезжают на своем багги. Они оба одеты в хирургические халаты и шапочки, они на белом фоне, так что кажется, что только их лица висят в кадре: два влюбленных пассивно-агрессивных человека.

«Мне кажется, ты действительно меня любишь», – *говорит Луна.*

«Конечно, я люблю тебя, – говорит Майлз. – Я об этом и говорю».

Он использует версию этой же реплики в «Манхэттене», но впервые в его карьере эта фраза звучит по-настоящему искренней. Аллен нашел свою пару, кого-то, чьи комедийные инстинкты, своевременность и дар на шутки был равен его собственному. Ему придется научиться делить с кем-то экран.

«Спящий» показал мне зрителей, которым нравится на меня смотреть, во что мне было трудно поверить».

Одна из множества сцен, которая не попала в финальную версию фильма, хотя курица получила свою роль в другом месте.

Любовь и смерть

1975

После завершения работы над «Спящим» Аллен послал менеджеру United Artists Эрику Плескову записку, в которой сообщалось, что он почти завершил свой новый сценарий: детективная история в Нью-Йорке о паре, Элви Сингере и Энни Холл, которые встречаются возле кинотеатра, ссорятся, а потом возвращаются в свою квартиру, где профессор колледжа по имени Доктор Леви найден мертвым. Кажущаяся причина смерти – суицид. Элви, который знает работы профессора, а также то, что суицид отвратителен великому человеку с философской точки зрения, решает доказать, что на самом деле речь идет об убийстве. «Мне нравилась первая часть, но не вторая», – говорил Аллен о сценарии, так как нехватка смеха в нем пугала его. Разглядывая свою квартиру, он наткнулся взглядом на историю России на своей книжной полке и подумал: а почему не «Любовь и смерть?», две его любимые темы?

Идея в основном заключалась в «Войне и мире», как будто бы переписанной С. Дж. Перельманом, с дуэлями и философскими дебатами, деревенскими идиотами и большими операми, все перевернуто с ног на голову. История просто вылетела из его печатной машинки. Прошло две недели после того, как он сказал Плескову ожидать его загадочного убийства в Манхэттене, и вместо этого Плесков получил черновик комедии о наполеоновских войнах в царской России, которая слегка касалась проблемы бессмысленности бытия. «Что произошло?» – спросил Плесков. «Я выбросил ту историю», – сказал Аллен. На самом деле он отложил идею в ящик, где она в итоге разбилась надвое, став «Энни Холл» и «Загадочным убийством в Манхэттене». Доктор Леви, тем временем, мигрировал в «Преступления и проступки» в качестве Луиса Леви, профессора философии, который убивает себя при просмотре документального фильма о себе и своей работе, созданного персонажем Аллена. Вот такая вот вневременная странная экономия, в которой, кажется, работает воображение Аллена, которая откладывает идеи, чтобы вспомнить о них и использовать десятилетия спустя. Менеджеры в United Artists, однако, этого не знали, и Аллену пришлось объясняться в зале заседаний компании. Эту встречу он впоследствии описал для читателей журнала Esquire:

«Я находился в офисе крупнейших дельцов United Artists, я объяснял им, что я написал комедию о человеческой отчужденности в мире бессмысленного существования. Они надумали, из-за нескольких записок, которые я им отправлял, что я работаю над постельным фарсом, основанном на недоразумении с двумя девушками au pair и курицами».

Руководство UA не ожидало многого от картины, но одобрило ее из-за кассового рекорда Аллена: «Спящий» только что принес более 18 миллионов долларов – его самый большой хит к тому времени. Он нанял бельгийского оператора Гислена Клоке, который работал с такими светилами европейского арт-хауса, как Луи Маль, Роберт Брессон и Жак Деми, Аллен снимал в Париже

На следующей странице: алленовская пародия в стиле Перельмана на «Войну и мир» вылетела из его печатной машинки.

Справа: но суровая погода и проблемы с коммуникациями на месте съемок в Венгрии замедлили его. Пройдет еще 20 лет, когда он снимет другой фильм за пределами США.

Борис Грушенко перегибает палку на семейном празднике.

и Венгрии, в Венгрии он снимал сцены битв с сотнями людей из массовки и специалистом по спецэффектам, который прилетел из Лондона. В оживленном настроении он написал Дайан Китон из Парижа, готовясь к ее приближающемуся приезду:

«У нас достаточно времени под репетиции, но не так много, как в Лос-Анджелесе. Я по-прежнему думаю, что «Любовь и смерть» будет проще, чем «Спящий», так как там не так много падений, утечек и трюков с водой. Наши обмены репликами должны быть краткими и живыми, но мы должны начать репетировать».

Венгрия была другим делом. К тому времени, как приехала Китон, в Будапеште стояла самая холодная погода за последние 25 лет, было настолько холодно, что Аллен не чувствовал своих пальцев, когда играл на кларнете. Возвращаясь со съемочного дня, он залезал под душ, чтобы согреться. Он волновался о качестве еды и ел только консервы, пил только бутилированную воду, привезенную на корабле из Америки, и поэтому он был одним из немногих из своей съемочной группы, кто не пострадал от дизентерии. «Когда нам нужна была хорошая погода, шел дождь, – писал он. – Когда нам нужен был дождь, сияло солнце. Оператор был бельгийцем, в его команде были французы. Подчиненные были венграми, а массовка – русскими. Я говорю только на английском, и то не так хорошо. Каждый кадр был хаосом. К тому моменту, как мои распоряжения переводили, то, что должно было быть боевой сценой, становилось танцевальным марафоном». Вернувшись в Нью-Йорк он поклялся никогда больше не снимать вне США, это обещание он сдерживал вплоть до съемок «Великой Афродиты» в 1995 году.

Ральф Розенблюм предложил Прокофьева для саундтрека вместо Стравинского, которого предлагал Аллен. Когда Розенблюм слушал Стравинского в монтажной комнате, то почувствовал, что он «слишком избыточный для фильма. Он был как лавина, заглушающая каждую часть картины, с которой он контактировал». Он включил Аллену «Скифскую сюиту», «Поручика Киже» и «Александра Невского» из фильма

Вынужденный вступить в русскую армию после вторжения в Россию Наполеона, трусливый Борис одинаково плох и как танцор, и как солдат.

Эйзенштейна. Оживленность Прокофьева подходила куда лучше под тон конечного варианта фильма. Аллен и Маршалл Брикман были в центре города и ели пиццу, когда фильм вышел в прокат. «Давай, я вместе с тобой почитаю критику», – предложил Брикман (тогда еще Аллен читал критику), и они открыли New York Times на статье Винсента Кэнби: «Война и мир Вуди… такой же индивидуальный фильм, какие делал любой американский актер-писатель-режиссер со времен Китона, Чаплина и Джерри Льюиса». В New Yorker Пенелоп Гильятт назвала этот фильм его «самым стройным» фильмом, в то время как в журнале New York Джудит Крист отметила, что Вуди «становится скорее персонажем, а не мультяшкой» и оценивает его игру как «совершенство». В кои-то веки Аллен торжествует и предлагает UA запустить рекламу с непрерывной похвалой, высыпающейся за края страницы, бескрайней. «Любовь и смерть» вырвал 20 миллионов из рук «Челюстей» Стивена Спилберга, который летом 1975 года был занят тем, что подминал под себя книги рекордов.

Насколько много существует пародий на эпическую русскую литературу, которые смогли сразиться с блокбастером, и даже не просто с блокбастером, а с тем, что сформировало этот жанр? Критики говорили с пренебрежением о «наименьшем общем знаменателе», как будто все, что у нас есть общего, де факто является наименьшим, но «Любовь и смерть» доказала, что они не правы, добившись кажущейся невозможной задачи – одновременно быть и одним из самых заумных фильмов Аллена (наполненным отсылками к Толстому, Гоголю и Чехову), и, тем не менее, быть одним из его наиболее доступных для понимания фильмов. Если пролистать все темы с пародиями – от Чарли Чаплина до «Маккейб и миссис Миллер» Роберта Олтмена, от «Братьев Карамазовых» до «Броненосца Потемкина», от Владимира Набокова до братьев Маркс, от Ингмара Бергмана до Боба Хоупа – то присоединяешься к самой волнительно эклектичной коктейльной вечеринке, которая когда-либо возникала в человеческой голове.

«После химчистки отойдет, или это как соус?» К удивлению многих, в том числе своей кузины Сони (Дайан Китон, на противоположной стороне), Борис выживает в дуэли с Антоном Лебедковым.

В «Любви и смерти» Китон больше не простачка, которую она играла в «Сыграй это снова, Сэм», но она комедийно равнозначна Аллену, ее силы в невозмутимости, пародии и понимании времени во всех отношениях такие же острые, как и алленовские. В этот раз они оба получают монологи на камеру, одновременно; Соня взвешивает за и против брака с Борисом, в то время как он восторгается уборкой пшеницы, которой ему будет недоставать («Поля колышущейся пшеницы, много пшеницы, невероятное количество пшеницы…»). Их зеркальные монологи являются мощным изображением того, что происходит: алленовский метод создания фильмов по сути дела разбился на две части. Фильмы, вертящиеся вокруг персонажа одного героя, единственного комедийного солнца, вокруг которого вращались другие планеты, теперь создали место и для другого игрока, точно такого же, чьи мысли и реакции во всех отношениях настолько же важные, как и его, и который готов открыть ответный огонь. Аллен лопнул свой собственный пузырь. Хоуп нашел своего Кросби.

Болтая как обычно во дворце Наполеона в роли парочки фальшивых испанцев, воспроизводя и улучшая свой мошеннический дуэт из «Спящего», завершая предложения друг за друга, входя в тишину друг друга, они кажутся практически синаптически связанными. «Какого это быть мертвым?» – Соня спрашивает Бориса после казни. «Помнишь цыпленка в ресторане Трескова? Это хуже». Аналогий с едой в фильме много, начиная от несъедобного ужина, который Соня накрывает Борису («О, снежная крупа! Моя любимая!»), и заканчивая

«Я, конечно, всегда любил русскую классику, и я пытался сделать фильм с философским содержанием, если вы в это поверите. И я понял, что крайне тяжело делать фильм с философским содержанием, если ты слишком неприличный. Точно так же люди не видят структуры фильма в непристойных фильмах, и они так же не воспринимают серьезно ничего из того, что ты мог хотеть сказать в комедии».

Сверху: осмотр бойни в течение «танцевального марафона» боевой сцены.

На следующей странице: «Ключ здесь в том, чтобы не думать о смерти как о конце, но думать об этом больше как об очень эффективном способе сократить расходы». В конце концов, Борис поддается смерти с косой.

решительностью Наполеона относительно создания «Говядины Наполеон», прежде чем Веллингтон создаст «Говядину Веллингтон», или, например, пирожные с заварным кремом, которые подают в камеру Борису после провала покушения. «Гастрономия играет двойную роль – и коэффициента философских претензий, и конвейера важнейших вопросов», – написал Роналд ЛеБлан в своем замечательном эссе «Любовь и смерть и еда: комедийное использование гастрономии Вуди Алленом». Это также служит прообразом следующего фильма Вуди Аллена, где главный герой проводит знаменитое сравнение отношений с воображаемыми яйцами, отложенными кем-то, кто считает, что он курица («И мы продолжаем этим заниматься, потому что нам нужны яйца…»). Аллен написал Китон, чтобы подготовить ее к сценарию, который был написан для нее: *«Я решил позволить твоей семье сделать меня богатым! Это означает, что они – это чудесный материал для фильма. Довольно серьезного, несмотря на то, что одна из сестер дурочка и клоун».*

«Я не верю в загробную жизнь, хоть и подготовил сменное белье».

Энни Холл

1977

«Энни Холл» перевернула все с ног на голову. Самый любимый из всех фильмов Аллена, он также был тем фильмом, который очень мало походил на его изначальную концепцию. Он задумал его с Маршаллом Брикманом во время прогулки по Лексингтон и Мэдисон-авеню в конце 1975 года. «Вуди хотел рискнуть и сделать что-то другое, – рассказывал Брикман. – Сначала была история о парне, который живет в Нью-Йорке, ему 40 лет, он исследует свою жизнь. Эта жизнь состоит из нескольких звеньев. Одно – отношения с молодой женщиной, другое касалось банальности жизни, в которой мы все живем, а третья – одержимости доказать себе и проверить себя, чтобы понять, какой у него характер».

Он назвал его «Ангедония», фильм был целым рядом воспоминаний с множеством повествований, которые отрывали Элви от событий его жизни, он был как бы человеком в пузыре, он начинался с долгого монолога, произнесенного на камеру, за которым следовали флэшбеки с детством Элви на Кони-Айленд, его кузиной Дорис, мечтой быть допрошенным нацистами, отрывком с фантазией с Махариши, Шелли Дюваль и Эдемом. Там была другая локация на Мэдисон-сквер-гарден, где Нью-Йорк Никс играют с командой великих философов. «Это был фильм про меня, – говорил Аллен. – Все должно было происходить у меня в голове. Что-то происходило, и это напоминало мне о детстве в виде быстрой вспышки, и это напоминало мне сюрреалистические картины… ничто из этого не сработало».

А сработал любовный роман. Аллен притворялся уставшим от поиска автобиографических интерпретаций фильма как истории о нем и Дайан Китон. «Мы с ней не так познакомились, – настаивал он. – И мы не так расстались». Но, по привычке, его роман с персонажем Китон, ее речь, стиль в одежде и то, что она заказывала пастрами и белый хлеб с майонезом, начал работать, только когда они закончили свои реальные отношения, некоторое время до того, как они начали снимать «Спящего». Один из Дней благодарения с семьей Китон, на котором он чувствовал себя как «инопланетянин или экзотический объект, нервной, обремененнаой тревогой, подозрительной, язвительной пташкой», получит свое воплощение в «Энни Холл». Этот образ он завершил тем, как бабушка видит его с раввинской бородой. «Коллин Дьюхерст в роли меня была не гвоздем программы, – напишет позже мать Китон. – А Энни с камерой в руках, с жвачкой и недостатком уверенности в себе – вылитая Дайан».

Долгие годы работы в театре и кино оставили у Аллена воспоминания об актрисах, которые приходили на работу, выглядя на триллион долларов, чтобы одеться в костюм под их роль и выглядеть, как «подруги его мамы», – как выразился Аллен. В этот раз костюмер протестовала против некоторой одежды, которую Китон приходилось носить на площадке – брюки, шарф, мужская рубашка, застегнутая до воротника («Не надо, чтобы она это надевала!») – Аллен не соглашался. «Мне кажется, она выглядит шикарно, – говорил он. – Она выглядит невероятно шикарно».

Самое главное, он поймал суть их вербального взаимодействия – поддразнивания, легкое раздражение, пассивно-агрессивные постельные разговоры о современной влюбленной паре. «Мы любили любовью мучения друг друга за наши промахи. Он мог обидеть, но ведь и я могла. Мы делали успехи в унижении друг друга, – говорила Китон. – Делая «Энни Холл», я больше всего волновалась о том, смогу ли я добиться своего. Я боялась, что бессознательно я могу прекратить показывать правду, потому что мне это некомфортно. Я хотела сделать «Энни Холл» до конца, не беспокоясь о том, что сделала неправильно в своей реальной жизни».

Съемочный процесс начался 19 мая 1976 года на Саус-Форк в Лонг-Айленде. Первой сняли сцену с лобстерами. Они сделали семь или восемь дублей, в одном из которых и Аллен, и Китон начинают хохотать. Просматривая отснятый за день материал с оператором Гордоном Уиллисом, Аллен сразу понял, что именно этот кадр они и возьмут: вся сцена в одном долгом кадре. Всего в картине будет всего 282 склейки – средняя сцена будет длиться 14,5 секунд. (В любом другом фильме, выпущенном в 1977 году, средняя длительность сцены составит от 4 до 7 секунд, а среднее число склеек приближается к тысяче.) «Две вещи произошли в «Энни Холл», – говорил Аллен, когда его спрашивали о новоприобретенной зрелости в создании кино. – Одна заключается в том, что я достиг некоторого личностного плато, где я почувствовал, что могу оставить позади фильмы, которые делал в прошлом. И я хотел сделать шаг вперед к более реалистичным и более глубоким фильмам. А вторая

В Дайан Китон Аллен наконец нашел равную себе в комедийном искусстве и партнера по спаррингу. Заострив их экранные отношения в «Спящем» и «Любви и смерти», он усовершенствовал их в «Энни Холл».

«Это был фильм про меня. Про мою жизнь, мои мысли, мои идеи, мое прошлое».

Сверху: «Поговори с ним, ты говоришь на их языке». Элви пытается решить катастрофу с ракообразными.

На следующей странице: Энни и Элви посещают своих уважаемых аналитиков. Это происходит на раздвоенном экране, но на самом деле было снято на одной площадке с разделяющей стеной.

заключается в том, что я встретил Гордона Уиллиса».

Аллен, можно сказать, не нанимал Уиллиса. Он слышал историю о том, что с ним сложно, и о его прозвище – «Принц тьмы». «Работать со мной, и я буду первым человек, который это говорит, это как быть запертым в комнате с Аттилой», – однажды отметил Уиллис. Аллен сказал своему линейному продюсеру Бобби Гринхату выделить бюджет на другого оператора в случае, если им придется уволить Уиллиса. Когда Уиллис попросил показать ему сценарий, Аллен пригласил его в свою квартиру, дал ему копию и исчез. «Он вышел из комнаты, а я сидел и читал сценарий, я очень громко смеялся сам с собой, – рассказал Уиллис. – Вот так мы познакомились».

Это будет первый из восьми фильмов, которые они сделают вместе, включая «Манхэттен», «Воспоминания о звездной пыли» и «Пурпурная роза Каира», но «Энни Холл» задал стилистический шаблон тому, что многие люди будут подразумевать под «стилем Вуди Аллена»: длинные кадры, иногда растягивающиеся на всю сцену; съемки людей, идущих по тротуару, сделанные с камеры, идущей параллельно им на другой стороне улицы; кадры с людьми, приближающимися к камере, которая затем начинает откатывать назад, когда они подходят слишком близко. «Возможно, немногие зрители замечали, как много от «Энни Холл» содержится в людских разговорах, обычных разговорах, – отметил Роджер Эберт. – Они ходят и разговаривают, сидят и разговаривают, ходят к психотерапевтам, ходят на обед, занимаются любовью и разговаривают, говорят на камеру или пускаются во вдохновенные монологи, как поток сознания Энни, когда она описывает свою семью Элви… все это сделано одним кадром невероятного балансирования на грани допустимого».

Самым новаторским стал момент, скорее даже звук, когда два человека говорят за кадром – другая фишка Аллена/Уиллиса, которая появилась в сцене, в которой Элви и Энни разбирают свои книги после расставания. Картина заканчивается сценой на 30 секунд с пустой улицей, после того как Энни и Элви расходятся. «Я помню, как мы настраивали кадр, где Энни и Элви расстаются, и они делят книги, и я сказал: «Никого из них нет в кадре. Это нормально?» А Уиллис сказал: «Да, это замечательно, точно, здесь нет ничего плохого». Если бы он сказал: «Ты так не можешь сделать, ты о чем думаешь вообще?», я бы не стал этого делать. Но так как у меня было его одобрение, мы постоянно начали делать это в последующих фильмах, я и по сей день так делаю. В каждом фильме есть как минимум одна сцена, когда никого нет в кадре, и герои просто разговаривают. Я всегда делаю такой кадр в честь Гордона».

Сценарий продолжал развиваться во время съемок. Чихание Элви в коробочку с кокаином было незапланированным инцидентом, который случился во время репетиции. Сцена, когда Элви и Энни у своих психоаналитиков, которая выглядит как разделенный экран, на самом деле снималась Уиллисом на одной съемочной площадке с добавочной стенкой. «Если сцена не работала, Вуди делал то, что всегда: он ее переписывал, пока Гордон настраивал кадр», – рассказала Китон. Но самые большие изменения коснулись монтажа. При первом монтаже почти шесть недель ушло на то, чтобы собрать и сократить 100 тысяч футов пленки в 2 часа и 20 минут, первые 25 минут которого были «катастрофой», по мнению Брикмана. Открывающий монолог был бесконечным, он прерывался сценами, которые только увеличивали число различных претензий и жалоб Аллена. Китон там появлялась на мгновение, а потом снова исчезала, она терялась в бегущей строке мыслительных процессов Элви. Это как будто была невероятно усложненная и более философская версия одного

«Я был у аналитика. Я хотел покончить с собой. На самом деле, я бы это сделал, но мой доктор был убежденным фрейдистом, и, если ты убиваешь себя, они заставляют тебя оплачивать сеансы, которые ты пропустил».

Элви Сингер

Сверху: одно из самых сильных влияний на эволюцию Аллена в качестве режиссера – встреча с оскароносным оператором Гордоном Уиллисом.

Напротив: на площадке с Шелли Дюваль, которая сыграла девушку на одну ночь для Элви после его расставания с Энни.

из монологов Аллена в ночных клубах.

«Мне это казалось ужасным, полностью неподходящим, – сказал Брикман. – Это было похоже на первый набросок романа, на сырой материал, из которого можно создать фильм, из которого можно сделать два или три фильма». Это было буквально правдой. Это знак важности фильма, ведь материал, вырезанный из фильма, будет появляться в его работе в течение следующих 20 лет, как фрагменты пород от дальнего извержения. Бóльшая часть материала с Кони-Айленд перенесется в переписанном виде в «Дни радио». Фантазийный отрывок, где Элви и Энни берут экскурсию по аду на лифте, появится 20 лет спустя в «Разбирая Гарри». И конечно загадочное убийство вернется в «Загадочном убийстве в Манхэттене».

А Энни? При просмотре чернового монтажа все было понятно: фильм начинает жить, когда он касается материала в настоящем времени, в котором есть Аллен и Китон. Брикман сказал, что на этом и должен быть фокус: на любовном романе. Так что они начали монтировать в направлении отношений. Открывающий монолог был сокращен до шести минут; отрывки о первой и второй жене Элви (Кэрол Кейн и Джанет Марголин) были сокращены до коротких флэшбеков. Исчезла кузина Дорис, нацисты, мечта о допросе, Махариши и Эдем. «Из картины убрали много материала, который я считал крайне смешным, – сказал Аллен. – Мне было жаль потерять почти все эти сюрреалистические вещи. Я не это собирался делать. Я не сидел с Маршаллом Брикманом и не говорил: «Мы собираемся снять фильм об отношениях». Я имею в виду, вся концепция фильма изменилась при монтаже».

Концовка прошла через несколько вариантов. Оригинальный сценарий заканчивался тем, что Элви оказывался в тюрьме, отчаявшись воссоединиться с Энни в Голливуде. Аллен говорил: «Он был заброшен в этот контекст с этими ужасно выглядящими людьми и этим отребьем, а оказалось, что они были не такими уж и плохими». По настоянию монтажера Ральфа Розенблюма были сняты три новые концовки в октябре, ноябре и декабре 1976 года. Одна, где Элви и Энни неловко встречаются за стенами кинотеатра, в котором идет «Скорбь и жалость», была «реально угнетающей», сказал Розенблюм. В другой Элви бродил по Таймс Сквер, размышляя о том, как вернуть Энни,

и тут он поднимал голову на светящийся банер и читал: «Что ты делаешь Элви? Поезжай в Калифорнию. Все хорошо. Она тебя любит». Аллен так не любил этот вариант, что, говорят, что он выбросил его в Ист Ривер.

Третья идея заключалась в возращении к оригинальному детективному сценарию: короткие склейки, вводящие в курс дела и сопровождаемые финальным комментарием Элви. Пока они оба обсуждали эту идею, ассистент монтажера Сюзан Морс быстро просмотрела все три версии. К тому моменту, как они решили остановиться на версии три, она фактически повыдергивала все склейки, которые вы видите в финальной версии, вычеркнула повторение Китон «Как в старые-добрые» и завершила все это финальным монологом Элви о том, что отношения нам нужны так же, как человеку, чей брат думает, что он курица, нужны яйца. Этот монолог Аллен написал однажды утром на заднем сидении такси по пути в монтажную комнату.

«Я этого никогда не забуду, – сказал Брикман о моменте, когда он увидел объединенный фрагмент в первый раз. – Внезапно, у фильма появилась концовка, и не просто концовка, а концовка, которая была кинематографичной, она была живой. Весь фильм можно было бы смыть в унитаз, если бы в нем не было

Частично очарование Эмми содержится в ее необычном чувстве стиля, но Аллену пришлось бороться с костюмерами за более эксцентричные костюмы, которые он хотел видеть на Китон.

этого последнего кусочка». К концу практически все, что осталось от фильма – его изначальное название «Ангедония». United Artists попросили Аллена придумать другое. Председатель Артур Крим в шутку угрожал, что выпрыгнет в окно, если он этого не сделает. «Они не будут знать, что это значит, – умолял он. – А если они узнают, что это значит, они это возненавидят».

В конце концов Аллен согласился. После нескольких тестовых показов, каждый из которых проходил под разным названием – «Ангедония», «Тревога», «Энни и Элви», – он решил: «Хорошо, давайте просто назовем фильм «Энни Холл». Сложность с подачей «Энни Холл» имеет значение. Вы не ожидаете солипсизм как центральный элемент повествования, как это происходит в алленовских комедиях, которые падают, не разбивая яиц, если выражаться метафорично. «Хватай деньги и беги» и «Бананы» обе в

«Многие люди по-прежнему думают, что мои лучшие фильмы были в эпоху «Энни Холл» и «Манхэттена», но даже если эти фильмы могут с теплом восприниматься их сердцами, чему я рад, они все равно не правы».

основе своей авантюрные, в жизни их героев есть приключения и злоключения; если смотреть на них с точки зрения любого другого персонажа, фильмы не просто распадаются на части, они непостижимы. В «Энни Холл» Аллен ставит весь фильм на орбиту персонажа другого актера, который полностью реализован, если не больше, чем его собственный. В хаосе видеомонтажа Аллен уступил контроль другим людям. Он передал фильм Китон. Она целиком в фильме, как Анна Карина в «Жить своей жизнью» или Жанна Моро в «Жюль и Джим», они как амброзия. Впервые мы слышим об Энни в открывающем монологе Элви, в котором он ломает голову над их расставанием («Энни и я расстались, и я до сих пор не могу понять, почему…»), а затем еще раз от его друга Роба (Тони Робертс), когда они идет по улице. «Ты не встречаешься с Энни?» Эффект от этого упоминания немного похож на слова хвалы, которые говорят о Богарте, прежде чем он приезжает в Касабланку: небольшие колебания ожидания, которые придают Энни практически мифическую сущность.

И вот, наконец, появляется она. Она опаздывает на фильм Бергмана, потому что она проспала и пропустила своего аналитика. Элви обвиняет ее в том, что у нее менструация. «Господи, каждый раз, когда происходит что-то необычное, ты думаешь, что у меня менструация!» Энни парирует. Если вы пришли на «Энни Холл», потому что слышали о его репутации одной из самых великих кинематографических историй любви, вы можете начать немного нервничать в этот момент. На волне «Энни Холл» появится целое поколение романтических комедий, все они будут называть Аллена своим прародителем, но фильм Аллена является шаблоном для романтических комедий так же, как и «Авиньонские девицы» является шаблоном семейных портретов. Забудьте об истории, мужчина знакомится с женщиной, мужчина расстается с женщиной и мужчина возвращает женщину»е.

Одно из многих отступлений от «правил» романтической комедии: в первый раз мы видим пару вместе, когда они ссорятся в очереди за билетами в кино.

Попробуйте вот это в качестве направления отношений: сначала мужчина и женщина расстаются. Затем они ссорятся, женщина пропускает свою терапию, опаздывает на фильм Бергмана. Потом мы смотрим на первый брак мужчины. Второй брак мужчины. Затем мужчина и женщина читают в тишине (было ли свободное время в совместной жизни, немного скучное, расслабленное дружеское общение с перебранками лучше показано на экране?). И наконец, примерно на отметке в 22 минуты, мы возвращаемся во времени к тому моменту, когда мужчина встречает женщину. Китон играет в теннис в теннисном клубе, а потом произносит свою запоминающуюся речь, в которой она отходит от дверей и подходит к Элви, в то время как конец ее фразы улетает, как отвязавшийся шарик.

Эффект от появления Китон в фильме немедленный. Вся стилистическая пиротехника брошена в бой – монолог на камеру, ломание четвертой стены, вклинивание фантазий, выключение реальности – все трюки, при помощи которых Аллен в качестве комедианта пытается держать фильм своей хваткой так крепко, как он когда-то держал микрофон. Его история теперь становится историей Энни. Фильм теперь становится фильмом Китон. Ее игра достаточно яркая, все эти небольшие запинки и сомнения, когда она суетится посреди фразы или просто не заканчивает их, прекрасны. «То, что он для меня сделал, было невероятно», – скажет позже Китон о слухе Аллена относительно ее акцента из Чиппевы-Фолс, относительно звучания «Энни Холл, суетящейся, пытающейся найти правильную фразу». Здесь было что-то новое: – современная женщина, неловкая, нервная, неуверенная, немного незрелая в ее попытках казаться умнее, чем она есть на самом деле, но умная (конечно), смешная, иногда колкая, бесконечно увлеченная Элви и голодная до всего, что он ей может дать: книги, терапия, фильмы, дополнительное образование, уверенность, свобода.

«Ты причина, по которой я вышла из своей комнаты и смогла петь и понимать свои чувства и все остальное», – говорит она во время их третьего (и последнего) расставания в ресторане здоровой пищи на бульваре Сансет, пока автомобили едут сзади нее (есть ли более неприглядная площадка для Вуди Аллена?). «По мере развития «Энни Холл» у вас возникает вопрос, первый ли это фильм, который сосредоточен на персонаже, которого играю не я, он возникает из того, что я всегда обращал внимание на огромный талант Дайан Китон и на ее присутствие на экране, – говорит сейчас Аллен. – Как и многие фильмы, которые я делал с ней, этот фильм должен был быть обо мне, но, я не буду заходить далеко и говорить, что она вытеснила меня с экрана, оказывалось, что фильм про нее. Я рад, что могу заменить себя в фильмах, потому что это открывает больше возможностей. Если я протагонист, то это ограничивает центрального персонажа тем, как я выгляжу и что могу играть, а без меня есть много хороших возможностей, которые снимают это ограничение. Создание фильма за фильмом с главным персонажем, например как манхэттенский интеллектуал, или невротик, или маленький Дэнни Роуз, не позволяет мне писать такие

Сверху: «Люблю – это слишком слабое слово для того, что я чувствую – я люююблю тебя, я леюблю тебя, я ляблю тебя…»

Напротив: «Энни Холл» получила четыре из пяти Оскаров, на которые фильм бы номинирован: «Лучшая картина», «Лучший режиссер», «Лучшая актриса» (Дайан Китон), «Лучший оригинальный сценарий», но Аллен не пришел на церемонию.

На следующей странице: Потрет, сделанный Брайаном Хэмиллом, 1977.

истории, как «Жасмин» или «Матч поинт», или «Вики Кристина Барселона», или «Пурпурная роза» и множество других, в которых для меня просто нет роли. Когда я дописываю сценарий, если там есть роль, которую я в принципе могу сыграть, я это делаю, но я становлюсь старше, и есть все меньше и меньше ролей для меня, и не так весело играть персонажа, который не является возлюбленным, неважно, останется ли он с девушкой или нет».

История, на которую уже намекнули в «Спящем», взята из «Пигмалиона» – об ученике, который превзошел учителя, она говорит о приверженности Аллена интересу к полному перевороту сюжета, но также о глубоком агностицизме, рожденном из опыта, послушного богам романтики. «Энни Холл» запомнили, как романтическое кино, и с какой-то стороны так оно и есть, с его прогулками на закате по пляжу и свиданиями у основания Бруклинского моста, где Элви говорит Энни: «Люблю – это слишком слабое слово для того, что я чувствую – я люююблю тебя, я леюблю тебя, я ляблю тебя…» Этим двоим предрешено расстаться из-за той же двойственности чувств, которая придает началу их отношений такую трепетность. Между тем, центральная тема «Энни Холл» озвучена еврейской пенсионеркой, с которой Элви заговаривает на улице после расставания с Энни. «Так происходит с людьми, – говорит она, пожимая плечами, – любовь проходит».

Это тема великой литературы, особенно поэзии: Томас Мур «Давай же простимся! Хоть ты хороша», Шелли «Повстречались не так, как прощались», Йейтс «Нельзя любви все сердце отдавать» и драматургии, особенно русские и скандинавские – Чехов, Стринберг и Ибсен. Они основаны на преходящей природе романтической любви. Если любовь должна заканчиваться, Голливуд всегда предпочитал идею того, что виновато вмешательство какой-то третьей стороны – зова долга («Касанбланка»), Гражданской войны («Унесенные ветром») или онкологии («История любви»). Не позволяйте тому факту, что фильм выиграл в номинации «Лучшая картина», отвернуть вас от него, как это сделал Аллен, «Энни Холл» лучше, чем эта идея. Ее тема проходящей любви основана на запутанности воспоминаний о прошедших вещах, она формирует структуру с вложениями, которую однажды выдумал Аллен, чтобы разместить поток шуток, теперь она служит основой альбома об отношениях, в котором его дар комика и драматурга смешиваются.

«Его слух на столичную речь никогда не был тоньше, его подход к персонажам никогда не был таким прямым, его чувства относительно лицемерия – столь громкими, его сдержанность – такой остроумной, – писала Пенелоп Гильятт в New Yorker. – Это история любви, рассказанная с пронзительной нежностью и печалью, но во всей своей забавности». Ричард Шикель назвал фильм в Time «печальной романтической комедией, которая как минимум настолько же душераздирающая, насколько веселая, и, возможно, это самый автобиографичный фильм, который делали великие комики». Люди, которые думали о фильме с возмущением, не забыли его. Фильмы – тоже своего рода любовные истории, проходящие как вспышка; этот, например, длится всего лишь 93 минуты, но эта вспышка глубоко засела в лимбическую систему поколения. У людей был роман с «Энни Холл» в 1977 году. Пересмотреть его – значит найти старый огонь с упакованной в него старой магией.

«В то время они давали Оскара по вечерам понедельника. Я всегда играл на кларнете с моей джазовой бандой по вечерам понедельников. Я не люблю летать. Я не люблю одеваться в смокинги. Так что я не собирался внезапно отменять мое выступление и лететь в Калифорнию. Люди слишком парятся по поводу этого, но я пишу сценарии не для того, чтобы выигрывать

«Писать – это невероятное удовольствие для меня. Я это люблю. Это чувственно, это приносит мне удовольствие, это интеллектуальная активность, но веселая. Думать об этом, планировать это, строить график – это агония. Это тяжело».

Интерьеры

1978

Однажды летом 1977 года копию последнего сценария Аллена получил через почтальона его монтажер Ральф Розенблюм. Он читал сценарий неделю и после прочтения обернулся к своей жене в замешательстве. «Мне кажется, мне послали не тот сценарий», – сказал он. Этот был «неописуемо ужасным». Его жена пробежалась по нему и была столь же удивлена, сколько и он. «Как такое могло случиться?» – спросила она. Спустя несколько дней Розенблюм позвал Аллена на обед, чтобы обсудить проект.

«Не делай его», – посоветовал он.

«Но я хочу», – ответил Аллен.

Это было отметкой начала конца 10-летней совместной работы двух мужчин, которая началась с «Хватай деньги и беги». С «Интерьерами» все было по-другому.

Еще до того, как «Энни Холл» была закончена, Аллен отправил свой новые сценарий в United Artists через своего агента Сэма Кона. Материал не был типичным для Вуди Аллена, объяснил Кон, это скорее молчаливая камерная пьеса очень в духе Ингмара Бергмана о трех сестрах, чья жизнь рушится под воздействием их матери-перфекционистки. Спустя несколько дней Эрик Плесков из UA встретился с Коном, Чарльзом Йоффе и Джеком Роллинсом. «Я уверен, что они все были настроены на столкновение», – сказал Плесков, но, напротив, они получили согласие. Было что-то вроде: «Вуди нужно выйти из его системы», – объяснял председатель UA Артур Крим, который чувствовал, что «в конечном итоге, получится что-то хорошее». В кулуарах UA, однако, менеджеры начали называть режиссера «Ингмар Аллен» за его спиной. «Интерьеры» получили зеленый свет, сказал Стивен Бах из UA, «один из редких случаев в истории современного американского кинематографа, в которой художнику разрешили делать картину из-за того, как она могла повлиять на его творческое развитие, успех провала, так сказать».

В кино рассказывается история зажиточной нью-йоркской семьи, которой управляет холодная женщина, декоратор интерьеров по имени Ева (Джеральдин Пейдж), которая в мире Аллена «психотически и невероятно сильно привержена эстетизированию», она трясется над расположением ваз, соотношением бежевого и тонов земляного цвета в «ледяном дворце» ее дома. Ее старшая любимая дочь Рената (Дайан Китон) – успешная поэтесса, она замужем за Фредериком (Ричард Джордан), ненавидящим себя романистом-алкоголиком, который представляет по Аллену «провалившегося художника, который неизменно приходит к интеллектуализму, церебрализму и критицизму». Средняя дочь Джой (Мери Бэт Херт) безработная и неудовлетворенная, она является «персонажем, полным чувств, но не имеющая совсем никакого художественного таланта». Третья сестра Флин (Кристин Гриффит) – единственная выглядит счастливой, хотя ее карьера в качестве актрисы в телевизионном кино презирается ее более приверженной искусству семьей. Она «предполагалась для того, чтобы отобразить пустую чувственность». Кино начинается с того, как их отец Артур (Э.Г. Маршалл) объявляет за завтраком, что он хочет бросить свою жену и пожить один. Все заканчивается тем, что он женится на Перл (Морин Стэплтон), жизнерадостной вульгарной дамочке из Флориды, которая носит меха и пурпурные платья. Она втягивает Артура в яркую жизнь и предлагает его дочерям шанс «второго рождения от новой матери».

Напротив: три застывшие сестры – Рената (Дайан Китон), Флин (Кристин Гриффит) и Джой (Мери Бет Херт) – смотрят куда-то вдаль.

Справа: их холодная мать Ева (Джеральдин Пейдж) сфокусировалась на чем-то на руке.

Аллен хотел, чтобы роль матери исполнила Ингрид Бергман, но она уже согласилась играть в «Осенней сонате» в Норвегии, поэтому, по предложению Китон, роль получила Пейдж. Оператором снова стал Гордон Уиллис, съемки начались 24 октября 1977 года в Хэмпстоне, Аллен был за кадром, а не в кадре в первый раз; он думал, что его присутствие будет отвлекать от серьезности происходящего. Он жестче давал указания своим актерам, чем обычно. После одного дубля он сказал Пейдж: «Это была чисто мыльная опера. Ты такое увидишь на вечернем телевидении», и он с трудом скрывал свою тревогу во время монтажа. «Он был в тупике, – рассказал Розенблюм. – Я думаю, он был напуган. Он был раздражительным, он был немного вспыльчивым. Он был испуганным. Он думал, что у него есть реальная бомба».

Предварительные показы в декабре встретили оглушительным молчанием. Боясь худшего, UA отложили релиз до 2 августа 1978 года, вследствие чего фильм принес лишь 4,6 миллиона своего 10-миллионного бюджета. Фильм был резко раскритикован. В New Republic Стэнли Кауффман назвал фильм «экскурсией по комнате Ингмара Бергмана в музее восковых фигур Мадам Тюссо». «Катастрофа, сотворенная с наивной публикой, человеком с комплексом Бергмана», – сказал Джон Саймон. «Люди в «Интерьерах» сломаны репрессиями хорошего вкуса, и в этом вся картина, – написала Полин Кейл в New Yorker. – «Интерьеры» – это справочник по стереотипам арт-хауса, он настолько любительский и заученный, что его должна была снять сама холодная мать – из могилы».

Если кто-то хотел бы думать по-другому, то этот фильм не из тех, которые не понимают в момент выхода, но боготворят со временем. Раз уж на то пошло, его палитра сизосерых, вымытых синих, приглушенных бежевых эмоций кажется только еще более отдаленной,

«Я не хотел делать абы какую драму, ни традиционную драму, ни коммерческую драму. Я хотел сделать самую высокую драму. И если я провалился, пусть. Все нормально».

Напротив: Рената и ее ненавидящий себя муж-алкоголик Фредерик (Ричард Джордан).

Справа: спокойный мир с Кристин Гриффит. В первый раз в своей режиссерской карьере Аллен стоит за камерой.

На следующем развороте: портрет, сделанный Брайаном Хэмиллом, 1979.

как расстояние между фильмами Бергмана и каталогом мебельного магазина Restoration Hardware 1978 года. В «Энни Холл» жесткий контроль над картиной был ослаблен и переведен в импровизацию, в «Интерьерах» же посылается точно такое же неверное сообщение, как и в его ранних фильмах, фильм становится жертвой самой эстетической и опрятной прихотливости, которую он должен был показать в холодной матери, чье наследие несчастья передалось ее трем дочерям. Персонажи пререкаются, злословят и компрометируют друг друга, они говорят лишь с черной горечью, смотря сквозь окна на светло-серое утро, как будто позируют для своих статуй. Уиллис на самом деле предлагал назвать картину «Окна». Название «Интерьеры» предложила Китон, но «Окна» сюда подходит точнее; «Интерьеры» – это как раз то, чего этим персонажам не хватает.

Они все экстерьерны, нервно поверхностны, это люди из Бергмана, полностью составленные из внешнего, из начинки других людей. Вот завистливые наблюдения за ними: «Однажды моя работа показала перспективы, и я не преуспела». И: «У нее есть душевные муки и тревога артистической личности без какого-либо намека на талант». Кажется, что Аллен потерялся в страшной фантазии злобности искусства, это похоже на школьника, думающего о том, что сексом занимаются все бешено, постоянно, за его спиной. За спиной самоучки все говорят лишь об эстетических абстракциях, бешено, постоянно. Но никто этого не делает. Через какое-то время Аллен увидел ошибки своего фильма. «После «Интерьеров», месяцы спустя я сидел дома и внезапно подумал: «Господи, я что сделал эту ошибку?» Ведь я знаю иностранные фильмы, и у меня есть слух на диалоги, но неужели я написал субтитры к иностранному фильму? Если вы смотрите, скажем, фильм Бергмана, вы читаете его, потому что вы следите за субтитрами. И когда вы их читаете, у диалога появляется определенный ритм. Мое ухо подхватило диалог в стиле субтитров, и я воссоздал его для моих персонажей. Я волновался об этом. Это было чем-то, что я так и не объяснил себе до конца. Я не знаю, почему».

В эссе кинокритик Ричард Шикель однажды предположил, что массовый зритель ушел от Аллена, но режиссер с этим не согласился. «Это я ушел от моего зрителя, вот что произошло, а не он от меня ушел», – сказал он, как будто бы они говорили об кинематографическом эквиваленте брака. Это определенно самые глубокие и длительные отношения в большей части карьер режиссеров, которые проходили через циклы, очень похожие на ухаживание. Молодой режиссер появляется на сцене, он готов удовлетворять и впечатлять. Он приковывает к себе взгляд зрителя, заставляет его смеяться, увеличивает его число. Он зовет, и зритель соглашается на свидание. Большой успех кассовых сборов. Они идут на второе свидание – новый рекорд – и на третье. Наконец, он выигрывает Оскар, и они продолжают двигаться дальше. Они женятся. Но зритель начинает чувствовать притеснение, те же самые шутки и остроты, которые раньше делали режиссера таким привлекательным, теперь раздражают. Тем временем, режиссер нежно вспоминает времена, когда ему не надо было беспокоиться о том, убрал ли он за собой волосы из раковины или опустил ли он крышку унитаза. Очень просто понять, что значили «Интерьеры» для Аллена – это было заявление о разводе.

«Искусство – это как интеллектуальный католицизм, это обещание жизни после смерти, но, конечно же, это фейк – ты делаешь это просто потому, что ты хочешь это делать».

Манхэттен

1979

«Манхэттен» вырос из разговора Аллена и Гордона Уиллиса во время съемок «Интерьеров» в Хэмптонсе. Они ужинали вместе, и одним вечером Аллен озвучил идею снять фильм в Манхэттене, город там должен был появиться почти как персонаж, фильм должен был быть снят на черно-белую пленку, потому что так он его помнит из старых фильмов. Это будет признание в любви Нью-Йорку шампанского, мехов и аристократии, ночных клубов и поездок на лошадиной упряжи вокруг Центрального парка, как на той, которую взял Джимми Стюарт в «Рожденной танцевать» (1936). Уиллис предложил снимать на широком формате через анаморфотный объектив, такие использовали при съемках фильмов о войне, только здесь они его используют для этой личной истории любви и утраты. Это будет самый любимый фильм оператора, сделанный с этим режиссером. «Манхэттен» по-прежнему близок моему сердцу, – скажет он. – Мы осознавали этот фильм как «романтическую реальность», эти вещи мы оба любили в Нью-Йорке. Мы здесь выросли, поэтому нам казалось, что это легко осуществить».

Сначала United Artists сомневались, стоит ли разрешать ему снимать в черно-белом варианте, но потом они согласовали это и начали снимать на разных локациях в Манхэттене и вокруг него. «Вуди обошел множество бюрократических проволочек, благодаря своему прошлому опыту со «Скрытой камерой», – отметил один колумнист. – Он с командой просто приехал и начал снимать». Фильм будет отмечен высокой точкой совместной работы Аллена и Уиллиса, они доведут до зрелого уровня простой, сжатый стиль, с которым они импровизировали в «Энни Холл» – длинные сцены без склеек, без крупных планов или обратных точек, чтобы разбить сцену, актеры будут постоянно бродить по всему кадру, разговаривая, а потом возвращаться к беседе. «Я помню только настроенных друг против друга мастеров в «Манхэттене». Гордон и я постоянно пытались понять, как вытащить актеров из кадра и снова вернуть их в кадр, из и в, снова и снова… Мы использовали этот стиль и в других фильмах».

Снятый на черно-белую пленку, «Манхэттен» стал шестым фильмом Аллена с Китон.

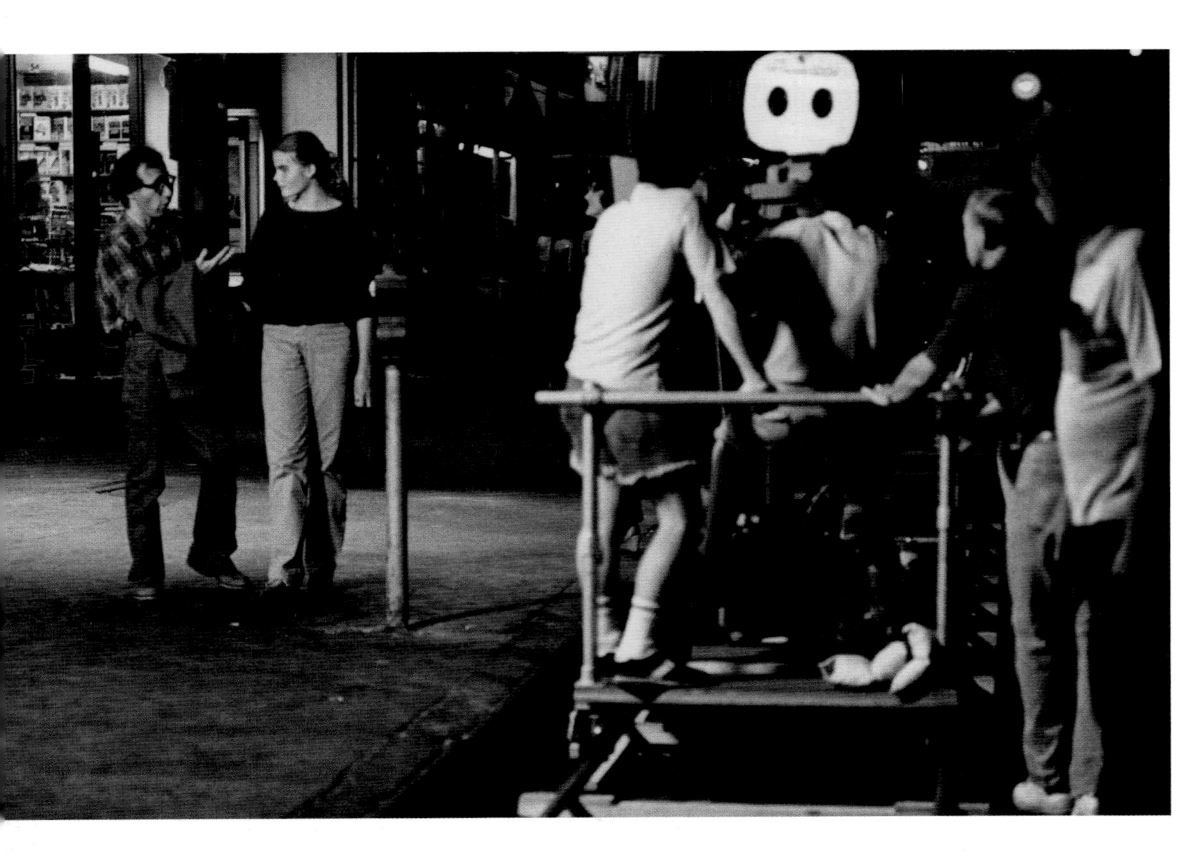

Слева и напротив: усилия Аллена заставить 16-летнюю Мариэль Хемингуэй чувствовать себя комфортно окупились одной из самых сильных сцен фильма, за которую она получила номинацию на «Оскар».

На следующем развороте: «Господи, это действительно великий город. Мне все равно, что кто говорит. Он реально сногсшибательный».

Во время съемок в Планетарии Хейдена Уиллис уговорил Аллена снять Исаака (Аллен) и Мери (Дайан Китон) только как силуэты. Для кадра, где они сидят на скамье под Мостом Куинсборо и смотрят на восход, им пришлось вставать в три часа ночи и везти свою собственную лавку. «На мосту было две полоски световых гирлянд, которые включались и выключались по таймеру, – рассказал Уиллис. – Когда становилось светло, фонари выключались. Зная это, мы договорились с городом оставить подсветку включенной. Мы сказали им, что предупредим, когда будем снимать. После этого они смогут выключить их. Что-то всегда подсказывало мне, что нельзя полностью доверять этой договоренности. Так вот, я обратился к парню, который связывался с городом и самым спокойным тоном сказал: «Ты знаешь, мне нужны эти фонари на мосту, так ведь? Ты знаешь, что, если они отключатся, когда начнется рассвет, я тебя убью». Десять минут спустя они были на скамье, начался рассвет, и одна нить фонарей выключилась. То, что попало в фильм, было удачным кадром, но там навсегда останется лишь одна нить света».

На роль Трейси Аллен взял 16-летнюю Мариэль Хемингуэй после того, как увидел в ее первом фильме «Губная помада» и в журнале Энди Уорхола Interview.

Хемингуэй едва знала, кто такой Вуди Аллен, она видела только «Спящего» в своем местном кинотеатре в Айдахо, но к тому моменту, как она знакомилась с ним в его офисе в Нью-Йорке, она уже подготовилась к кастингу и так сильно нервничала, что прятала свое лицо за сценарием, чтобы он не мог ее видеть. «Я буквально была очень наивной девочкой, у меня не было большого жизненного опыта. У меня никогда не было парня, а Вуди был моим взрослым парнем в этом фильме, и мы разговаривали на темы о сексе, и я вообще не понимала, что меня ждет». В реальности она ни с кем никогда не целовалась, и ее ужасал поцелуй в кэбе на Центральной площади, она переживала из-за этого несколько недель, пока наконец не попросила у своей матери совета. «Как я буду это делать? Что мне делать?»

Но ее мать была слишком смущена и промолчала в ответ. «Ну и я такая: «Спасибо, это мне очень помогло».

Все кончилось тем, что она села напротив зеркала и начала целовать свою руку, чтобы посмотреть, как это выглядит. Когда наступил этот день, она успокоилась, так как поняла, что Аллен снимает сцену длинным кадром, так что ей почти ничего не пришлось делать. Он также водил ее на свидания по городу, в музеи и художественные галереи, чтобы построить комфортный уровень отношений и фамильярности. «Я думаю, он понимал, что пока он не подружится со мной и не станет мне близок, я не смогу сыграть, – сказала она, – так что когда была сцена с автоматом с газировкой, где он бросал меня, у меня было реальное ощущение, что меня отрывают от семьи, меня отрывают от чего-то, что стало знакомым мне, потому что он действительно имел для меня значение как друг. Я помню, как смотрела ему в глаза и слушала, что он говорил, я слушала очень, очень внимательно. Так что когда я заплакала, все было по-настоящему, потому что я подумала «и это закончится», понимаете? Этот фильм закончится. И я буду по тебе скучать».

В его концовке он внезапно осознает, что Трейси для него единственная именно в тот момент. Момент, когда она собирается уехать в Лондон, Аллен взял из чаплиновских «Огней большого города», где слепая девушка обретает зрение и понимает, что Трамп был тем, кто все время ей помогал. На самом деле, он ценил робкую, проникновенную улыбку, которая озаряла

«Это не фильм, в котором говорится: "Приведите в порядок Центральный парк". Это фильм, в котором говорится: "Приведите в порядок вашу эмоциональную жизнь, или вы никогда не сможете навести порядок в Центральном парке"».

AWAY
NO
ANY
TIME

лицо Чаплина. «Самые последние кадры совпадают со сценарием, – говорил он, – но там была пропущена кульминация, когда я иду в класс Йейла и спорю с ним. В фильме этого нет». В оригинальном сценарии Исаак договаривается с Йейлом (Майкл Мерфи) по телефону, но жена его коллеги Маршалла Брикмана увидела это и сказала: «Не хватает сцены, в которой ты решаешь эту проблему». Брикман подтолкнул Аллена к написанию новой сцены, в которой Исаак и Йейл решают проблему лично в окружении человеческих и обезьяньих скелетов в биологической лаборатории.

Музыка Гершвина также была небольшим дополнением. Изначально музыкой для открывающей сцены должна была быть композиция Банни Беригана I Can't Get Started, потому что это была песня, которая постоянно играла в музыкальном автомате в Elaine's – ресторане, в котором разворачивается первая сцена. Но как только Аллен придумал идею начать фильм с подборки, показывающей манхэттенский горизонт на заре, силуэт Эмпайр-стейт-билдинг, Радио-сити-мьюзик-холл, гигантские неоновые банеры на Бродвее, значок Кока-Колы, покрытый снегом и фонарным светом Центральный парк, его монтажер Сьюзан Морс сказала: «Я здесь вижу «Рапсодию в стиле блюз». В конце концов Аллен снимал материал, чтобы он подходил под музыку, а не наоборот, особенно бег к дому Трейси в конце фильма. Члены его команды разводили руками, удивленные трудам, которые он затрачивал, чтобы собрать разные кадры города без своих актеров. «Когда вы это увидите с музыкой, вы поймете, что я имею в виду, – думал Аллен. – Я знал, что хочу блок с музыкальной вставкой, и несколько раз я растягивал кадры так, чтобы у меня осталось много места, чтобы добавить туда много Гершвина».

14 апреля 1979 года United Artists посмотрели фильм как друзья режиссера и близкие соратники в старом здании MGM на Шестой авеню. Стивен Бах специально прилетел из Лондона, чтобы посмотреть фильм. Эти два часа его карьеры в UA отложились у него в памяти как «чистое, однозначное удовольствие, оба эти часа», – напишет он позднее. Когда включили свет, он начал без слов кивать Роллинсу и Йоффе, потом пошел прогуляться по почти безлюдной Шестой Авеню, широко улыбаясь при воспоминании о «всех причинах, по которым он хотел жить в Нью-Йорке, всех причинах, по которым он хотел работать в кинобизнесе».

Аллен, однако, возненавидел то, что увидел, и хотел выкупить фильм у UA, предлагая снять для них другое кино бесплатно, но не дать ему выйти. «Я просто думал: «В этой точке моей жизни, если это лучшее, что я могу сделать, они не должны давать мне деньги на фильмы, – сказал он. – Я хотел сделать фильм более серьезный, чем «Энни Холл». Серьезную картину, но со смешными моментами. Когда я его делал, я чувствовал, что Манхэттен – достойный фильм, он смог пойти дальше «Энни Холл». Но теперь я думал, что я могу лучше. Конечно, если мой фильм сможет еще хоть кого-нибудь сделать несчастным, я почувствую, что сделал свою работу».

«По какой-то причине фильм имел огромный резонанс и успех по всему миру. Я был удивлен так же, как любой другой».

Напротив: когда Аллен посмотрел законченный фильм, он возненавидел то, что посмотрел, и даже предложил выкупить его у UA, но не дать ему выйти.

Справа: «Это… это, я думаю, имеет что-то невероятно отличное от этого – невероятная негативная способность». В это посещение Музея Современного искусства Исаак и Мери могут шутить об их первой сложной встрече в музее Гуггенхайма.

К тому времени, как «Манхэттен» вышел (25 апреля 1979 года), отрицательная реакция на Аллена, которая началась с «Интерьеров», была в полном разгаре. В длинной статье, датированной 16 августа, в New York Review of Books, озаглавленной «Письма из Манхэттена» Джоан Дидион написала:

«В оригинальном и загадочном эгоизме «Энни Холл» и «Интерьеров», и «Манхэттена» нет ничего, с чем могли бы идентифицировать себя огромное количество людей. Персонажи в этих картинах, в лучшем случае, докучливые. Они замкнутые. У них плохие манеры. Кажется, что они подолгу гуляют и ходят в модные рестораны, только чтобы задавать друг другу трудные вопросы. «Ты серьезно насчет Трейси?» – спрашивает персонаж Майкла Мерфи персонажа Вуди Аллена в «Манхэттене». «Ты по-прежнему зациклена на Йейле?» – спрашивает персонаж Вуди Аллена персонаж Дайан Китон. «Мне кажется, я до сих пор люблю Йейла», – признается она несколько сцен спустя. «Ты любишь, – допытывается он, – или ты думаешь, что любишь?» Парадигма действия в этих последних фильмах Вуди Аллена – старшая школа. Персонажи в «Манхэттене» и в «Энни Холл», и в «Интерьерах», за одним исключением, представляют собой взрослых людей, разумных мужчин и женщин в самые продуктивные годы их жизней, но их проблемы и разговоры как будто бы принадлежат умным детям, «мозгам класса», играющим в заветный выпускной альбом взрослой жизни».

Обвинение в зашоренности было достаточно простым аргументом для Аллена, чтобы это опровергнуть: почему тогда его фильмы имеют такой успех в Париже, Буэнос-Айресе, если все так?

Самый сложный момент для понимания – это любые опасения, которые мы можем иметь по поводу того, почему 42-летний мужчина крутит роман с тинэйджером, а именно это Аллен делает в «Манхэттене». «Какой мужчина в свои 40, речь не идет о Вуди Аллене, – спрашивала Полин Кейн, – пройдет через предпочтение к тинэйджеру как через квест определения настоящих ценностей?» Нравы существенно изменились за 35 лет после выхода фильма, так что, если бы его выпустили сегодня, вряд ли Аллен начал бы свои разговоры с Маршаллом Брикманом: «Будет ли это смешно, если мне понравится эта очень молоденькая девочка?» То, что это сработало для зрителей в 1979 году, говорит о том, что тогда его фигура была более благонадежной, чем сейчас. Исаак одет в джинсы, кеды, футболку, он зациклен на девушках, болтается без дела по городу со своим сыном, он как будто сам чуть больше, чем подросток; они идут вместе по улице, они почти одного роста. Юмор в «Манхэттене» более пресыщенный, чем в «Энни Холл», сатирическая сторона чуть более острая, шутки, в ущерб таланту Дайан Китон, разбалтывают («Я думаю, в этом есть невероятная негативная способность») его самую устойчивую критику интеллектуализма – или, по крайней мере, версию «болтовня за коктейлем» этих шуток, именно этого он пытался добиться все эти годы. Но побуждения этого фильма, как верно поняла Дидион – это вечная юность. Одна из первых вещей, которую Исаак делает в «Манхэттене» – он уходит с работы автора телевизионных комедий («Добро пожаловать

Слева: Мэрил Стрип в роли бывшей жены Исаака Джил.

Напротив: «Ну хорошо, что делает жизнь достойной жизни? Это очень хороший вопрос. Итак, есть определенные вещи, я думаю, что делают ее достойной. Например? («Окей, для меня, я бы сказал Граучо Маркс, если назвать что-то одно, Уилли Мейс…»)

в человечество: Вау…»), что позволяет ему свободно болтаться по Манхэттену, протестовать против липовых произведений искусства, медиа и кино, как будто это Холден Колфилд, только повзрослевший – или нет. Только Трейси стоит поодаль этих магнатов болтовни, ее лицо – изображение чистоты против таких подделок, как младшая сестра Холдена Колфилда Фиби, и, возможно, здесь и лежит алленовская неудовлетворенность «Манхэттеном»: это его версия «Над пропастью во ржи», ничто никогда не подходило так близко к мучению Холдена, как прекрасно снятая романтическая комедия.

Здесь есть красивый видеоряд, а затем еще красивый видеоряд, и только затем «Манхэттен». Сюжет по большей части является повторением «Сыграй это снова, Сэм», где Аллен снова ухаживает за девушкой своего лучшего друга (Китон), только здесь она любовница, а не жена, что делает ее игру чуть более честной – и только. Боязнь людей влечет за собой некоторую закрытость в построении близких отношений протагониста Аллена; они все заперты в свои узкие внутренние циклы, у них есть только друзья и девушки друзей, откуда можно выбирать. Ни разу в своих фильмах Аллен случайно не выбирает девушку и не зовет ее на обычное свидание. Исаак ждет, пока Мери не разойдется с Йейлом, но их роман уже начался, они гуляют всю ночь, чтобы увидеть, как солнце всходит над Мостом Куинсборо, и промокшие до нитки идут в планетарий, где их статический заряд притяжения и нерешительность разыгрываются на фоне колец Сатурна – великолепных, гигантских, глумливых. Операторская работа Гордона Уиллиса изобретательно выискивает пародийно-героический режим. Все помнят прекрасное обрамление фильма – небо Манхэттена, залитое сиянием фейерверка под тарелки Гершвина, повторенное снова в конце в виде города, нежащегося в удовлетворенности конца дня, но более впечатляющим остается эллиптическая композиция фильма, на которой Уиллис запечатляет фигуры людей на фоне пустых стен галереи или на фоне пустых коридоров, или вообще их всех убирает из кадра, как он сделал впервые в «Энни Холл». «Манхэттен» – это шепчущий хор закадровых диалогов, записанных так четко, что можно услышать любое дыхание, наложенное на изображение стен и коридоров, которые, кажется, разъединяют персонажей, а не сближают их – город является изолирующим реактором настолько же, насколько он является романтическим катализатором.

Эффект получается немного пугающим, персонажи похожи на лабораторных мышей в лабиринте, их постельные разговоры подвешены в воздухе, как призраки разговоров, прошлых и будущих. Эти стены реально разговаривают, кажется, что они переживут алленовский суетливый квартет настолько же вероятно, насколько это сделает череп, похожий на Йорика, который насмехается над его финальной речью Йейлу. Головомойка, которую он получает в книге, написанной его бывшей женой (Мерил Стрип) – это Аллен на пике ненависти к себе: «На него нападали приступы гнева, еврейская либеральная паранойя, мужской шовинизм, ханжеская мизантропия и нигилистические припадки отчаяния. Он постоянно жаловался на жизнь, но никогда не находил решений. Он стремился быть художником, но игнорировал необходимые для этого жертвы. В его самые сокровенные моменты он говорил о том, как боится смерти, которую он поднимал на трагические высоты, хотя на самом деле это скорее было нарциссизмом». Ауч. Драма фильма держится на следующем кусочке сюжета: должен ли Исаак встречаться с кем-то умным, но неуверенным, как он сам, или он должен выбрать кого-то слишком молодого, чтобы понять разницу? В конце даже эта дилемма решается для него, так как Мери бросает его и возвращается к Йейлу, и Исаак бросается в свою

«Мне нравится думать, что 100 лет спустя, если люди увидят эту картину, они смогут что-то понять о том, какой была жизнь в этом городе в 1970-е».

известную погоню (кажется, что он в первый раз куда-то бежит, он постоянно останавливается, чтобы отдышаться), чтобы добраться до Трейси буквально за минуту до того, как она уезжает в Лондон. То, что за этим следует, возможно, является самым тонким отрывком актерской игры Аллена, хотя, наверное, похвала должна делиться между ним и Хемингуэй: она так красиво погружена в свои реакции, она, кажется, оперирует ими на своей собственной скорости, как будто каждая ее эмоция сначала должна отрезонировать сквозь ее широкую скулу. Она вытягивает из Аллена нежность, которую мы не видели прежде. Посмотрите, как Исаак просит Трейси остаться, его голос становится все более и более мягким, его лицо тонет в понимании того, что в этом случае он может потерпеть неудачу; перспектива романтического провала, кажется, открывает его полностью, и, когда Трейси просит у него «немного веры», на лице у Исаака появляется небольшая гримаса, он сначала смотрит вниз, потом по сторонам, как будто ищет, где он может найти такое, и это бесценно.

От рецензий не было отбоя, когда фильм вышел. Эндрю Саррис начал свой отзыв в Village Voice, назвав фильм «единственным действительно великим американским фильмом 70-х». В Chicago Sun-Times Роджер Эберт написал, что фильм является «одним из лучших визуальных рядов, когда-либо созданных». Кинокритик Time Фрэнк Рич назвал его «портретом времени и места сквозь призму, который можно изучать десятилетиями, чтобы понять, какими людьми мы были». В итоге, «Манхэттен» принес 40 миллионов долларов, что стало рекордом Аллена на тот момент, но, так как фильм ему не нравился, он пропустил его выход в Париже, взяв первый отпуск в своей карьере. «Вы должны понимать, что Вуди практически постоянно задает вопрос о том, что он делает, – сказал Уиллис. – Он вот такой». Это станет темой его следующего фильма.

«Я не только был абсолютно влюблен в Манхэттен с самых ранних моих воспоминаний, я обожал каждый фильм, который был снят в Нью-Йорке, каждый фильм, который начинался высоко над нью-йоркским горизонтом и спускался вниз».

Дома в квартире на Верхнем Ист-Сайде, смотрит на Центральный парк. Потрет, сделанный Мануэлем Бидерманасом, 1979.

Воспоминания о звездной пыли

1980

«Это фильм о неудовлетворенности, о неудовлетворенности человека без духовного центра, без духовных связей, – говорил Аллен о «Воспоминаниях о звездной пыли. – Вся картина субъективно происходит в голове героя, который находится на грани нервного срыва, он изможден и сомневается, и у него случается обморок в конце из-за его представлений обо всех этих темных вещах. У него есть потрясающее чувство его собственной смертности. Он что-то делает, хотя это для него уже ничего не значит».

Он будет до посинения клясться, что это не автобиографический фильм, хотя к 1979 году он, как и Сэнди, уже много знал о богатстве и славе, чтобы понимать, что они не смогут избавить его от его демонов. Он купил два пентхауса на Пятой Авеню, заполнив их Пикассо и картинами немецких импрессионистов. Он купил Rolls-Royce и билеты на игры Никс на целый сезон. Он перестал носить наличные, полагаясь на друзей в размене денег, и начал негодовать на собирателей автографов. «Воспоминания о звездной пыли», по сути, происходят в выходные в апреле 1973 года, когда он едет в Тарритаун, Нью-Йорк, который расположен примерно в часе езды от Манхэттена, чтобы выступить на киноуикенде, организованном критиком журнала New York Джудит Крист. Во время мероприятия Аллена окружила толпа фанатов, просящих автограф и желающих, чтобы он прочел что-то и сделал что-то еще. Один из студентов юридического факультета Йельского университета спросил его, не хочет ли он поехать в Нью-Хейвен и побыть там экспертом карате в пародии на суд.

«Я здесь, делаю, что могу в качестве одолжения Джудит Крист, которая мне очень нравится, и я подумал, что из этого выйдет смешной фильм», – сказал он. Сквозь стены тем вечером он слышал несколько споров относительно его фильмов, а также как женщина вслух читала его короткую пьесу «Смерть стучится в дверь» с комично преувеличенными еврейскими интонациями. Ему предложили другую комнату, но он отказался, ему было слишком интересно, что они еще будут говорить. Что-то из этого найдет свое воплощение на экране, включая Джудит Крист, которая появится в одной

«Мы любим ваши фильмы. Моя жена посмотрела все ваши фильмы. Я особенно люблю ваши первые, смешные фильмы». Утомленный режиссер Сэнди Бэйтс смело встречает толпу своих фанатов, которые приехали увидеть его на загородный киноуикенд.

«Была реальная отрицательная реакция, когда я сделал «Воспоминания о звездной пыли». Люди были возмущены. Я по-прежнему думаю, что это один из моих лучших фильмов. Я просто пытался сделать то, чего хочу я, а не то, что от меня хотят видеть».

ротив, сверху:
ография во всю стену в
тире Сэнди используется
устройство, отражающее
превалирующее состояние.
сь Граучо является
гром его воспоминания
астливом времени
отношений с бывшей
ушкой Дорри (Шарлотта
плинг).

ротив, снизу: во
мя сюрреалистической
речи на природе Сэнди
онстрирует свои
ические способности
воей невротической
лонnице Дэйзи (Джессика
пер).

рху: Шерон Стоун впервые
вляется на экране в
споминаниях о звездной
и» в роли симпатичной
ушки в оживленном
не, движущемся
отивоположном
равлении от мрачного
на, в котором Сэнди
ывается в начале фильма.

из многих сцен в стиле Феллини. Двух менеджеров, которые критикуют фильмы Сэнди, сыграют менеджер UA Энди Альбек и сопродюсер Аллена Джек Роллинс. Считали, что персонаж Шарлотты Рэмплинг Дорри были смоделирован по образу второй жены Аллена Луизы Лассер. Рабочее название фильма, тем временем, было «Вуди Аллен № 4», оно побуждало Аллена к самоуничижению: «Я даже не половина «Восьми с половиной» Феллини».

Необычно для Аллена долгие съемки начались в сентябре 1979 года, они длились шесть месяцев в ветшающем городе-курорте Оушн Грув, Нью Джерси. Некоторые дома в этом городе, покосившиеся от возраста под слоем отслаивающейся краски, играли роль домов для местных психиатрических больных, которых близлежащая психиатрическая клиника посчитала достаточно надежными, чтобы вернуть их обратно в общество. Иногда они появляются в кадре, бродят вокруг, ошалевшие от медикаментов – прекрасная атмосфера для фиктивного нервного срыва Сэнди Бэйтса.

«В начале «Воспоминаний о звездной пыли» мне казалось, что мы никогда не сделаем все правильно, – рассказал художник-постановщик Мел Борн. – Аллен просто садился и говорил: «Я не думаю, что это сработает». Мое настроение падало до нуля. В конце концов такие вещи обязательно приведут тебя в уныние». Аллен снова работал с Гордоном Уиллисом, он настаивал на правильном освещении, он неделями ждал правильного неба, пока его команда и актеры играли в стикбол или покер. В начале декабря они на пять недель отставали от графика. «Это был чрезвычайно сложный фильм, потому что он был чрезвычайно тщательно спланирован, – говорил Аллен. – И мы его переснимали. Из-за проблем с погодой. Это был очень сложный фильм».

Законченный фильм ввел даже жизнерадостного Чарльза Йоффе в депрессию. «Когда я вышел с первого просмотра, я заметил, что задаю себе очень много вопросов, – рассказал он. – Я спрашивал в себя, вложился ли я за последние 20 лет в несчастье этого человека. Но я поговорил об этом с моей бывшей женой и с моими детьми, которые росли с Вуди, и я с самим Вуди долго разговаривал. Он мне сказал: «Тебе правда кажется, что я себя именно так чувствую?» Даже если и так, фильм подвергся жесткой критике из-за того, что они восприняли его как неблагодарность – как Вуди осмелился создать этот затянутый скулеж о разных нюансах славы! В Village Voice Эндрю Саррис написал, что фильм кажется «созданным по мазохистскому желанию отвратить поклонников Аллена раз и навсегда». В New Yorker Полин Кейл назвала его «чудовищным отступничеством… привкус ностальгии испортил все. Если для Вуди успех дается так больно, «Воспоминания о звездной пыли» должны утихомирить его беспокойство». Аллен все больше и больше уставал, защищая фильм, и, в конце концов, он сдался: «Может быть его никто, кроме меня, не понимает».

Неужели «Воспоминания о звездной пыли» – это для нас возможность максимально близко понять, какой была первоначальная версия «Энни Холл»? Здесь – картина о потоке сознания мужчины, который не может получать удовольствия, комедианта, который больше не хочет быть смешным, это картина о провалившихся отношениях – в этот раз с Шарлоттой Рэмплинг – а внезапные воспоминания показывают его детство в Бруклине. Это злой близнец более ранних популярных картин – мрачный доппельгангер. Все даже заканчивается в тюрьме, как Аллен хотел сделать в «Энни Холл». «Я больше не хочу снимать комедии», – жалуется Сэнди Бэйтс, беря выходные от распрей с главами студии из-за ретроспективы его фильмов в угасающем городе-курорте, где Сэнди размышляет над тем же вопросом, который занимал Исаака Дэвиса в «Манхэттене»: стоит ли ему продолжать встречаться с красивой сумасбродкой или нет? Все решается, когда Сэнди связывается со своим психоаналитиком из телефонной будки и замечает, что его невротичная поклонница Дэйзи (Джессика Харпер) делает то же самое в будке, стоящей напротив его. Это его эквивалент милому свидания в «Восьмой жене Синей Бороды», где Клодетт Колбер и Гэри Купер хотят купить разные половины одной и той же пижамы.

Или ему стоит остаться с по-матерински заботливой Изабель (Мари-Кристин Барро)? Даже воспоминания о биполярной Дорри (Шарлотта Рэмплинг), кажется, не могут отвратить Сэнди от старых привычек. Отрывок с крупными кадрами Рэмплинг, испытывающей палитру эмоций, от счастья до истерики и обратно, находится среди самых важных мест фильма, но она всего-навсего призрак бывшей девушки; нет никого, кто бы противоречил Аллену или бросил ему вызов, как это сделала Дайан Китон в «Энни Холл». В результате вышла одна из его наиболее бесформенных картин, которая солипсистически кружится вокруг Сэнди, который борется с хором просьб каждый раз, когда он появляется на публике. «У вас есть 10 минут времени

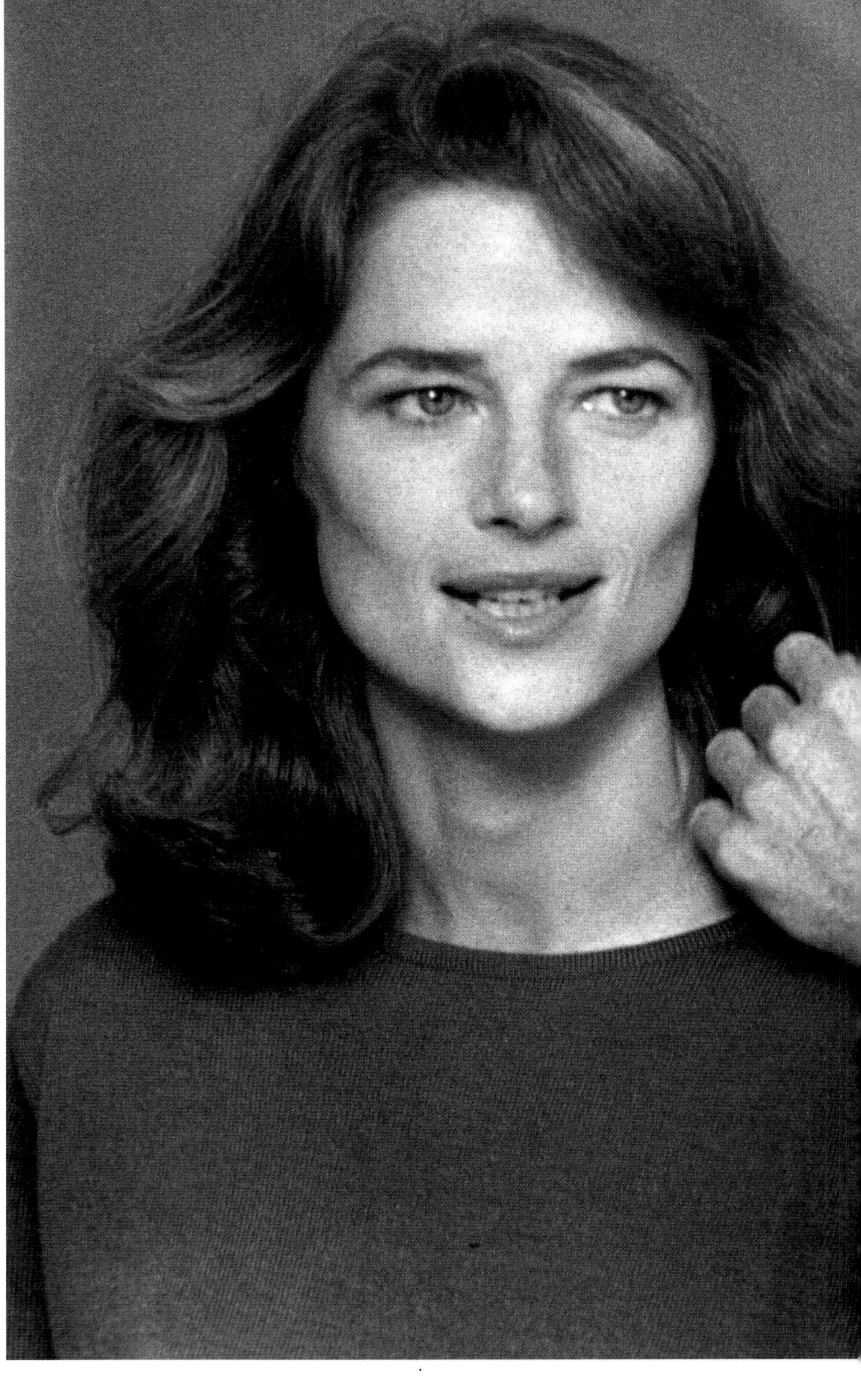

Шарлотта Рэмплинг в роли Дорри, призрака девушки из прошлого, которая является Сэнди в течение фильма.

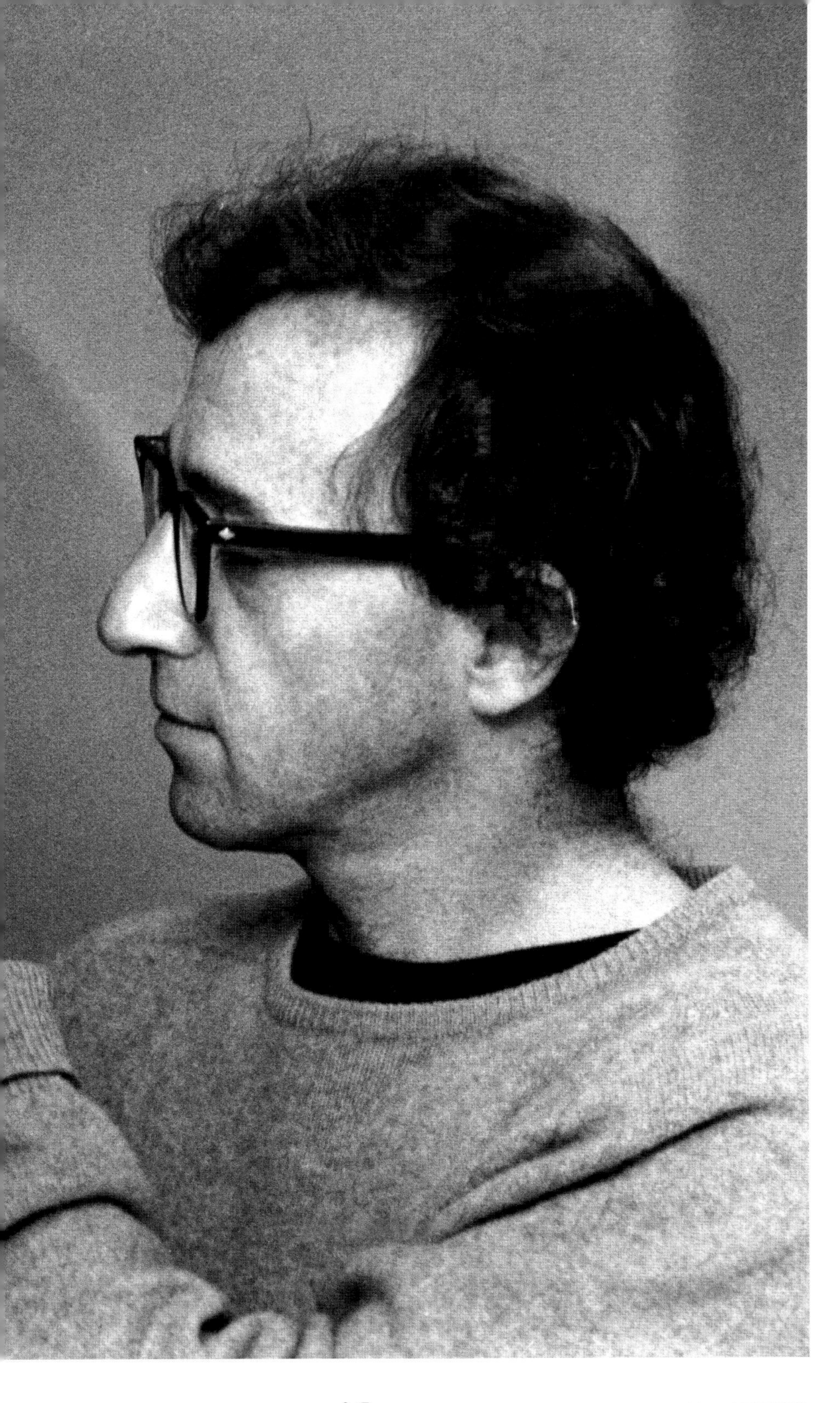

«Такая красивая и сексуальная и такая интересная. У нее есть интересное невротическое качество».

ВА о Шарлотте Рэмплинг.

для меня? Я пишу кое-что о поверхностном равнодушии богатых селебрити», – спрашивает один репортер, который больше не появляется. «Вы можете просто написать: «Филису Вайнштейну, лживому предателю и ублюдку»?» – просит его один охотник за автографами. Эти обреченные просители соединяются и формируют постоянное фоновое жужжание на протяжении всей картины, как будто бы это орущие чайки, которые кружатся над головой.

Бо́льшая часть из этого имеет едкую изюминку. Идея деконструкции селебрити намного менее шокирующая для нас, чем для зрителей фильма «Воспоминания о звездной пыли». Мы более привычны к виду комедианта, срывающего маску, так делал Питер Селлерс в фильме «Будучи там» или Джерри Льюис в фильме «Король комедии»; мы дети «Шоу Ларри Сандерса», «Шоу Ларри Дэвида» и реалити-шоу. С точки зрения сегодняшних реалий, проблема фильма заключается не в том, что Аллен не благодарен своей славе, но в том, что он не доводит идею до конца – ему не хватает принципиальности в его собственной злобе. Вместе с жалобами Аллена по поводу того, насколько гнетущим он находит наш смех, беспрестанно идет противоток шуток, который создан, чтобы мы это поняли. – «Ты не можешь контролировать жизнь. Ты только искусство можешь контролировать. Искусство и мастурбацию. Две сферы, в которых я абсолютный эксперт». «Для тебя – я атеист; для Бога – я благонадежная оппозиция». Итак, должны ли мы смеяться? Или нет?

«Воспоминания о звездной пыли» – сбивающая с толку картина, сделанная больше для самообмана со стороны Аллена. Студийное мещанство, на которое жалуется Сэнди, в конце концов, что-то, с чем Аллен редко сталкивался, исключая его опыт в «Что нового, киска?». (UA даже разрешило ему снять «Интерьеры»!) Его контроль над процессом создания фильма уже стал чем-то вроде голливудской легенды. Единственным человеком, который заставлял Вуди Аллена делать хэппи-энды к тому моменту его карьеры, был сам Вуди Аллен. Спор в «Воспоминаниях о звездной пыли» ведется не с его критиками и не с его зрителями, а с самим собой, ублажающим толпу, и художником, борющимся за превосходство. Как только Аллен это понял, результат стал совершенно другим, появилась намного более успешная картина об унижениях и абсурдности славы: «Зелиг». «Воспоминания о звездной пыли» освещают эту проблему, но это не комедийное освещение, это скорее завуалированная, полушутливая угроза, которую ребенок выказывает своим родителям, они ставят ее под сомнение, а результат – обида.

Сексуальная комедия в летнюю ночь

1982

Миа Фэрроу и Вуди Аллен познакомились во время съемок «Воспоминаний о звездной пыли». Они однажды уже видели друг друга, мельком, на вечеринке в Калифорнии, после которой она написала ему, как сильно ей понравился «Манхэттен»; он ей ответил, вежливо благодаря. Но только в 1979 году, когда она играла в пьесе Бернарда Слейда «Романтическая комедия» с Энтони Перкинсом, они познакомились лучше. Ей было 34, и она примерно год назад развелась с Андре Превином, режиссеру она была представлена ее старым другом Майклом Кейном и его женой однажды вечером в Elaine's после спектакля. Аллен как обычно сидел за своим столиком; Кейн остановился поздороваться и представил Фэрроу.

«Я могу бесконечно говорить о наших различиях, – сказал позже Аллен New York Times. – Она не любит город, а я его обожаю. Она любит деревни, а я не люблю их. Она вообще не любит спорт, а я люблю. Она любит есть дома и рано – в 17:30–18:00, а я люблю есть не дома и позже. Она любит простые непретенциозные рестораны; я люблю модные заведения. Она не может спать с включенным кондиционером; я могу спать только с включенным кондиционером. Она любит домашних и диких животных; я их терпеть не могу… Она любит Вест-Сайд, я люблю Ист-Сайд. Она воспитала девять детей без травм, и у нее никогда не было термометра. Я измеряю свою температуру каждые два часа в течение дня».

«Сексуальная комедия в летнюю ночь» стала первым творческим плодом их союза. Сценарий был написан за две недели, пока Аллен ждал бюджета на «Зелига», изначально фильм должен был быть серьезным и душераздирающим благодаря контрбалансу – «такая серьезная чеховская история почти что в стиле «Интерьеров». Но чем больше он работал над картиной, тем больше она начинала быть похожей на будуарный фарс – интерлюдию с сачками для бабочек, игрой в бадминтон и несколькими смешками. «Я хотел сделать для провинции то же, что я сделал для Нью-Йорка в «Манхэттене», – говорил он. – Мы хотели снимать во время самых красивых дней в сельской местности, о которых только можно подумать. Мы просто сделали фильм настолько милым, насколько смогли.

«Я считаю себя чрезвычайно привилегированным. Я работаю независимо, я ни перед кем не отчитываюсь. Если мне в голову приходит идея, которая может стать зерном интересного фильма, я начинаю работать без излишнего любопытства со стороны других людей, и если я что-то делаю не так в сцене, я могу сделать это снова без лишнего драматизирования».

«Я хотел сделать для провинции то же, что я сделал для Нью-Йорка в "Манхэттене"». Несмотря на то, что Аллен «не на короткой ноге с природой», он поместил свой следующий фильм в сельскую местность в долине Гудзон.

«Один из критиков, которому очень нравилась моя работа, сказал, что это была единственная тривиальная картина из всех, что я снял».

Ищет убежище под москитной сеткой во время летних съемок на жаре и влажности.

И все сводилось к этому. Мы убедились, что свет был идеальным все время и что солнце было в абсолютно верной позиции».

Аллен ненавидел сельскую местность. – «Я не на короткой ноге с природой», – написал он однажды – и съемки летом 1981 года в Усадьбе Рокфеллера, примерно в 40 минутах езды от Нью-Йорка, были жаркими, вонючими и раздражающими. Фэрроу, которая впервые снималась со своим новым любовником, иногда «впадала в такой столбняк, что не понимала, кем должны быть персонажи и что они делают, – написала она позже. – Вуди, теперь в роли моего режиссера, был для меня незнакомцем. Его холодная строгость толкала меня от понимания к страху. Я была не актрисой, а лишь неспособной кривлякой». Это не единственное свидетельство того, что Аллен был необычно строг со своими актерами. Он заставил Хосе Феррера повторить реплику «Это не мои зубы» 15 раз, пока Феррер не убежал в бешенстве с площадки, выкрикивая: «Теперь я не могу этого сделать! Ты превратил меня в массу страхов!» В середине съемок у Фэрроу открылась язва, и она принимала циметидин четыре раза в день. К концу лета они красили листья на деревьях в зеленый – символ, подходящий под вердикт критиков, который последовал за релизом фильма 16 июля 1982 года.

«Фильм настолько заурядный, настолько слащавый, и импровизированный, и слабый, что иногда тяжело представить, что он счастлив, что является фильмом вообще», – написал Роджер Эберт в Chicago Sun-Times. «Кажется, что нет никаких безотлагательных причин, по которым Вуди Аллен сделал бы этот фильм – это даже не удовольствие, которое некоторые режиссеры находят в создании фильмов, – написала Полин Кейл в New Yorker, уловив такую же атмосферу неуверенности. – Если вы не в настроении видеть мир в смешном свете и вы пишите, режиссируете и снимаетесь в фильме, вам повезет, если вы достигнете странности, которую Вуди Аллен получил в «Сексуальной комедии в летнюю ночь».

Под Нью-Йорком шесть главных героев, находящихся в разных состояниях романтического и сексуального замешательства, съезжаются на поезде или автомобиле в летний дом чудаковатого изобретателя Эндрю (Аллен) и его фригидной жены Эдриан (Мэри Стинберген), которая отказывается от секса, ссылаясь на головную боль, уже шесть месяцев. Первыми приезжают лучший друг Эндрю Максвелл (Тони Робертс), похотливый доктор, и его текущая пассия Далси (Джули Хэгерти), молодая медсестра со склонностью к нимфомании. Потом приезжает кузен Эдриан Леопольд (Хосе Феррер), торжественно высокопарный профессор, и его молодая невеста, прекрасная Ариэль (Миа Фэрроу), которая считает, что единственный способ уменьшить ее сексуальное желание – это холодный душ педантизма Леопольда; после свадьбы он собирается свозить ее в Лондон, чтобы воспользоваться «редкой возможностью посетить могилу Томаса Карлейля». Правила действий, которые развернутся дальше, просты: 1) каждый персонаж должен к концу дня влюбиться как минимум в одного человека, исключая того, с которым он приехал; 2) зрителей должно волновать то, что они заметили разницу.

Первая попытка Аллена создать коллективную картину страдает от похожестей. Все его женщины размываются в одетые в тафту очертания нимф с мягкими голосами и осиными талиями, в то время как мужчины являются вариациями одного единственного сатира. Фэрроу смотрится не на месте в роли, которая написана не для нее. Роль была написана для Дайан

Шесть персонажей в поисках сюжетной линии: Эдриан (Мэри Стинберген), Далси (Джули Хэгерти), Ариэль (Миа Фэрроу), Максвелл (Тони Робертс), Леопольд (Хосе Феррер) и Эндрю (Вуди Аллен).

Китон, но она снималась в «Красных», так что вместо нее Аллен предложил роль Фэрроу, но он еще не смог найти ее голос, ее ритм так же, как он нашел это для Китон к съемкам «Энни Холл». Здесь она изменена, чтобы казаться похожей на лесную нимфу с картин прерафаэлитов, и снята сзади в сиянии солнца, она нерешительно выглядывает из-под своих ресниц Бэмби. Предполагается, что она спала с целой командой Чикаго Уайт Сокс, но выглядит она так, как будто она не может справиться с Вальдорфским салатом. «Ты должен отметить, что я не была одной из твоих тихих, зажатых, похожих на мышек маленьких девственниц», – говорит она Эндрю, и кажется, что именно роль девственницы она сыграла бы лучше.

Если в фильме Аллена есть хотя бы намек на шекспировское безумное лето, он исходит от Хосе Феррера. Он придал шутовскому Леопольду такую сочную напыщенность, которую можно себе только представить. Но фильм является шагом назад во всех смыслах. Если «Интерьеры» представляли собой заявление Аллена на развод с массовым зрителем, который валил толпой на «Энни Холл», а «Воспоминания о звездной пыли» были последней перепалкой на ступеньках суда, то «Сексуальная комедия в летнюю ночь» – это киноэквивалент переезда в разные квартиры. Первая из следующих друг за другом исторических драматических комедий – за ней шли «Зелиг», «Бродвей Дэнни Роуз» и «Пурпурная роза Каира», – в ней есть обмен зуботычинами и безумными шутками, с которыми он вышел из современного мира, чтобы снять визуальную палитру с саундтреком из классической музыки и эхом шекспировского «Сна в летнюю ночь», бергмановских «Улыбок летней ночи» и «Правил игры» Жана Ренуара – все эти любимые приемы Аллена в одной картине. Там нет ничего более грубого, чем взрывы хохота над этими спокойными, красиво снятыми пейзажами. Или скорее все это пытается вызвать саркастическую усмешку, в лучшем случае – сдержанный смешок, смешанный с веселостью и летающими велосипедами на фоне летних пейзажей, таких мягких и хрупких, как семена одуванчика –е одно дуновение, и их нет.

Зелиг

1983

«Зелиг» вырос из идеи рассказа. Идея состояла в том, чтобы создать портрет человека, который во всем со всеми соглашается: – насчет фильмов, которые они любят, насчет книг, которые они читают. «Это желание нравиться, которое на самых базовых уровнях толкает вас к тому, чтобы сказать, что вам понравился определенный фильм или шоу, или, например, что вы читали «Моби Дика», хотя вы не читали его, чтобы люди вокруг вас чувствовали себя спокойно, – рассказал Аллен. – Я думал, что это желание не возмущать чье-либо спокойствие, доведенное до предела, может иметь травматические последствия. Это может привести к конформистскому менталитету и, в конечном итоге, к фашизму. Именно поэтому мне хотелось использовать форму документального кино: никто не хочет видеть личную жизнь этого персонажа; люди больше заинтересованы в феномене и в том, как он соотносится с культурой. В другом случае это будет лишь патетическая история о невротике».

Говоря другими словами, у Леонарда Зелига нет личной жизни. Это сделало написание сценария довольно обременительной задачей. Изначально место действия должно было находиться в современном мире, а Зелиг должен был работать во WNET – государственной телевизионной станции в Нью-Йорке. Друг Аллена Дик Каветт тогда вел серию исторических выпусков для HBO, в которых Каветта добавили при помощи рирпроекции в архивную пленку. Процесс поразил Аллена, и ему пришла в голову идея снять пародию на документальный фильм, он так уже делал в «Хватай деньги и беги», и решил использовать закадровый рассказ, пленки, используемую в кинохрониках, фотографии, интервью. Он заказал невероятное количество архивной пленки 20-х годов, включая митинги нацистов, кадры с Бейбом Рутом в игре и единственной известной пленки с Ф. Скоттом Фитцджеральдом, большая часть этой пленки была из семейных архивов и киноархивов, таких, например, как Архив Беттмана. «Это было трудно, но фильм должен был быть снятым», – сказал Аллен.

Аллен использовал объективы, камеры и свет, звуковое оборудование 1920-х, они снимали на студиях по всему Нью-Йорку. «Из всех фильмов, которые мы делали, атмосфера в этом фильме была максимально расслабленной», – сказала Миа Фэрроу, играющая психоаналитика Юдору Флетчер, которая в конце концов влюбляется в Зелига во время ее «Сеансов в белой комнате», снятых в том же доме, который использовали в «Сексуальной комедии в летнюю ночь». Остальная часть актерской команды в основном состояла из непрофессиональных актеров – членов семей, друзей, членов съемочной группы, – чтобы подчеркнуть запинающийся натурализм реальных интервьюеров примерно 1920-х годов. Аллен также написал Грете Гарбо, она не ответила, но Мэй Квестел, оригинальный голос Бетти Буп, согласилась озвучить голос Хелен Кейн, поющей «Дни хамелеона». Сол Беллоу был приглашен, чтобы дать философскую интерпретацию существования Зелига, он это сделал только после корректирования грамматики Аллена: «Ничего, если я здесь изменю? Потому что это грамматически неверно».

Съемки длились всего 12 недель, но монтаж занял больше года, так как оператор Гордон Уиллис и команда по визуальным эффектам взяли на себя сложную задачу совместить разные жанры, эпохи, текстуры и качества кинопленки в одном фильме. «Вы себе не представляете, насколько много ящиков с пленкой у нас было», – рассказывал Уиллис. Самой сложной задачей было найти пленку с достаточным количеством места вокруг объектов, чтобы вставить туда Аллена. «На таких кадрах зачастую много людей, – сказала монтажер Сьюзан Морзе. – Нам нужно было достаточно места, нам нужна была причина, по которой он там тоже находился, и мы должны были быть уверены, что никто не пройдет перед ним». После этого новая пленка должна была быть «состарена», чтобы соответствовать более старой. Они царапали негатив, мяли катушки с пленкой, передерживали ее, оставляли на солнце – делали все, чтобы она соответствовала зернистой, ненасыщенной пленке 20-х – 30-х годов. Уиллис даже брал с собой проявленную пленку в душ и топтал ее ногами. «Был момент, когда я подумал, что мы никогда не закончим, момент, когда я думал, что взбешусь. Я никогда так тяжело не работал, заставляя что-то сложное казаться очень простым», – сказал он.

«Безусловный конформист» Леонард Зелиг на фото разговаривает с легендой бокса в тяжелом весе Джеком Демпси.

«Зелига» делали с невероятным усердием, там были снятые современно кадры с актерами, смешанные с архивной пленкой 20-х годов, включая сцены на улицах Нью-Йорка и парад в честь Чарльза Линдберга.

«Однажды Вуди сказал мне: «Ты думаешь, мы слишком далеко зашли?» В тот момент я думал, что может быть и да. Было очень тяжело делать сбалансированный материал на визуальном и эмоциональной уровнях. Все должно было выглядеть правдоподобно, но это также должно было работать для зрителей, это должно было развлекать. Всегда была опасность слишком основательной работы над одним определенным кадром, так что мы забывали о том, как он должен выглядеть в окончательном варианте фильма. Но когда ты чувствуешь, что упускаешь это из виду, тебе следует вернуться немного назад и начать все заново. И вот это-то и происходило с нами».

Первая рабочая копия длилась всего 45 минут, так что Аллен снял несколько дополнительных сцен и нарезал еще архивной пленки. Осталось только придумать название. Аллен долго выбирал между разными вариантами названия – «Человек-Хамелеон», «Меняющийся человек» (рабочее название фильма), «Пижама для кошки», «Лакомый кусочек», «Личностный кризис» и «Отношение к расстройству личности». В конце концов, у него состоялось «гонка за название с друзьями за ужином, – сказал Аллен. – Мы ставили крест на одном названии за другим. Единственным весельем было предложение следующего человека. Это было крайне непродуктивно. В итоге я снял несколько названий и прогнал их вместе с фильмом. Вторым, который я увидел, был «Зелиг», и я знал, что это оно».

Зелиг – один из драгоценных камней творения Аллена; бесподобное комедийное самомнение, красиво развивающееся и эффектно исполненное, двигающееся в сторону истинного пафоса, но он слишком легкий, чтобы зациклиться на его невысказанных подтекстных богатствах. «Вуди Аллен здесь такой же пронзительный, как часто был пронзительным Чаплин», – отметила Полин Кейл, и все по тем же причинам: если бы не несколько слов, которые мы слышим от Леонарда Зелига на хриплой записи во время его сеансов с Доктором Флетчер, он был бы бессловным и безликим. Из всех алленковских подношений и краж из творчества Чарли Чаплина, Бастера Китона и Гарольда Ллойда, Зелиг – персонаж с наибольшей претензией на их наследие – безмолвный призрак, неспособный высказать жалобу или побрюзжать, он может выражаться только мимикой и угодливостью, чистое выражение пассивности, которую Аллен видит как топливо для своего комического персонажа. Хотя здесь может не хватать более очевидных автобиографических деталей такой картины, как «Дни радио», фильм дает во многих смыслах то, что является его самым проницательным автопортретом.

Как и родители Аллена, родители Зелига заперты в состоянии постоянной войны, что становится причиной того, что их сын растет в противоположном направлении – «экстремально антисоциальном» с «плохими манерами и низкой уверенностью в себе»,

он практически патологический ублажатель людей, он отчаянно жаждет нравиться и чувствовать себя «в безопасности». Его различные инкарнации – в роли китайца, гангстера, темнокожего – заставляют его попасть в газеты, а затем под присмотр доктора Флетчер (Фэрроу), где он «испытает несколько смен настроения и в течение нескольких дней не будет выходить из четырех стен» – отсылка к другому знаменитому любящему потолок герою, который не решался идти «никуда, кроме вверх и вниз по полу, стенам и потолку его комнаты». Это, конечно, бедный Грегор Замза в «Превращении» Кафки, его трансформация более перманентна, чем мимолетные воплощения Зелига, но они дают такой же аллегорический блеск. Из всех персонажей Аллена, он, вероятно, привлек самое научное прочтение – стоит взглянуть на блестящий труд Айриса Брюса «Загадочные болезни человеческого товара у Вуди Аллена и Франца Кафки», как на Зелига, выдуманного по Кафке, также представляющего еврейскую диаспору, готового ассимилироваться, но при этом являющегося стопроцентным американцем, со всем его мультикультурализмом.

Зелиг всегда предназначался академическому изучению. Кажется, Аллен знал, что в его легенде есть

«Мы делали его три года, напряженный график с бесконечными техническими экспериментами».

Напротив, сверху и справа: «Если меня там не будет, они начнут без меня». Оставшись в пригороде Нью-Йорка в качестве объекта исследований для доктора Юдоры Флетчер (Миа Фэрроу), Зелиг убеждается в том, что и он академик, и что ему нужно вернуться в город, чтобы учить своих студентов продвинутой мастурбации.

Напротив, внизу: принимает президентский вид с Калвином Кулиджем и Гербертом Гувером.

что-то, что привлечет внимание академиков, начинающие Зелигологисты должны были занять свои места за Солом Беллоу, Бруно Беттельгеймом и Сьюзен Зонтаг, которые играли самих себя в фильме, они предлагали свои интерпретации состояния Зелига. «Я сам чувствовал, что кто-то может подумать о нем, как о безусловном конформисте», – предложил Беттельгейм. И в самом деле, Зелиг – врожденное зеркало духа времени, он отсвечивает отражениями сквозь призму культуры в общем, хотя кое-что в решении Аллена огранить свою историю таким образом должно служить предупреждением, что он не хочет, чтобы его фильм связывался с какой-либо интерпретацией, вместо этого он предлагает что-то вроде шведского стола, в то время как Зелиг становится свободным, ускользающим как никогда. Больше всего нас поражает сегодня, насколько наштампованным является этот фильм, благодаря своему собственному уму он продвигается вперед, гонясь за будущими шутками и интригуя истинным пафосом любовной истории. «Возможно, сама его беспомощность движет мною», – говорит Доктор Флетчер, сердечная, по-матерински тревожащаяся роль, которая была написана под Фэрроу и подходит ей, как перчатка. «Она не бросает ему вызов (как это делает Дайан Китон в его картинах), – написала Кейл, – она освобождает его от стресса, и он появляется со свежей утонченностью в таких сценах, как та, в которой под гипнозом он шепчет: «я люблю тебя», а потом хныкает: «Ты худший повар… эти блинчики… Я люблю тебя, я хочу о тебе заботиться… Больше никаких блинчиков»…»

«Зелиг» – самый прозорливый из всех сценариев Аллена. Леонард Зелиг – это козел отпущения всего 20-го века, как Пруфрок у Т.С. Элиота и человек из ниоткуда Джона Леннона, – без него, практически точно не было бы Форреста Гампа. Чувство Аллена формы жизни американского общества абсолютно верно, Зелига сначала превозносят как знаменитость джазового века, затем его ругают и «обращаются в суд за двоеженство, измены, автокатастрофы, плагиат, бытовые повреждения, халатность, порчу имущества и согласие на ненужное удаление зуба», затем он находит спасение в отчаянной храбрости Линдберга, управляя самолетом, который бомбит нацистов. Сказать, что Зелиг – это Аллен, – слишком лаконично, но портретные зарисовки глубоко в хамелеонью душу скрываются со всей драматичностью: –
это лукавый оппортунизм, находящийся в дюйме от эмпатии, он позволяет им мошенническим способом проникнуть в сердца и головы других людей. Для тех, кто внимательно смотрел – Зелиг содержит невероятно точный прогноз движения карьеры самого Аллена. В последующие годы его тоже будут обвинять в изменах и еще более плохих вещах, прежде чем он найдет спасение в возврате к развлечениям, удовлетворяющим толпу, благодаря которым он нашел одобрение в самом начале.

«Я делаю фильмы для начитанных людей. Я должен отметить, что есть миллионы людей в мире, которые образованы, начитаны и хотят утонченных развлечений, которые не имеют никакого отношения к наименьшему общему знаменателю, они вообще не про автокатастрофы и шуточки в ванной».

Прозванный «человеком-хамелеоном», Зелиг начал свою «карьеру» как участник шоу уродцев, назойливо предлагаемого посетителям ярмарки его сестрой, и вскоре стал центром всенародного безумия.

Бродвей Дэнни Роуз

1984

История незадачливого импресарио Дэнни Роуз (Аллена, справа) рассказана как воспоминания группой комедиантов с Бродвея и их менеджеров (включая аленновского собственного менеджера Джека Роллинса, справа) во время ланча в ресторане Carnegie Deli.

Одно из любимых развлечений парочек в Нью Йорке – это поиск чудаковатых, запоминающихся персонажей в городе, который живет вокруг них. Во время одного из ужинов Мии Фэрроу и Вуди Аллена в Rao's – небольшом итальянском ресторанчике на 114-й улице в Восточном Гарлеме – пара нашла девушку, которая без конца их развлекала: это была приемная дочь владельца заведения Энни с высокой прической, шпильками, темными очками, своеобразным чувством юмора и покачивающейся сигаретой в уголке ее рта. «Господи, я хочу сыграть разочек такую женщину», – разоткровенничалась Фэрроу одним вечером.

Это стало зачатком идеи, которая станет «Бродвеем Дэнни Роуз», двенадцатым фильмом Аллена о постоянно надеющемся менеджере безнадежных ночных клубов.

История рассказана группой комиков – своеобразные сказки Шахерезады в стиле Борщевого пояса в ресторане Carnegie Deli, эта история отбросила Аллена назад на задворки шоу-бизнеса в 1950-х, когда они с Джеком Роллинсом и Чарльзом Йоффе ехали после шоу в один из ресторанов на Бродвее или 7-й Авеню, в то время они едва зарабатывали на то, чтобы расплачиваться за еду. За одним столом сидели комики, за другим – их агенты, а за третьим – менеджеры, все они обменивались историями час за часом. Заряд уверенности, который Аллен передавал своему комедианту во время выступлений, – «Три С: Слава. Счастье, Сила!» – он однажды слышал между комедиантами в Carnegie, а место, где Дэнни пытается провести несколько своих выступлений, Weinstein's Majestic Bungalow Colony в Катскилле, было первым местом, где Аллен выступал в качестве юного иллюзиониста.

«Я просто знал эту сферу очень хорошо, – говорил он. – Импульс к созданию этого фильма разделялся на две части. Во-первых, Миа хотела играть Миссис Рао, Энни Рао, которую мы знали и постоянно видели в ресторане. А я хотел сыграть другого персонажа, не невротического, начитанного жителя Нью-Йорка. И одни из типов персонажей, которых я могу играть, – это дно жизни. Правда в том, что я пришел с улицы Бруклина. Я не образован, я имею в виду, меня выбросили из колледжа на первом курсе… Я не гангстер, но в их мире я разбираюсь больше. Я больше парень, который сидит дома с пивом в майке и смотрит телевизор, смотрит бейсбол по телевизору, чем я сам, который внимательно изучает русских классиков. Я имею в виду, я читал все эти вещи много лет, чтобы не отставать от моих пассий, но правда в том, что мое сердце всегда было на бейсбольном стадионе».

Он снова позвал Гордона Уиллиса и сказал ему: «Я вижу фильм черно-белым».

«Я не мог не согласиться», – рассказал Уиллис.

Они просмотрели записи кандидатов на певца, там были Дэнни Айелло и даже Роберт де Ниро со Сильвестром Сталлоне в какой-то момент. Находясь в легком отчаянии, кастинг-директор Аллена Джульет Тейлор решила разведать ситуацию в Colony Records в Бродвее, собирая сентиментальные песенки в охапку, но однажды она наткнулась на альбом с названием Can I Depend on You, записанный неким Ником Аполло Форте. Тучный итальянско-американский эстрадный певец в свои 35 подрабатывал пианистом на коктейльных вечеринках и рыбаком. «Казалось, будто бы он ждет этого

Слева: «Ты сделал три С?» Аллен дает совет на экране и вне его новоиспеченному актеру Нику Аполло Форте в роли Лу Кановы.

Напротив: Миа Фэрроу в солнечных очках в течение всего фильма, чтобы ее выразительные глаза не мешали образу итальянской раздражительной женщины Тины Витале.

большого прорыва, – сказала Тейлор. – Он был парнем из Коннектикута, который работал в маленьких клубах, он отлично прошел прослушивание. Затем я собрала группу финалистов, среди них были очень известные люди, Джерри Вейл, например, там был. Я показала записи с прослушивания Дайан Китон, она одна из моих путеводных звезд в этом вопросе, и она сказала: «Это парень лучший», и я с ней была согласна».

Как только начались съемки, осенью 1982 года, таланты Форте тут же показали свои границы, и Аллену пришлось отдать его на уроки актерского мастерства, так как он не мог выполнить самые простые действия, например перейти через улицу. Фэрроу, тем временем, ходила по городу в образе Тины Витале. Она нашла свой образ в смеси Энни Рао и Хани, бывшей жены друга Фрэнка Синатры Джилли Риццо, она днями напролет пила молочные коктейли, чтобы набрать пять килограмм, работала над своим голосом, смотрела «Бешеного быка» на повторе и часами записывала на кассету разговоры с бруклинскими женщинами, чтобы правильно поставить акцент. «Возможно, мой внешний вид смущал людей. Я была очень худой. Я знаю, что люди так обо мне думали», – говорила Фэрроу, которая была «не в первых рядах для мистера Роллинса, а на 9-й или 15-й позиции», как она раздраженно говорила. Она поняла, что даже с тонной косметики на лице ее оленьи глаза выдают ее, так что она решила носить солнечные очки в течение всего фильма, кроме одной сцены, когда мы видим ее в зеркало ванной несколько секунд. «Это было очень, очень смелое для нее решение, – говорил Аллен, – потому что ей пришлось всю картину играть, не используя глаза, а это действительно трудно».

«Вуди Аллен не нашел правильного способа воспеть Миу Фэрроу на экране, как он это сделал с Дайан Китон, – написал критик Джеймс Уолкотт в Vanity Fair. – В его обожании есть нечто невнятное, что-то умалчиваемое. Кажется, что он любуется ей с расстояния, а приближается к ней только на цыпочках. Показательно, что и в «Зелиге», и в «Бродвее Дэнни Роуз» Аллен и Фэрроу остаются вместе в конце в непрерывном длинном кадре. Он и нас держит на расстоянии». Это догадливое замечание об изменяющейся природе романов Аллена на и вне экрана. Если Китон была оппонентом, очень взвинченным, но стойко стоящем на ногах – «Я скажу, что у меня на уме, и, если тебе это не понравится, ну тогда отвали», – говорит она Исааку Дэвису в «Манхэттене», – то Фэрроу является теплым и умиротворяющим существом, доктором, склеивающим разрушенную душу Леонарда Зелига. В «Бродвее Дэнни Роуз» Аллен отвешивает ей комплименты, которые он делал Китон в «Спящем» и снова будет делать в «Загадочном убийстве в Манхэттене». Это первая вещь, которую он делает со всеми своими самыми драгоценными возлюбленными: он пускается с ними в бега, как Бинг Кросби и Боб Хоуп в своих «Дорогах на…» – это алленовская неоспоримая версия романтической взаимосвязи.

«Если ты воспользуешься моим советом, ты сможешь делать лучшие выступления с воздушными шарами всех времен!» – Дэнни Роуз (Аллен) говорит одному из своих актеров, когда он впервые с ним знакомится, он бесконечно оптимистичный, но безнадежный агент, трудящийся за орешки. «Ты будешь создавать фигурки из шариков в университетах и колледжах!» Его единственная надежда прославиться лежит на алкоголичном теноре-бездельнике Лу Канове (Ник Аполло Форте), который был звездой в 50-е, и который должен вернуться на сцену шоу «Чрезвычайная ностальгия» Милтона Берла. Лу не может петь для зрителей без своей любовницы Тины (Фэрроу), но Тина, итальянская штучка в леопардовом принте и с начесом светлых волос, злится на него за то, что «он

Сверху и справа: фейковые отношения Дэнни с Тиной достаточно убедительны, чтобы он попал в передрягу с шайкой.

На следующей странице: работая над своим предпоследним фильмом с Вуди Алленом, оператор Гордон Уиллис прекрасно уловил нежный момент на заднем сидении такси.

изменяет ей со своей женой». Более того, ее семья мафиози думает, что Дэнни – новый мужчина в ее жизни. Перед ним, таким образом, стоит двойная задача: – ему нужно не только доставить ее на шоу, но и убежать от гангстеров, которых послали избить его.

В обтягивающих брюках и солнечных очках с сигаретой, торчащей изо рта, Фэрроу влезла в свою роль, как в узкие джинсы. В сцене в ванной ее тонкое лицо, кажется, открывает вид на ее наготу. «Лишенная своей брутальности… она нежная, чистая – заново родившаяся», – написал Уолкотт, исполнение Аллена другое: говорит быстро, любое слово он сопровождает «милой» или «дорогой», его руки двигаются, как у авиационного диспетчера, который показывает Боингу 747 место посадки, он одет в большие ботинки, но свобода роли никак не отвлекает от веселья его или зрителей – наше ощущение от этих двух скромных мышек, играющих шикарных, болтливых экстравертов, похоже на пару, одевающую старую одежду по выходным. Переигрывание Аллена соответствует самому Дэнни Роузу, этому истинному бездарному актеру, и ритм, который они с Фэрроу установили в фильме, настолько деликатный, что они двигают фильм. Он бежит вприпрыжку, не извиняясь за свою мимолетность – просто еще одна небылица шоубизнеса, рассказанная старыми баранами в Carnegie Deli, рассказ Дэймона Раньона, нарезанная тонкими ломтиками пастрами, которая от этого не становится ни менее пикантной, ни менее ароматной.

«Ты знаешь, какова философия моей жизни? Она заключается в том, что важно смеяться, но тебе нужно и пострадать немного. Потому что иначе ты упустишь весь смысл жизни».

Дэнни Роуз

Пурпурная роза Каира

1985

Сверху: Аллен транслировал свою любовь к фильмам 1930-х и 1940-х годов в «Пурпурной розе Каира».

Напротив: Гил Шеферд (Джефф Дэниэлс) сталкивается с Сесилией (Миа Фэрроу), его величайшей фанаткой и единственным человеком, который знает, где искать его сбежавшее альтер-эго.

Из всех фильмов Аллена «Пурпурная роза Каира» всех ближе была к изначальной концепции. «99% времени фильм, который у меня получался, имел лишь небольшую связь с гениальной идеей, которая была со мной в моей спальне. Фильм мог иметь успех у публики, но я чувствовал, что если бы они только знали, что я задумывал в своей спальне, они могли бы увидеть что-то действительно великолепное. Если бы я только мог дать им это».

Сценарий обретал свой дух долгими вечерами, проводимыми с его кузиной и фанатичной любительницей кино Ритой, в спальне которой, обклеенной постерами со звездами, вырезанными из Modern Screen и других фанатских журналов, Аллен проводил так много времени в детстве. К 11 годам он мог назвать имя практически любого комедийного актера 1930-х–1940-х годов – чистого царства, где все постоянно носят смокинги и живут в пентхаусах на Парк-авеню, пьют шампанское в гламурных ночных клубах, где обмениваются остроумными репликами. Его первой мыслью было: «Не будет ли смешно, если персонаж сойдет с экрана?» «Я написал это, и на полпути все заглохло, и я это отложил. Я экспериментировал с другими идеями. Только когда мне в голову пришла идея, что реальный актер приезжает в город, и ей приходится выбирать между экранным героем и реальным актером, и она выбирает реального актера, и он бросает ее, в тот момент это стало реальным фильмом».

Роль Тома Бакстера/Гила Шеферда изначально предназначалась Майклу Китону, который понравился Аллену в «Ночной смене», но когда он просмотрел материалы, отснятые за день, он понял, что в Китоне нет ощущения кинозвезды 1930-х, он был слишком современным, «слишком крутым», так что после 10 дней съемок Аллен освободил его от роли, и после того как он убедил всех, что фильм надо переписать, он взял на роль 29-летнего Джеффа Дэниэлса, который только что закончил съемки в фильме «Язык нежности». «Не было никаких обсуждений персонажей, их мотиваций и прошлой жизни, – отметил Дэниэлс. – Выглядело все так, как будто у него есть перо в руке, и он на него дует, а оно летит в дюжину направлений».

Он снимал в Пирмонте, Нью-Йорке, небольшом городке на реке Гудзон, который до сих пор хранит некоторое подобие промышленного города 1930-х. Аллен арендовал целый квартал и выстроил экстерьер кинотеатра. Для интерьера он снял внутренности одного из иконических кинотеатров его юности, Кент в Мидвуде – «один из важнейших, значительных мест моего юношества» – кинотеатр с фильмами за 12 центов, он настолько близко расположен к железной дороге, что можно слышать грузовые поезда, которые проходят мимо каждые пять минут. Он даже нашел роль для Вана Джонсона, идола женщин Золотой Эры, который снимался в «Парне по имени Джо» и «Бунт на «Кейне». Аллен был настолько смущен, что едва мог с ним разговаривать. «Я имею в виду, я стою в трех футах от Вана Джонсона! Это тот парень, с которым, когда я был мальчиком, я мог убежать от серой и скучной жизни, и там был Ван Джонсон в кабине самолета, или он был в Аргентине с Эстер Уильямс, которая была очень привлекательной. Возможно, это тотальное отождествление актера и роли, которую он играет, является именно тем, о чем фильм «Пурпурная роза Каира».

«Мое ощущение основывается на том, что тебе приходится выбирать реальность, а не фантазию, и реальность делает тебе больно в конце концов, а фантазия – это просто безумие».

«В этом фильме нет ничего экзотического. Действие фильма разворачивается во времена Великой депрессии, речь там идет о бедных людях, которых выбросили с работы, и, чтобы скоротать время в ожидании чего-то, они ходят в кино».

Устав от своего присутствия на экране среди пьющих коктейли манхэттенцев (справа), исследователь в тропической шляпе Том Бакстер перешагивает через четвертую стену и увлекает Сесилию в модный ресторан (слева).

Так же, как и с «Зелигом», на съемках возникло несколько чисто технических проблем. Черно-белый фильм внутри цветного фильма – это достаточно просто, но добиться того, чтобы актеры смотрели в глаза публике, с которой они разговаривали, «было трудоемким, приходилось много размышлять над этим с формальной стороны. Это было математической уловкой», – рассказал Аллен. Также было проблематично сделать пессимистичный конец, особенно для менеджеров Orion, один из которых вызвал Аллена и спросил, серьезно ли он на это настроен. Хэппи-энд будет во сто раз хуже, отметил Аллен. «Концовка была причиной, по которой я стал делать этот фильм», – настаивал Аллен, который ощущал какое-то «ностальгическое, меланхоличное чувство» фильма 1973 года «Амаркорд» Феллини. Позже он напомнит о причине своего решения интервьюеру журнала Esquire. Почему он не сделал хэппи-энд, спросили его тогда.

«Это и есть хэппи-энд», – услышал интервьюер в ответ. Вы точно будете сомневаться, можно ли называть ли «Пурпурную розу Каира» малозначительным фильмом, как и другие его лучшие работы того периода – «Зелиг», «Бродвей Дэнни Роуз», «Дни радио». Этот фильм стремится к уровню красиво сделанной миниатюры, ностальгической по своему оттенку, продукту не чрезмерной амбициозности и не агрессивных нападков на реальность, учитывающих нежную диктатуру, чья схема полетов была заложена еще много лет назад, в детстве и в культуре, которую он впитывал, как губка. «Величайший тип транквилизатора и опьянения, который себе можно только представить», – назвал однажды Аллен свои походы в кино в юности. Именно так Миа Фэрроу выглядит во время просмотров фильмов в «Пурпурной розе Каира» – спокойной и опьяненной. Из всех своих персонажей Аллен называет Сесилию той, с кем он себя больше всех отождествляет. Поглощая фильмы в местном

кинотеатре, хрупкая Сесилия (Фэрроу) имеет точно такой же туманный и оцепенелый взгляд, ее рука плавно скользит от попкорна ко рту, как и у Аллена в титрах к «Сыграй это снова, Сэм». В том фильме Богарт спускается с экрана, чтобы давать советы по поводу свиданий. В «Пурпурной розе» Аллен делает еще лучше: как насчет полноценного романа выдумки и реальности? Когда Сесилия однажды идет на свою любимую комедию в энный раз, ее глаза раскрываются еще шире, когда герой фильма, исследователь Том Бакстер (Джефф Дэниэлс) с квадратной челюстью и с тропической шляпой на голове, сходит с экрана, оставляя своих коллег, манхэттенских любителей коктейлей, бродить по экрану в разных степенях скуки и паники. «Все, что они делают, это сидят и болтают!» – говорит один из руководителей кинотеатра, как будто о фильме Вуди Аллена.

Дальше начинается Пиранделло – сладкая, многослойная, лиричная, носящая безошибочно печать Вуди Аллена проза, в особенности «Образ Сиднея Кугельмаса в романе «Госпожа Бовари», его рассказ о профессоре классической словесности, который пробирается на страницы «Мадам Бовари», чтобы насладиться бурным романом с его героиней, разрушая его сюжет для последующих поколений. Затем он переворачивает процесс и переносит Эмму в Нью-Йорк, только чтобы платить невероятные счета за ее пребывание в отеле и терпеть ее обиды и тоску. Кугельмасс клянется, что больше никогда не будет обманывать свою жену, но три недели спустя он пытается попасть в «Жалобу портного», а попадает в испанскую грамматику, в которой за ним гоняется глагол «иметь». Параллели с «Пурпурной розой Каира» достаточно ясны, но также есть и отличия между шутливыми палимпсестами алленовской литературной деятельности и полновесной попыткой воображения, дающей импульс его сценариям к жизни. Иллюзионист наконец понял, как

«Что? Здесь нет затемнения?» Том пытается понять мир, в котором любовные сцены не ограничиваются Кодексом Хейса.

исчезнуть. «Это первый фильм Вуди Алена, в котором целая группа актеров реально взаимодействует между собой и провоцирует один другого, – отметила Полин Кейл. – Хотя там нет сексуальной игривости и бурного шалопайства других его комедий, и он не говорит со зрителями с журналистской злободневностью своих фильмов в современных условиях, это, тем не менее, может быть, самое полное выражение его чувства юмора».

Это определенно точное полное выражение центральной коллизии в его работе между его желанием фантазии и скучной реальностью. «Я только что познакомилась с замечательным новым мужчиной, – говорит Сесилия. – Он вымышленный, но ты не можешь иметь всего». Самообман развивается с необыкновенной быстротой, персонаж Дэниэла «из реальной жизни» Гил Шеферд, вытянутый из рекламного тура из-за паники на студии из-за мысли о втором самозванце, слоняющемся по городу, пока Том крутит роман с Сесилией, перепрыгивая через ее протесты, как лабрадор. «Прямо сейчас вся страна не работает, – отмечает она. – Затем мы будем жить в любви». Дэниэл всегда казался ему похожим на Ральфа Беллами – одного из благонадежных киногероев с ямочкой на щеках, и роль Тома Бакстера сыграла на его сочетании галантности и странного невинного самолюбия. Он подробно раскроет второе качество в роли Гила Шеферда, чудесного себялюбца из Голливуда, который прибывает в город, чтобы сразиться со своим двойником, но растворяется в луже малейшей лести от Сесилии.

Его лицо, когда он отвечает на хвалу, – одна из самых тонких вещей в картине: довольная улыбка, быстро наполовину маскируемая под шутливую скромность; если посмотреть подальше, можно представить себе надежды и мечты серьезного человека, затем он начинает буравить пронзительным взглядом для большего успеха. Образ Дэниэла пера в руках Аллена превосходен, если и существует фильм, который показывает, что искусство живет в воображении художника, то это он; бурное комическое обсуждение природы творения, «Пурпурная роза Каира» – это продукт творческого разума, на который воздействует мир, но на самом деле это животворный диалог с самим собой. Возможно, больше, чем любой другой фильм, созданный после «Энни Холл», этот фильм обнаруживает реальное зерно его таланта, его сущность, его внутреннее настроение – и обнаруживает творческое воображение, как его главный объект, во многих смыслах. Его работы снова и снова возвращаются к творцам из «Пигмалиона»,

«Для меня это было всегда самым лучшим, потому что у меня появлялась идея, и я переносил эту идею на экран, как я это хотел. Когда фильм был закончен, я сказал: «Да, у меня был сценарий и идея – и вот, что получилось!»

«Как могут настоящие сюрреалисты, она принимала все нерациональное как обычный порядок вещей». Кинокритик New York Times Винсент Кэнби выделил игру Мии Фэрроу в своем обзоре.

превзойденных их непослушными творениями. В его одноактной пьесе «Олд-Сейбрук» автор сдается на половине недописанного сценария и откладывает его в ящик, а персонажи начинают бунтовать, открывают ящик и захватывают его дом в Коннектикуте. «Все было очень хорошо, когда я режиссировал эту пьесу для Театра Атлантик, – вспоминает Аллен. – Спустя годы Ларри Гелбарт сказал мне, что писал шоу, а персонажи сбежали от него, и я узнал эту проблему, так как такое и со мной происходило, и обычно это приводило к хаосу. Я думаю, важно сохранять контроль над вашими выдуманными персонажами, и «Пурпурная роза» – хороший пример того, что происходит, когда вы этого не делаете».

Ханна и ее сестры

1986

Сверху, слева направо: Ханна (Миа Фэрроу) и ее сестры – Ли (Барбара Херши) и Холли (Дайан Уист).

Сначала появилось название. Потом идея: человек влюбляется в сестру своей жены. Аллен всегда восхищался сестрами. Во время съемок «Хватай деньги и беги» он был близок со своей коллегой Джанет Марголин и ее двумя сестрами; Дайан Китон и ее две сестры сформировали изначальное вдохновение к «Энни Холл». «Интерьеры» тоже были о трех сестрах. «Меня чрезвычайно привлекают фильмы, спектакли или книги, которые исследуют ментальность женщины, особенно умной женщины, – говорил он. – Я редко думаю о мужских персонажах. Я был единственным мужчиной в семье, состоящей из многих-многих женщин. У меня была сестра, кузины, мать с семерыми сестрами. Меня всегда окружали женщины».

Он только что перечитал «Анну Каренину» Толстого, и ему понравилась идея повествования, которое проходит через группу персонажей, рассказывая сначала историю одного человека, затем другого.

Сестры встречаются с родителями, мужьями, бывшими мужьями, различными друзьями и родственниками, все это происходит в течение двух лет и трех Дней благодарения, во время которых временные отношения начинаются и заканчиваются, что-то меняется, но жизнь идет дальше. «Пока мы гуляли, работали, ели, спали и жили наши жизни, история Ханны

«Люди мне говорили: "Фильм такой позитивный, такой оживленный", а я думал: "Что я сделал не так?"»

Напротив: семейный портрет. Миа Фэрроу со своими детьми из реальной жизни и матерью Морин О'Салливан, которая получила такую же роль в фильме «Ха́нна и ее сестры».

Справа: зимняя прогулка по Центральному парку во время съемок в начале 1986 года. Аллен не появлялся на экране в «Пурпурной розе», но вернулся на экран в роли бывшего мужа Ханны Микки.

обрастала деталями, деталь за уже знакомой деталью», – сказала Миа Фэрроу, чьи отношения с ее двумя сестрами, младшая из которых Тина уже играла небольшую роль в «Манхэттене», сильно вдохновили Аллена. Однако, когда она получила окончательный сценарий, она начала его критиковать необычно для себя.

«Персонажи кажутся эгоистичными и распущенными, – написала она позже. – В то же самое время он был моим партнером. Я его любила. Я могла ему свою жизнь доверить. И писателем был он. Именно это и делают писатели. Это всем на руку. Родственники всегда ворчат. Он взял все самое обычное из наших жизней и поднял это в искусство. Мы были удостоены чести и поруганы».

Аллен сказал Фэрроу, что она может выбрать любую роль, но надеялся, что она выберет Ханну, самую сложную и загадочную из всех сестер, чью молчаливую силу он приравнивал к силе альпачиновского Майкла в «Крестном отце». Это сравнение содержит всю двойственность, которую он чувствовал к этому персонажу, так как он не решил, каков уровень ее нравственности, пока он писал. На роль мужа Ханны Эллиота он хотел Джека Николсона, но у Николсона была договоренность на съемки в «Чести семьи Прицци» с Джеком Хьюстоном, так что Аллен предложил роль Майклу Кейну, который был другом Фэрроу более 20 лет, именно он их познакомил. «Атмосфера на съемочной площадке Вуди была немного похожа на работу в церкви, – сказал Кейн. – Он был очень тихим и чувствительным человеком, который любил работать в очень спокойной атмосфере, так что даже съемочная группа на его картинах, по большей части эти люди работали с ним не один раз, была самой тихой и спокойной съемочной группой, с которой я когда-либо работал».

Аллен впервые работал с оператором Антониони Карло Ди Пальмой, съемки начались осенью в 1984 году в Нью-Йорке, в реальной квартире Фэрроу в Лэнгхэме в Центральном парке, она стала квартирой Ханны, а ее дети принимали участие в сценах с большой семьей на День благодарения. Они приходили к 8:30, набрасывали свои действия, иногда им приходилось начинать съемку лишь к девяти вечера, потому что световой день был слишком долгим. «Моя квартира превратилась в ад», – рассказала Фэрроу, которая несколько ночей не могла найти свою собственную кровать. «Комнаты были завалены оборудованием. 40 людей приходили на рассвете и занимали любое возможное место, наши личные драгоценности были унесены неизвестно куда. Кухня стала активной съемочной площадкой на недели… было странно снимать в моей собственной квартире – моя кухня, мои кастрюли, мои дети, произносящие реплики, Майкл Кейн в моей ванной в халате ковыряется в моей аптечке. Или я лежу на своей собственной кровати, целую Майкла, а Вуди смотрит… Волнение, и невозможность найти что-либо иногда немного сводили меня с ума. Но детям все нравилось».

Как обычно единственными реальными указаниями Аллена своим актерам были изменения слов в сценарии, чтобы они чувствовали себя комфортно. «Первое, что он говорил – если тебе не комфортно, поменяй слова, – сказала Дайан Уист. – Небольшие вещи, как изменение глагола или существительного, или добавление

«Не знаю, помните ли вы меня, но я с вами провел худшую ночь в моей жизни». Случайная встреча в магазине пластинок позволила Микки и Холли забыть об их катастрофическом первом свидании.

«Знаешь». Вы знаете?» Он также подталкивал всех к тому, чтобы говорить одновременно, прерывать друг друга и реагировать на реплики друг друга. «Вуди мог сказать нам: «Не надо просто пассивно слушать. Вы должны внятно реагировать, – рассказала Фэрроу. – Другие режиссеры не любят перекрытие фраз, потому что это мешает им монтировать в обычном режиме с крупными планами и кадрами, снятыми через плечо. Но стиль Вуди заключается в том, чтобы делать долгие мастер-планы, которые покрывают всю сцену в одном текучем движении, что означает, что создание атмосферных диалогов иногда лучше, чем создание чего-то действительно важного. Один оператор называл это «добавить чего-то не очень существенного».

Только когда он слышал фальшь, он набрасывался на актера. Однажды он поймал Кэрри Фишер, которая пыталась сымитировать сбивчивую игру Дайан Китон, он ей сказал: «Не делай так, скажи одну фразу за один раз». А когда она пришла на сцену с вечеринкой и размахивала руками, он ей сказал: «Ты играешь как моя тетя Вельма». Он также лично подбирал гардероб и прическу для каждой актрисы, проверял макияж и перепроверял его, он даже переснимал сцену, если чувствовал, что малейшая деталь в их внешности выглядит не так. Однажды Барбара Херши надела на съемочную площадку свой любимый голубой свитер, она не собиралась надевать его во время съемок. «Он мне сказал: «Не носи этот цвет, пока ты живешь». Мне было тяжело снова надеть этот свитер после такого».

«В фильме очень простой сюжет о мужчине, который влюбляется в сестру своей жены… но я перечитал «Анну Каренину» и подумал, интересно, как этому парню удалось рассказать несколько разных историй, перепрыгивая от одной истории к другой. Мне понравилась идея экспериментирования с этим».

Только около 20% оригинального сценария попало в фильм. Многие завершенные сцены были вырезаны, например сцена в художественной галерее с Тони Робертсом и сцена секса Херши и Кейна; также были обычные пересъемки, включая концовку, которая изначально показывала Эллиота, который по-прежнему безнадежно влюблен в Ли, но он не может выбраться из своего брака с Ханной. «Но когда я это посмотрел, это было похоже на что-то, уже убранное со стола. Она была негативной, унылой. Так что я интуитивно довел вещи до концовки, где все персонажи счастливы, и картина была очень успешной. Но мне она никогда не казалось позитивной. Мне казалось, что у меня есть очень душераздирающая идея, но, в конце концов, я этого не сделал».

С этой планки он мог формировать клин, который позволил ему полностью изменить фильм («Ханна и ее сестры» – это фильм, который, мне кажется, я очень сильно запорол») – точно так же он делал со всеми фильмами, которые получали широкий успех, но многие с этим не соглашались, включая Барбару Херши. «Общее представление о том, какими глупыми и грустными, и веселыми, и очаровательными мы являемся, чтобы так много думать обо всех этих отношениях, хотя на самом деле мы все умрем. И тем не менее, а что еще нам остается? Это чудесный взгляд на то, насколько важна наша жизнь, и в течение небольшого промежутка времени мы получаем лучшее, на что мы способны, исключая то, что делаем из себя абсолютных дураков, пытаясь жить. Такие милые концовки реально воздействуют на меня».

После выхода фильма критики его превозносили. «Величайший триумф Вуди», – провозглашал Рекс Рид в New York Observer. «Режиссерский и писательский стиль Аллена такой сильный и уверенный в этом фильме, что само кинопроизводство становится повествующим голосом», – написал Роджер Эберт в Chicago Sun-Times. Даже Полин Кейл была очарована, она назвала фильм «достойным мастерским фильмом». Фильм

Ипохондрик Микки звонит своему доктору по поводу других проблем со здоровьем.

побил рекорды в Вест-Энде Лондона и стал всеобщим любимцем в Каннах, там он был дополнен специально снятым интервью с Алленом, которое режиссировал Жан-Люк Годар. Он получил три Оскара за Лучший оригинальный сценарий, Лучшего актера второго плана для Кейна и Лучшую актрису второго плана для Уист, но ничто из этого не отвлекло Аллена от его угрюмой точки зрения на фильм. «Я не думаю, что «Ханна» настолько же хороша, насколько «Синий бархат», – говорил он. – Лучшей картиной года был «Синий бархат», по моему мнению. Мне там все нравится». Когда Дэвид Линч получил номинацию на Оскар, он съязвил прессе: «Я хочу поблагодарить Вуди Аллена».

Проблема творческих талантов, имеющих такую же аллергию на реальность, как Аллен, – это материал. В его старой шутке он есть – он может ненавидеть реальность, но это единственное место, где можете заказать хороший ужин со стейком. Жизнь нужно жить, опыт переживать, материал появляется, если писателю не приходится находиться в помутненном состоянии, в герметически закупоренном самоуслаждении. Теперь силы Аллена на самоуслаждения невероятны. После травмы, нанесенной всеобщим успехом в 1970-х, он потратил большую часть 1980-х на восстановление, он застрял в ностальгической идиллии воображения, которая растянулась от первого хоум-рана Бэйба Рута до последнего фильма с братьями Маркс, что сформировало такие работы, как «Зелиг» и «Пурпурная роза Каира» – фильмы настолько же замысловатые, восхитительные и законченные, как яйца Фаберже. Но между прочим, он также учился у Фэрроу, точно так же, как он учился у Китон, он собирал ее по ниточкам: ее привычки, ее темпы, ее отношения с семьей. С самой первой сцены фильма – День благодарения, заполненный пустой болтовней Ханны (Фэрроу) и ее

Сверху: Фредерик (Макс фон Сюдов, второй слева) отворачивается от потенциального шефа, представленного ему мужем Ханны Эллиотом (Майкл Кейн, справа).

Снизу: «О да! Ты живешь рядом?» Безумно влюбленный Эллиот спрашивает у случайно встретившейся на улице сестры своей жены Ли.

сестры Холли (Дайан Уист), и Ли (Барбара Херши), в течение которой мы узнаем о блудных помыслах мужа Ханны Эллиота (Майкл Кейн) относительно Ли и о мыслях Ли о поездке домой на такси («Я придумываю, или Эллиот немного в меня влюблен?»). Ханна и ее сестры появляются с романной напряженностью, но пользуются всеми свободами кино. Это самый богатый сценарий Аллена со времен «Энни Холл».

Он никогда не раздумывал над тем, симпатичный ли персонаж Ханна или нет, в результате появилась самая тонкая игра Фэрроу. Он нашел что-то загадочное в актрисе; несмотря на всю свою сердечность, достоинство Ханны («отвратительно превосходная») приводит ее к слишком глянцевому финалу, как будто она отказывается от недостатков, по которым другие люди сближаются, даже несмотря на то, что она связывает историю и воспитывает свою маленькую армию детей со своим мужем – финансовым аналитиком. «Есть что-то очень трепетное и реальное в образе Ханны. Она дает мне очень глубокое чувство того, что я часть чего-то», – думает Эллиот о ночи, когда он впервые спит с Ли, он виновато решает разорвать интрижку, но Ли звонит ему среди ночи, и он разжигается от звука ее голоса. Игра Кейна является отличным балансом увлеченности («Я хочу на воздух!») и агонии, он изгибается, как червяк, попавший на свой собственный крючок. Алленовский ряд мужских альтер-эго имеет склонность чудовищно страдать от вудиалленовскости, как одаренные актеры страдают от воплощения его манер и сбивчивой речи, но демагогия Кейна на мягком английском становится прекрасным средством для всей этой алленовской романтической амбивалентности – вся его рискованность, авантюрность и неустойчивая моральная умеренность проявляется в лице Кейна, сверкающего и мигающего, как поломанная лампочка.

Вся алленовская интеллектуальная гордость и мизантропия, с другой стороны, вкладывается в Макса фон Сюдова в роли влюбленного в Ли Фредерика, мрачного интеллигента, который сидит в своем лофте в Сохо и смотрит документальные фильмы про Холокост, чтобы прервать свою критику относительно 20 века на открытие того, что Ли ему изменяет. Он стучит пальцами по голове, как будто курсируя по своему

Обед перетекает в ссору между Холли и Ханной, пока Ли винит себя за роман с Эллиотом.

собственному интеллекту, его душевная боль придает чрезвычайную моральную важность образу измены – полный анализ от первой краски стыда до разрыва. «Сердце – это выносливый маленький мускул», – говорит сам себе Аллен, который дает комедийный контраст в роли бывшего мужа Ханны Микки – ипохондрика, чья боязнь опухоли мозга заставляет его уйти с работы телевизионного сценариста, как Иссак Дэвис в «Манхэттене», он занимает любимую позицию режиссера – он высказывается на тему жирных любителей бега, панк-рокеров и кришнаитов. Еще одна вещь в первый раз: его первая групповая съемка с ним во второстепенной роли, он больше не гвоздь программы. Каждый персонаж сам по себе является светилом здесь, а зрителям доступны не только мысли персонажа Аллена посредством закадрового голоса, но и мысли Кейна, Херши, Уист и Фэрроу, мы как будто настраиваем радиосигнал, а оператор Карло Ди Пальма перемещает камеру из комнаты в комнату, от лица к лицу, когда три сестры собираются вместе поужинать.

Время здесь работает только на то, чтобы подчеркнуть, насколько Дайан Уист является по-настоящему алленовским лидирующим женским персонажем – вместе с Китон и Фэрроу. В роли Холли она жонглирует неврозами и неудачными выборами, но она настолько этим поглощена, что ее лицо, которое, кажется, всегда снято в мягком фокусе, может быть всем, на что вам хочется смотреть – она самый трогательный персонаж Аллена со времен «Энни Холл». На этот раз одобрение критиков было верным: «Ханна и ее сестры» вполне может быть самой великолепно выполненной работой Аллена в качестве писателя-режиссера. 107 минут – это была его самая длинная картина к этому моменту, но она была легкой, оживленной и наполненной, на каждом углу там богатства, а подбор актеров совершенно точен между их глупыми сердцами и печальными головами, за ними всеми присматривал режиссер, который практически стал для них отцом – доброжелательным главой семейства, который к каждому своему персонажу относится с нежностью и откровенностью, которую обычно получают кровные родственники. Фильм в любом смысле семейный.

Дни радио

1987

«Большой яркий мультфильм, практически мюзикл, но не совсем», – говорил Аллен про «Дни радио». Он вырос из музыки. Он начал с того, что стал собирать записи, которые были важны в его взрослении – версию Арти Шоу Begin the Beguine, Бинг Кросби и Сестры Эндрюс Pistol Packin' Mama, Merry Macs Mairzy Doats – и начал собирать воспоминания, приукрашенные и преувеличенные, если было нужно. «Некоторые вещи очень похожи на правду, а некоторые нет, – говорил он. – Мои отношения с преподавателями были именно такими. Мое отношение к радио было таким. То же самое с еврейской школой. И мы ходили на пляж и смотрели на немецкие самолеты и немецкие лодки. И у меня была тетя, которая постоянно вступала в не те отношения и не могла выйти замуж. Она так и не вышла замуж. И у нас были такие соседи, которые были коммунистами. Много из этого было на самом деле. Нью-Йорк меня привлек автоматом и радиопрограммами. Моя кузина жила со мной. У нас была телефонная линия, по которой мы могли прослушивать соседей. Все это сходится».

Фильм снимали в Рокавее, на обветшалом курорте Лонг-Айленда зимой 1985 года, с присущими Карло Ди Пальме глубокими насыщенными цветами на сизом фоне Рокавейского пляжа. Аллену было все равно, что 70 человек из массовки должны ждать, или что материал приходится выбрасывать, потому что свет был не тот. «Когда я снимаю на пляже, я дожидаюсь отливов, – сказал он. – Конечно, многие люди делают природу невероятно красивой. В некоторых английских картинах и фильмах Стэнли Кубрика она бесценна, она такая красивая. Но мой личный вкус и предпочтение отдается съемкам на пляже в серые дни».

Изначально идея Аллена заключалась в том, чтобы связать каждую песню с определенным временем и местом, в котором его альтер-эго Джо (Сет Грин) впервые ее услышал, но вскоре эта работа стала монотонной, и Аллен начал окантовывать свою историю песнями других слушателей и важных для радио персон. Джефф Дэниэлс сыграл звезду радио 40-х годов Биффа Бакстера. Дэнни Айелл, Дайан Китон, Уоллес Шон, Миа Фэрроу, Джулия Кавнер и Тони Робертс получили свои роли, и это был первый и последний раз, когда Фэрроу и Китон вместе появились в фильме Вуди Аллена. Аллену было трудно вписать Китон в абсолютно еврейские места фильма, но в конце концов она пела классическую песню Коула Портера You'd Be So Nice to Come Home To в канун Нового года. Персонаж Фэрроу Салли увидела свет только после 35 разных кадров с 35 разными голосами. Они так и не выбрали тот, который будут использовать, пока не приступили к монтажу.

Тогда уже казалось нормальным, что приходилось переснимать некоторые сцены. Подборка актеров на 200 ролей со словами – «самая большая, которая у нас была» – была сокращена до 150. Первоначальное решение придать контраст теплым домашним интерьерам холодным ар-деко радиовещательных студий было заброшено, а материал пересняли.

Дайан Уист уехала на похороны отца, и Аллен добавил несколько дополнительных сцен с Салли и гангстером, который должен проучить ее вместо того, чтобы везти домой к матери. Благодаря дешевым съемкам этого фильма – даже с пересъемкой «Дни радио» стоил всего 16 миллионов – он мог буквально набросать свой фильм, а не прорабатывать его в деталях, он мог также придумывать целые новые сюжетные линии, позже. Ни один писатель-режиссер в истории кино – ни Чаплин, ни

Снизу: Джо (Сет Грин, второй справа) и его друзья смотрят за нацистским самолетом, но вскоре они отвлекаются на сигнал воздушной тревоги.

Напротив: наполненный людьми, шумный дом Джо был преувеличенной версией собственного дома Аллена в детстве.

«Я рассматриваю «Дни радио»
в основном как мультфильм.
И я подбирал актеров по их

«Невероятно приятная, ненапряженная вещь»

Напротив: с Мией Фэрроу в роли Салли – девушки, продающей сигареты, но имеющей амбиции пробиться на радио, – они использовали все возможные варианты.

Справа: Дайан Китон в необычной для себя мелкой роли безымянной нью-йоркской певицы. «Дни радио» – единственный фильм, в котором появились и Китон, и Фэрроу.

Внизу: «Сил, я дома! Сил, я поймал рыбу! Я огромную рыбу сегодня поймал». Дядя Эйб (Джош Мостел) принес домой еще одну рыбу.

Сверху: «Господи, это было так быстро. Возможно, потому что у меня икота». Салли оценивает свое свидание на крыше с похотливым Роджером (Дэвид Уоррилоу).

Справа: на площадке на Рокавейском пляже в Квинсе.

Престон Стерджес – никогда не пользовался гибкостью, вложенной в их двойной статус для чего-то, подобного этой гибкости.

То, что «Дни радио» так хорошо работает, в основном обосновывается этим уникальным рабочим методом. Сам Аллен называл это «чисто личным, эгоистичным» упражнением в ностальгии – «мультфильмом». Этот фильм запросто мог бы стать последовательностью скетчей, свободно соединяемых лишь музыкой. Он показывает вам, насколько глубоко музыка проникает в его кино, и насколько тесно его воспоминания изрешечены этими старыми песнями, насколько такая фантазия, напротив, питает весь мир, полный случайностей и живых образов, к этому осознанию он близко подошел еще в детстве, сопровождаемом суматохой шумных дядей и теть, и никуда не годным отцом, гонящимся за абсурдными схемами обогащения, чтобы, в конце концов, стать водителем такси. С этой точки зрения, самой важной сценой фильма может быть та, где юный Джо идет по украшенным коридорам Радио-сити-мьюзик-холла, чтобы увидеть Джеймса Стюарта и Кетрин Хепберн, снимающихся в «Филадельфийской истории». «Это было как попасть на небеса», – рассказывает Аллен о своем первичном счастье, его версии того, как Бергман впервые встретил волшебный фонарь. «Я никогда не видел ничего более красивого в своей жизни».

Любой романист знаком со свободой, которая есть у Аллена в его собственной истории так же хорошо, как и с весельем, которое он получает от искажения воспоминаний в «Днях радио». Не достаточно просто

назвать фильм «ностальгическим», если это означает похвальбу для вида. Вместе с другими бриллиантами его писательской карьеры 80-х – «Зелигом», «Пурпурной розой Каира» и «Бродвеем Дэнни Роуз», с которыми он разделяет свое ощущение устной истории, басней, появляющихся в пересказах – важные вехи «Дней радио» – это история. Именно поэтому он дает нам три разных концовки истории Салли, запертой на крыше с похотливым Роджером (Дэвид Уоррилоу), в каждой следующей версии больше людей, чем в предыдущей, пока она не становится похожей на вечеринку всех звезд Вуди Аллена с Фэрроу и Джеффом Дэниэлсом, Уоллесом Шоном и Тони Робертсом, которые собрались на празднование Нового года 1944 года с шампанским, пока огромный подсвеченный лампочками цилиндр не подвисает над Бродвеем. Возможно, мы никогда больше не увидим голову Вуди изнутри, воссозданную так правдоподобно.

Сентябрь

1987

Миа Фэрроу играет капризную нерешительную Лэйн, «Сентябрь» провел черту между чередой приятных для аудитории фильмов, как «Бродвей Дэни Роуз», «Пурпурная роза Каира» и «Дни радио».

«Сентябрь» был беспорядочным с самого начала. Идея заключалась в том, чтобы снять что-то в доме Мии Фэрроу в Коннектикуте, изолированном поместье с плакучими ивами, как саван закутывающими озеро, которое однажды вызвало у отдыхающего Аллена мысль, что не удивительно, что люди убивают себя. Идея о чем-то чеховском, о безответной семейной любви и травмах прошлого появилась тогда. Аллен отложил написание сценария из-за съемок «Дней радио», он закончил сценарий в октябре 1986 года, к тому времени приближающаяся зима уничтожила какую-либо видимость позднего лета или ранней осени, так что весь фильм был снят в одном единственном павильоне на Kaufman Astoria Studios в Нью-Йорке. Из-за склонности к агорафобии это место подходило Аллену идеально. «Я хотел всех этих трудностей пространства с декорациями, – говорил он. – Чем больше у нас было внутренних элементов, тем я был более счастливым», хотя можно задаться вопросом об этом фильме, который изначально вдохновил пейзаж, неважно, насколько внутренне одержимым был режиссер в тот момент.

Если «Ханна и ее сестры» и «Дни радио» показали, чего может достичь алленовский удивительный метод съемок, когда он работает в полную силу, то «Сентябрь» подчеркивал в точности то, что могло пойти не так, когда фильм играет на руку нервным перфекционистским инстинктам режиссера, который не владеет своим материалом. «Мы переснимали каждую сцену, иногда четыре или пять раз», – отметила Фэрроу, которая сыграла центрального персонажа Лэйн. «Вуди переписывал основные сцены по ночам или во время обеда, пока актеры торопились разучить переписанное и долгие речи, и иногда тяжеловесный диалог казался значительным и свежим. Хорошие актеры отходили на второй план, как, например, моя мать. Частично актеров заменили. В воздухе висело ощущение сомнения». Изначально роль безнадежно пассивного Питера предназначалась Кристоферу Уокену, но он казался слишком сексуальным в этой роли, и его заменили Сэмом Шепардом, который вряд ли нравился Аллену больше, он потерял самообладание, когда актер пустился в импровизированный монолог о славе Монтаны («Монтана?» – сказал он ему лично, – «Монтана?»). Как только он увидел Денхолма Эллиотта в роли психиатра, отчима Лэйн, то подумал, что он будет лучше смотреться в роли овдовевшего соседа Ховарда, которого играл Чарльз Дернинг, чьей игрой он был тоже недоволен, так же как и игрой матери Фэрроу Морин О'Салливан, которая играла ее киномать. Посмотрев первую версию монтажа, Аллен возненавидел фильм.

«Когда я в первый раз увидел «Сентябрь», я знал, что должен его переделать, – сказал он. – И я сказал себе: «Поскольку я собираюсь четыре недели переснимать фильм, почему бы не переснять весь фильм и сделать все правильно?» Менеджер Orion Эрик Плесков «оцепенел», когда услышал новости, это оцепенение передалось всем руководящим кадрам студии. Переснять фильм – это одно дело, но выбрасывать картину с завершенной съемочным процессом было делом неслыханным. Но «мы не собирались портить отношения из-за этого», – сказал Плесков. Так что Шепард уехал на один из своих спектаклей в Калифорнии, а О'Салливан слегла с пневмонией, Аллен переписал весь сценарий, сменил почти полностью актерский состав и снял весь фильм во второй раз, теперь с Сэмом Уотерстоном в роли Шеперда и Элейн Стритч на месте О'Салливан, Денхолм Эллиотт перешел на роль Дернинга – «та же самая игра

Дубль два. Аллен ошарашил свою студию полной пересъемкой фильма с новым сценарием и радикально новым составом актеров. Здесь на фото он на съемочной площадке с новыми актерами Элейн Стритч и Сэмом Уотерстоном.

за больше денег», – съязвил Эллиотт. А Джека Уордена взяли на роль отчима. В первый раз Аллен более, чем в два раза превысил затраты на съемки и сильно опоздал по графику. «Я знал абсолютно точно, что мы ни цента не получим, – говорил он. – Ни цента».

Фильм собрал лишь 486 тысяч долларов в кинотеатрах, он остался фильмом Вуди Аллена, принесшим самый низкий доход. Нетрудно понять, почему. Фильм сконструирован как ряд диалогов, которые на самом деле являются сменяющимися монологами персонажей, которые ведут личную борьбу со своими метаниями. Все ведут себя с крайней степенью нерешительности, они колеблются и затираются, как колибри. Получив травмы от своей вульгарной властной матери, Лэйн (Фэрроу) безрезультатно беспокоится об отсутствии у нее карьерного направления, она ведет себя тихо, как мышка, как будто если она будет вести себя по-другому, она разорвется. И когда ее мать Стритч заходит в каждую комнату, и когда она не пускает никого в свою во время коктейльной вечеринки с людьми, с которыми она только что познакомилась. Смена актеров вряд ли помогла им сыграться. Во время шторма Питер, Ховард, Лэйн и ее подруга Стефани (Дайан Уист) показывают свои безответные чувства друг другу, которые мгновенно отклоняются. Мать Лэйн имеет больше успеха, общаясь со своими мертвыми любовниками с помощью доски для спиритических сеансов. В самом деле, весь фильм имеет траурную тишину разговоров с миром духов. Он настолько блеклый, нервный, что они проходят прямо мимо тебя – призрак фильма.

Это был седьмой фильм, который он делал с Фэрроу, и их коллаборация начала остывать, образы, которые он давал ей, замыливались чувством обиды, казалось, что актриса все больше уходит в себя с каждой ролью. Первый из трех фильмов, в которых Фэрроу боролась с выпивающей, неудачливой матерью актрисы, «Сентябрь», кажется, вышел из желания Аллена не создать увлекательную драму, а составить психологический портрет своей пассии. Этот фильм погруженный в себя, но окостенелый, как «Интерьеры». В самом деле, кажется, установился паттерн, в котором Аллен отвечает на травму от всеобщего признания картиной такой же неисправной, как и персонажи, которых эта картина пытается анализировать. После «Энни Холл» – «Интерьеры». После «Ханны и ее сестер» – «Сентябрь». Алленовское неправильное истолкование концовки «Ханны», в этом случае, информативно. Если вы видите оптимизм финального ужина на День благодарения в квартире Ханны как подачку амброзии массам, как он и сделал, а не как ключевой акт благотворительности, который заполняет мировоззрение любого крупного художника, тогда вы закончите картиной такой же мрачной и монотонной, как «Сентябрь», чтобы уравнять счет.

«Это точно не то, что я
сел писать. Я называю это
“барахтаться”».

Другая женщина

1988

«Другая женщина» начала свою жизнь как «комедия в стиле Чаплина» о мужчине, который подслушивает, как женщина разговаривает со своим аналитиком. Когда он узнает, что она красива, он использует информацию, которую узнал из ее сеансов, чтобы превратиться в мужчину ее мечты. Аллен был не в настроении для такой романтической софистики, подслушивание тяготило его отсылками к Хичкоку, но идея продолжала занимать его. После она превратилось в другое его упражнение с вытеснением в подсознательное: женщина, эмоционально подавленная, но в свои 50 она не может сдерживать свои эмоции. «Это кино о женщине холодной, умной и блестящей, она не хочет знать правды о своей жизни, она не заинтересована в правде, поэтому она ее вытесняет, – пояснил он. – Ее муж ей изменяет. Она это блокирует. Она холодна. Она холодна к своему брату. У нее нет близких отношений с отцом. И все это она не хочет знать и не хочет это раскрывать. И в конце концов… она становится дамой средних лет и правда наваливается на нее».

Он в первый раз работал с оператором Свеном Нюквистом, который создал задушевный стиль съемок с множеством крупных планов с Ингмаром Бергманом, этот стиль он называл «два лица и чашка чая». Аллен любил крупные планы меньше, чем Бергман, он предпочитал более темную палитру, к которой надо было привыкнуть. «Сложно делать картину полностью в грязных тонах», – язвил художник по костюмам Джефф Курланд. «Но их лица выглядели, как помидоры», – жаловался Нюквист. «Ему это понравится, – говорил Аллен. – Но даже сейчас лаборатория еще не понимает, насколько мрачный я хочу фильм».

Кастинг был похож на хоровод, как и с «Сентябрем». Предполагалось, что Миа Фэрроу будет играть главную героиню Мэрион, но из-за беременности она не смогла, так что он отдал роль Джине Роулендс. Изначально роль ее мужа Кена должен был играть Бен Газзара, но Аллен поменял его на Иэна Холма. Дайан Уист должна была сыграть Хоуп, но не смогла из-за болезни, так что роль получила Джейн Александер, но, когда она не справилась с ролью, он снова вернул Фэрроу, чью беременность можно было вписать в роль. Продюсер Роберт Гринхат и продюсер Джо Хартвик были раздражены постоянным переделыванием сценария во время съемок. Изначально фильм должен был начинаться с одного-единственного длинного кадра с Мэрион, которая идет по улице и несет продукты в свою новую квартиру. После того, как команда в течение двух часов подготавливала кадр, Аллен передумал. «Нет», – только и сказал он. Команда приступила к демонтажу оборудования. Другая сцена, на переписывание и пересъемке которой настаивал Аллен, даже не попала в финальную версию фильма.

Этот фильм был более увлекательным, чем «Сентябрь», и, тем не менее, он был в два раза менее прорывным, чем о нем думал Аллен. Более точно, первая половина, которая разворачивает незнакомое его творениям чувство – подвешенность. Сурово красивая Мэрион (Роулендс) одна в квартире, которую она арендовала для писательства, она подслушивает склонную к суициду женщину (Фэрроу), которая изливает свои страхи о замужестве своему психоаналитику. «Самообман», – выносит она вердикт. «Немного обще, не так ли?» – говорит аналитик. Вот

Напротив: смотрит в одном направлении с Джиной Роулендс (Мэрион).

Справа: в «Другой женщине» есть 10-минутный отрывок со сном Мэрион из ее подсознания, во время которого ее муж Кен (Иэн Холм) и ее подруга Клэр (Сэнди Деннис) репетируют спектакль.

Слева: Мэрион вспоминает свои отношения с Ларри (Джин Хэкмен).

Напротив: «И что дальше?» Решение проблемы с Роулендс и Филипом Боско, который сыграл первого мужа Мэрион Сэма.

такой фильм, он страдает от критического недостатка развития. Подслушанные разговоры вызывают размышления Мэрион о ее собственной жизни: ее первом браке, ее неудовлетворяющем втором браке с успешным кардиологом (Иэн Холм), воспоминания о мужчине (Джин Хэкмен), который некогда безумно любил ее – все эти размышления искусно зарисованы, но в тот момент, когда мы ожидаем, что сюжет начнет развиваться, Аллен поражает нас бессмысленным 10-минутным сном, а ля Бергман, в котором Мэрион ищет примирения со своими призраками чопорным литературным языком, пока третья Гимнопедия со вкусом звенит на фоне. Информация на освежителе воздуха тоже должна быть сделана со вкусом. «Мне кажется, мы все представляем, что могло бы произойти, но это было так давно», – говорит Хоуп после случайной встречи с Мэрион. Этот момент тоже быстро проблескивает драматическими возможностями, но сходит на нет с сырым обменом сожалений.

Если бы фильм был комедией, Аллен практически точно задал бы себе старый вопрос Дэнни Саймона: «И что дальше?» Но его фильмы этого периода – особенно «Сентябрь», «Другая женщина» и «Тени и туман» – кажутся вялыми и истощенными, они исследуют жизни, застрявшие в рутине, их порывистая, бесплодная энергия всего лишь непреднамеренная пародия. Снобистские желания, кажется, провоцируют алленовские перфекционистские импульсы, изгоняя силы, которые дают его комедиям жизнь и разворачивают его драмы слой за слоем техники, которая окутывает эмоции с самого центра. Эти эмоции сопряжены с одержимостью, но они путаные, как будто кто-то беснуется от того, что у него что-то чешется, но он не может почесать это место под семью свитерами. Учитывая все эти изменчивые намеки на судьбу, даже не упоминая сюжетов с изменами, никто не может не задаться вопросом о столкновении двух встречных поездов в семейной жизни Аллена, которое уже дает о себе знать слабыми вибрациями на трассе – это не совсем искусство, которое имитирует жизнь, это искусство, беременное от жизненных сюжетов, когда плод еще не появился на свет.

«Я вижу это как кульминацию путешествия, которое, я думал, может занять 10 лет, но заняло около 25».

Преступления и проступки

1989

Аллен написал «Преступления и проступке» в отелях во время отпуска в Европе летом 1988 года, печатая наспех на бумаге каждого отеля, в котором он был – на длинных, узких листах Villa d'Este на озере Комо; широких идеально белых с золотыми выпуклыми буквами в Gritti Palace в Венеции; элегантно голубых в Claridge's в Лондоне. К тому моменту, как он добрался до Лондона, карманы его пиджака, где он хранил свои наброски, раздулись, как будто там у него были буханки хлеба, и его ассистентка Джейн Мартин убедила его оставить работу в сейфе отеля, хотя бы чтобы не пролить на них суп в ресторане. Каждый день у Аллена становилось все больше листов бумаги, он складывал их пополам и запирал их, пока шатался по Вест-Энду.

Вернувшись в Нью-Йорк, он собрал первый черновик того, что было условно названо «Братья», это был сценарий о двух братьях, одного из которых, выдающегося доктора, шантажирует любовница, и он просит второго убить ее от его имени. «И он выходит сухим из воды! И он, предположительно, может жить чудесной жизнью. Если он не выбирает наказать себя, то все у него хорошо, – отметил Аллен. – Если бы кто-то другой снимал «Преступления и проступки», у него была бы чудесная сцена убийства. Альфред Хичкок или Мартин Скорсезе: мужчина стучится в дверь, у него в руках букет, и она открывает дверь, а дальше идут полторы минуты чудесной операторской работы. Единственное объяснение, которое я могу дать, что это мой фильм, потому что я больше писатель, чем кто-то еще, все, что я хочу донести до зрителей – о чем я говорю, о чем философствую – становится для меня материальным. Мне не интересно убийство само по себе. Убийства случаются, так что кто-то может порассуждать о вине и боге».

Мартина Ландау позвали на прослушивание на роль Иуды, он был рад такой роли, но переживал, не потеряет ли он зрителя. «С чего бы это людям захочется тратить время на то, чтобы смотреть на этого придурка?» – спрашивал он, но Аллен взял его без промедления и согласился немного пересмотреть

Клифф (Вуди Аллен) узнает, что отдал Халли (Миа Фэрроу) своему ненавистному родственнику Лестеру (Алан Алда).

сценарий, особенно сцены с ним и его любовницей, которую сыграла Анжелика Хьюстон, получившая лишь часть сценария с репликами ее героини. Точно так же актеры, играющие семью Иуды, ничего не знали о роли Хьюстон, только то, что персонаж Рандау исчезает и винится в своих телефонных звонках. Изначально Аллен не собирался сам появляться в фильме, но по запросу Touchstone он написал небольшую роль создателя документальных фильмов Клиффа Стерна, который снимает фильм о старом телепродюсере, который влюбляется в медсестру Мии Фэрроу. «Хорошо, – сказал Аллен после просмотра чернового монтажа. – Хорошая новость состоит в том, что это лучше, чем я думал, исключая очевидно необходимых монтажных ходов и срезок. Плохая
новость – история Мии и моя история не работают».

В течение следующих нескольких недель он полностью выбросил треть истории, включая документальный фильм, и перекроил сюжет, пересняв 80 из 139 кадров фильма. Радикальный пересмотр даже по стандартам Аллена, что сделало этот фильм в обгон «Сентября» самым переделанным. Пока съемки шли своим чередом, коробки с пленкой, на которой были сцены с персонажами, которые больше не были в картине, были отправлены в просмотровый зал: сцены с Шон Янг были вырезаны; появление Дэрил Ханны сократилось до короткого камео, которое не упомянули в титрах. Тем временем, роль Алана Алды, треплющегося родственника Лестера, изначально имеющего эпизодическую роль, сымпровизированную на репетиции для одной единственной сцены, где он должен был появиться на вечеринке под руку с Дэрил Ханной, была сильно расширена. Аллен понимал, что у него появился подобающий антагонист. «В первой версии 13-й канал делал фильм о нем, и я [Клифф] возмущался, что все уважаемые люди становятся жертвами его чар, – говорил

Напротив: воспоминание о пробежке по пляжу Иуды (Мартин Ландау) и его проблемной любовницы Долорес (Анжелика Хьюстон). Актеры, играющие семью Иуды, ничего не знали о роли Хьюстон, пока они снимались в фильме.

Справа: «Позволь мне кое-что у тебя спросить. Я лицемер?» Лестер доверяется своей сестре Венди (Джоанна Глисон), жене Клиффа.

Аллен. – Так у меня появилась идея: «Почему бы мне не сделать фильм и не развить эту историю больше?» И потом она воплотилась в жизнь».

Аллен выдает свою самую болезненную игру в роли Клиффа, несостоявшегося документалиста, который с возмущением ходит как тень за выпендрежным телевизионным продюсером Алана Алды в «Преступлениях и проступках». Лицо Аллена – это лицо поникшего человека среднего возраста, он имеет виноватый вид превеликой мягкости – святой неудачник, обреченный из-за своей честности. Он исполняет множество комических моментов, особенно запоминается молчаливый взрыв саркастического хохота за спиной Алды, но этот фильм является самой явной постановкой вопроса о ложном Граале американского успеха: во всех сюжетах победители мускулисто и агрессивно выходят на первый план, пока благочестивые проваливаются. Эта же тема поднималась в «Сентябре», в котором Миа Фэрроу подавлялась ее оглушительно властной матерью. В мире Аллена, среднего периода, кроткие не наследуют землю. Их отбрасывают в сторону, и они оказываются под ногами у победителей с носорожьей кожей.

На лице Иуды запечатлена вина, его низкий сладкий голос дает резонанс тембра виолончели размышлениям Аллена о вине и боге. «Мы перешли от маленькой измены к смыслу бытия!» – отмечает его раввин, которого играет Сэм Уотерстон. Но игра Ландау находится в конфликте с центральным тезисом Аллена, самой его картиной о терзаемой совести, и самым слабом моменте его игры, когда ему приходится размышлять над моральными и философскими причинами его действий, особенно в сцене, в которой Иуда знакомится с детскими воспоминаниями членов своей семьи при обсуждении ужасов нацизма. «История написана победителями», – говорит одна тетушка. Ну да. Но нацисты проиграли. Гитлер умер в

Справа: две главные сюжетные линии сплетаются в конце, когда Иуда и Клифф встречаются.

Напротив: «Это позволит мне немного отстраниться». «Примерно на 3000 миль, если быть точным». Клифф захвачен врасплох заявлением Халли о том, что она уезжает в Лондон.

бункере, когда Берлин пал. Здесь победили правильные люди, точно.

Алдо тоже ужасен в роли елейного сердцееда Лестера, его руки обнимают талию каждой встречной женщины, он громко разглагольствует на все любимые темы Аллена, начиная от Нью-Йорка до комедии и политики («Комедия – это трагедия плюс время»), в то время как Клифф скептически закатывает глаза. Успешные невероятно пустые люди также являются одной из наиболее утешительных иллюзий публики, читающей New York Review of Books, хотя кто-то может обоснованно возразить, какие аспекты успеха Аллен находит столь мишурными, особенно на этой стадии его карьеры? Захваленный дома и заграницей, победитель каждой премии, какую только мечтал бы получить режиссер, Аллен имеет больше общего с Лестерами этого мира, чем унылый Клифф. Лестер – это Аллен в искаженном зеркале – освобожденный от сомнений по поводу самого себя, поглощающий аплодисменты, наслаждающийся своим успехом, чего никогда не делал Аллен.

«Когда я делаю фильм, который получает одобрение, которое не является мягким вариантом недовольства, я немедленно настораживаюсь, – сказал он. – Определенное количество одобрительных отзывов заставляет меня чувствовать себя комфортно и гордо. Но помимо этого, я начинаю чувствовать убежденность в том, что работа с какой-либо реальной искусностью, и проницательностью, и глубиной не может быть настолько популярной». Как будто в доказательство его правоты «Преступления и проступки» были перехвалены после его выхода, частично потому, что критики были рады увидеть, что он снова вернулся на экран брюзжащим, как это было в 1977 году. Джон Саймон назвал фильм «первым успешным сочетанием Алленом драмы и комедии основного сюжета и второстепенных линий» в New York Times – очевидный нонсенс. По факту, две половины фильма развиваются практически независимо одна от другой, они соединены лишь темой и финальной сценой, в которой Клифф и Иуда встречаются – грешник, очищенный от вины, и подобный святому, но бичующий себя неудачник, они сидят рядом на стуле для рояля и размышляют о несправедливостях мира. В сценарии эта сцена должна была состояться между Иудой и раввином Беном, но Уотерстон не смог присутствовать на съемках, так что его заменил Аллен, и сейчас, разумеется, трудно представить, что могло быть по-другому. Сцена такая мягкая, лицо Аллена расплывается в нежных угольных тенях Нюквиста, что кажется, что он почти разговаривает сам с собой, как действительно он бы разговаривал со своим модным рослым суперэго, но скрытое подсознание разворачивается в тихом напряженном диалоге.

«Есть определенное число фильмов, сделанных мною, которые я называю «романы по фильму», и «Преступления и проступки» – один из них. Там есть множество персонажей, и некоторое число историй разворачивается в одно и то время… Фокус заключается в том, чтобы удержать все эти истории в воздухе в одно и то время так, чтобы за всеми ними можно было проследить и вникнуть в

Элис
1990

Идея фильма «Элис» пришла в голову Аллену, когда он задумался об альтернативных методах лечения ячменя у него на глазу. «Я помню, что в то время мои друзья ходили к шарлатану в китайском квартале, они пили какие-то травки и отдавали за них целое состояние. У меня были проблемы с глазом, и я не мог от этого избавиться. Он просто вылезал снова и снова, и я уже все испробовал. В итоге мой друг сказал мне: «Я оплачу тебе прием у этого доктора, и я тебе гарантирую, он от этого избавится». Я сказал: «Я не пойду в китайский квартал». А он сказал: «Он сам придет к тебе и вылечит тебя. Что ты теряешь? Дай ему один прием, и, если он тебя не вылечит, хуже точно не будет». И я согласился, и этот парень пришел ко мне, и у него был с собой кошачий ус. И он засунул его в мой слезный проток и ушел – и, конечно, нулевой эффект. Когда я рассказал об этом моему окулисту, он сказал: «Никому не позволяйте ничего туда совать! Вы можете инфекцию подхватить! Бог знает, что может случиться!»

История с кошачьим усом уже появлялась в «Преступлениях и проступках» – ее пересказывал один из гостей Иуды, но история для «Элис», с рабочим названием «Магические травы Доктора Янга», была больше переделкой предпоследнего фильма Аллена. «Элис» – это комедийная версия «Другой женщины», – рассказывал он. – В «Другой женщине» Мэрион, главная героиня, слышит голоса из-за стены, и эти голоса заставляют ее изменить свою жизнь. А в этом фильме комедийный подход. Такая же женщина приходит к изменению своей жизни другим путем, но с похожей целью». История о зажиточной домохозяйке–ипохондрике, Элис Тейт (Миа Фэрроу), которую игнорирует ее богатый муж Дуг (Уильям Херт), она начинает пользоваться различными препаратами, выписанными китайским травяным лекарем. «Элис» позволяет Аллену повернуть его собственный скептицизм против него самого. Уловка заключается в том, что эти травки работают, они делают Элис невидимой и позволяют ей следить за своим мужем, который предает, воскрешают в памяти бывших возлюбленных, дают ей шанс закрутить роман с другим мужчиной и подпитывают ее желание быть писателем. Шарлатанство работает.

«В «Элис» есть стиль, – сказал Аллен, – прекрасное мультяшное качество, в некоторой степени похожее на «Дни радио». Съемки опять увидели возрождение перфекционизма режиссера, теперь в полном размахе. После съемок всего в течение шесть дней в ноябре 1989 года он понял, что у него нет годных кадров, и начал переснимать, он сходил с ума из-за неправильного угла съемок или внезапного проблеска белого платья Фэрроу из-под ее красного пальто, когда она гуляла по Центральному парку. «Все эта одержимость, это не перфекционизм, – настаивал он, – это побуждение – и все это не гарантирует, что фильм будет хоть сколько-нибудь хорошим».

Оригинальность, не дающая особой разницы, может быть – но фильм получился хорошим, очаровательная фантазия полного обновления в середине жизни. Критики фильм хвалили, но только как пустяк, следующий за «Преступлениями и проступками» с более сложной темой, в «Элис» режиссер играет в магическом реализме, что в «Другой женщине» и «Сентябре» воспринималось как сонная трагедия. Эта фантазия, быть может, слишком растянутая, продолжительность фильма увеличивается до необычно подробных 102 минут, пока Элис пьет травяные чаи акупунктуриста для того, чтобы исчезать и подглядывать за своим любовником-саксофонистом Джо (Джо Мантенья); чтобы вызвать призрака бойфренда Эда (Алек Болдуин), который ушел; исполнить волшебный полет над манхэттенскими небоскребами; прислушаться к совету необычайно опытной музы (Бернадетт Питерс) и уличить свою мать и сестру во лжи, опутывающих их семью. Магия,

Напротив: Миа Фэрроу в роли Элис Тейт, зажиточная домохозяйка – ипохондрик, находящаяся в очаровательной фантазии полного обновления в середине жизни.

Справа: Разговор с глазу на глаз с Фэрроу и Алеком Болдуином (Эд).

Сверху и напротив: «Скажи мне, что я не так плохо выгляжу, учитывая, что я мертв». «О, нет, учитывая, что ты мертв, ты прекрасно выглядишь». Травы акупунктуриста вызывают призрак бывшего бойфренда Элис Эда.

Справа: магический опыт Элис помогает ей открыть слабости ее мужа Дуга (Уильям Херт).

слишком расплывчато определенная, может показаться хилым замещением собственных приемов и желаний драматурга.

Но фильм работает, главным образом на руку Фэрроу, весь фильм, кажется, погружен в ее удивленный мышиный шепот. Вы прислушиваетесь, чтобы смотреть фильм. Ее величайший талант заключается в ее легковерности, она одна из самых великих верующих на экране. Это понял Роман Полански, когда он впервые открыл эти глаза на дьявольские происшествия в «Ребенке Розмари». Ее простодушие может быть особенно полезным для такого комедийного выдумщика, как Аллен, его сюжеты наполнены такими магическими элементами, как актеры, сходящие с экранов, и люди-хамелеоны, которые могут по желанию менять форму. Реакции Фэрроу: – чудесное сочетание сомнения и чуда, в котором никогда нет неверия, содержащее центральные элементы «Пурпурной розы Каира» и «Зелига». В «Элис» она раскрывает свои широкие глаза еще шире до тех пор, пока не кажется, что она готова заглотить весь мир целиком, хотя ее сцена с соблазнением с Мантеньей, в которой она понижает свой голос, чтобы расспросить его о мундштуках для саксофона («… мундштук, Джо, между губ…»), возможно, самая смешная вещь, которую она когда-либо играла. Она прекрасный ассистент Аллена в полностью магическом режиме. Можно рассматривать «Элис» как его прощальный подарок ей, прежде чем он магическим образом исчез.

Тени и туман

1991

Сценарий основан на одноактной пьесе Аллена «Смерть». Комедийная стилизация под «Процесс» Франца Кафки, фильм «Тени и туман» стали упражнением в чистой кинематографии – шанс для оператора Аллена Карло Ди Пальмы вместе с художником-постановщиком Санто Локвасто воссоздать серый мир теней немецких экспрессионистов при помощи использования тумана и приглушенных световых эффектов, чтобы создать поразительные очертания из прекрасного миража. «Трибьют Карло, – называл этот фильм Аллен. – Метафора фильма отчасти заключается в том, что как только вы выходите из дома ночью, складывается ощущение, что вся цивилизация исчезла... Город становится просто созданным по соглашению людей, он выполняет функцию чьего-то собственного внутреннего состояния. И реальная вещь, на которой ты живешь – это планета. Это безумная штука в природе. И вся это цивилизация, которая защищает тебя и позволяет тебе врать самому себе о жизни, искусственна и наложена на что-то еще».

К тому моменту этот фильм стал одним из самых дорогих его фильмов, изначально «Тени и туман» должен был сниматься при помощи моделей, но когда стало понятно, что это не работает, Аллен поручил своей команде построить в натуральную величину съемочную площадку площадью 26 тысяч футов в Kaufman Astoria Studios в Квинсе. Черпая вдохновение из изображений винтажного Парижа фотографа Эжена Атже и таких классических фильмов времен Веймара, как «Носферату» Ф.В. Мурнау (1922), «Безрадостный переулок» Г.В. Пабста (1925) и «М» Фритца Ланга (1931), они воссоздали часть старого европейского города, дополненного мрачными тупиковыми аллеями и церковью, которая была похожа на тюрьму, унылыми мощеными улицами, наполненными туманом. На самом деле, это был концентрат соевого соуса, который дымился из спрятанной бочки, что заставляло ипохондрика Аллена опасаться возникновения рака. Это были самые крупные декорации, когда-либо созданные в Нью-Йорке, и даже несмотря на это он переживал, что они недостаточно большие. «Когда строительство было закончено, мы понятия не имели, вдруг за неделю съемок мы исчерпаем всю эту съемочную площадку, и мы подумали: «Господи, нам нужно 10 таких площадок».

Это был его последний фильм со студией Orion, которая в мае 1991 года объявила, что задолжала 48 миллионов долларов. К ноябрю сумма долга выросла до 690 миллионов долларов, и компания попала под Главу 11 Кодекса США о банкротстве. Любая надежда президента Orion Эрика Плескова

Напротив: упражнение в чистой кинематографии, «Тени и туман» стал данью уважения немецким экспрессионистам.

Справа: Пол (Джон Малкович), цирковой клоун, и Мари (Мадонна), акробатка, в страстных объятиях друг друга.

«Было очень тяжело добиться нужной атмосферы в современном Нью-Йорке. Кроме того, я не хотел проводить время с 7 часов вечера до 7 часов утра следующего дня на улице зимой и, вероятно, заболеть».

Напротив: кафкианский зануда Аллена Кляйнман натыкается на девушку Пола Ирми (Миа Фэрроу), еще одну циркачку.

Справа: «Я только что показал этим очаровательным леди метафоры извращения». Джек (Джон Кьюсак) находит разговор таким же стимулирующим, как и любые другие услуги от заумных проституток (Лили Томлин и Джоди Фосер).

На следующей странице: собрание на съемочной площадке с Малковичем, Фэрроу и Мадонной.

на то, что Аллен вытянет их из этой дыры большим успехом своего фильма, была перечеркнута, когда он увидел финальную версию. «Он выглядел так, как будто его избили клюшкой, после того, как он это посмотрел», – сказал Аллен, который видел, как президент студии пытается подобрать хотя бы одно хорошее слово об этом фильме. «Я должен сказать, все время, когда я смотрю твои фильмы, я действительно удивляюсь, потому что они все такие разные», – в конце концов сказал он все еще дрожащим голосом. «Он искал, что можно сказать, – вспоминает Аллен. – Но снова, это было то, что я хотел сделать, и я надеялся, что найдется достаточно людей, которые посмотрят этот фильм, чтобы люди со студии не допекали меня».

Выход фильма в США был отложен до марта 1992 года из-за финансовых проблем Orion, вследствие чего фильм собрал меньше 2,75 миллиона долларов. Это странное творение, без всякого сомнения: тошнотворное сопряжение высокопарной аллюзии и вздорных деталей, сыгранных по правилам. Аллен играет зануду по имени Кляйнман, которого принимают за серийного маньяка, версию Кафки в образе аленновского растяпы, который потирает свои потные руки, когда он крадется по мрачным пустым улицам. Единственной комической вещью в поле зрения является то, что, кажется, что он бродит по чьему-то чужому фильму. Он натыкается на циркачку (Миа Фэрроу), клоуна (Джон Малкович), сумасшедшего ученого (Дональд Плезенс), метафизического мага (Кеннет Марс) и гарем философствующих проституток (Джоди Фостер, Лили Томлин и Кэти Бэйтс), прежде чем его начинает преследовать группа ущербных линчевателей, которые, кажется, сбежали из фильма Фритца Ланга.

Даже сюжет про серийного убийцу не связывает все это вместе. По чистоте аллюзии «Тени и туман» больше всего напоминают «Любовь и смерть», но Вуди Аллен, который сделал этот фильм, абсолютно точно упустил несколько шуток в этой погибельной атмосфере: кажется, весь этот туман напрашивается на фарс, но Аллен четко отыгрывает элементы фильмов немецких экспрессионистов; операторская работа высокого уровня активно работает против юмора.

«Тени и туман» оправдывают свое название. Его декорации, освещение и великолепная операторская работа – каракули на 14 миллионов, они не совсем скучны, но являются работой заскучавшего режиссера, этот фильм является кульминацией периода привередливого перфекционизма, который как раз начал подходить к концу.

Мужья и жены

1992

«"Мужья и жены"» были просто веселым экспериментом, – объяснил Аллен. – Я хотел сделать картину, которая не имеет никакого отношения к красоте или каким-то правилам. Я просто хотел сделать то, что должен был, например, склейку в середине сцены. Это один из тех фильмов, которые работают как заклинание, потому что еще до того, как я приступил к съемкам, я решил, что фильм будет выглядеть сырым и в нем можно будет все. Мне было наплевать на монтаж, я не заботился о планах, мне было все равно на склейки. Мы просто снимали, и, если я играл сцену с кем-то, или кто-то другой играл сцену, и сцена была очень хорошей, потом она становилась скучной, а потом снова становилась очень хорошей, мы просто отрезали середину и склеивали оставшиеся части».

Он хотел добавить необработанность документального фильма в свой рассказ о конфликтующих парах, в котором сыграли он сам, Миа Фэрроу, Сидни Поллак и Джуди Дэвис. Изначально он собирался снять все на 16-миллиметровую пленку, но его новый спонсор TriStar хотел, чтобы фильм был снят на более традиционную 35-миллиметровую пленку. Даже несмотря на это, он дал своим актерам довольно большую свободу внутри кадра, попросив Карло Ди Пальму подсветить все области кадра, чтобы актеры могли ходить так, как хотят. Он им говорил: «Идите, куда хотите, просто шагайте так, как хотите. Идите в темноту, идите в свет, просто играйте сцену так, как вы это чувствуете». Все, с физической точки зрения и с технической точки зрения, получали больше веселья от съемок в этом фильме, чем чего-то другого».

Повторение этого очевидно не алленовского слова «веселье» могло быть достаточным предупреждением, если бы эта оговорка («с физической точки зрения и с технической точки зрения») не раскрыла его планов: «Мужья и жены» был фильмом, который Аллен делал, когда новости о его отношениях с удочерённой Сун-и Превин взорвали личную жизнь и превратили её в лакомый кусочек для таблоидов. Даже до того, как это стало известно, 10-12-недельные съемки в кампусе Барнард-колледжа Колумбийского университета наложили свой отпечаток. Это был «очень напряженный фильм», сказал Ди Пальма, «эмоциональный опыт». Сцена, в которой Сидни Поллак вытягивает Лизетт Энтони с вечеринки и пытается впихнуть ее в машину, по сценарию должна была быть смешной, но когда она была отснята, то не понравилась Аллену. «Он сказал: "Нам придется это переснять и сделать ее реально неприятной"», – рассказала Энтони.

«Я сказала: "Вуди, я ни черта не понимаю, о чем должна говорить. Тебе придется мне помочь". А он просто сказал: "Кристалс, что это значит?". Я не знаю, что я там наговорила, но я вернулась и сделала это».

Реализм и уродливость конечного столкновения неоспоримы. «Он становился необыкновенно жестоким. Я не могла уснуть три дня после, и я не преувеличиваю, – рассказала Энтони. – Позже появились люди, которые с открытыми ртами говорили: "Господи, мы никогда не видели столько жестокости в фильме Вуди Аллена".

Из сгущающихся туч наконец начал лить ливень 13 января 1992 года, когда за два или три дня до конца съемок Аллену позвонила Фэрроу, которой не было

Напротив: конфликтующие пары Джуди и Гейб (Миа Фэрроу и Вуди Аллен) и Салли и Джек (Джуди Дэвис и Сидни Поллак).

Справа: Джек представляет Гейба своей новой девушке (Лизетт Энтони).

«Если содержание фильма, такого как "Мужья и жены" очень шероховатое, невротичное, если это нервный нью-йоркский фильм с бешеным ритмом, он просто требует такой же съемки, монтажа и игры».

Начало примирения Джека и Салли (слева), в то время как Гейб и Джуди понимают, что их брак окончен (напротив).

на съемках в этот день. «Я помню, как он взял трубку, – рассказал продюсер Роберт Гринхат. – Мы ждали его для съемок сцены. Я могу сказать, что на другом конце провода происходило что-то тревожное». Фэрроу нашла подтверждение отношениям Аллена с Сун-И. Ей потребовалось 10 дней, чтобы вернуться на площадку. Поведение Аллена было «мягким, извиняющимся и заботливым», отметила она, но сами съемки стали для нее пыткой: «Я не знала, как я вернусь и продолжу сниматься». В сцене, в которой ее персонаж Джуди говорит его персонажу Гейбу, что их брак закончен («Все кончено, и мы оба это знаем»), Фэрроу выглядит осунувшейся, как привидение.

Предвкушая скандальный успех картины, TriStar пододвинули выход фильма на пять дней, на 18 сентября, и повысили его дистрибьюцию с 8 городов до 865 кинотеатров по всем Соединённым штатам – это самый широкий прокат из всех фильмов Вуди Аллена. Они также потратили 6 миллионов на рекламу – в три раза больше, чем на предыдущие фильмы Аллена. «Неважно, как он будет сделан, он будет лучше в два или три раза», – сказал один из восхищенных шефов студии-конкурента. Журналисты ломились на обычно строго-контролируемые предпоказы. «Господи, легче в Йельский университет поступить, чем попасть на этот показ!» – кричал кто-то, стоящий вместе с журналистами в очереди в Лос-Анджелесе к одному из четырех пропускных пунктов. Пленку на пути в Даллас для показа звезды фильма Лиама Нисона украли на полпути, что привлекло внимание ФБР. Появлялись пиратские копии фильма, их продавали за 200 баксов. К тому времени, как фильм наконец вышел в прокат, TriStar за первые выходные получили 3,5 миллионов долларов, это стало новым рекордом фильма Вуди Аллена, хотя впоследствии зрители быстро перестали на него ходить.

Ручная камера трясется и шныряет по комнате. Актеры появляются без грима под резким светом. Их

язык достаточно вульгарен и груб. Прыгающие склейки подходят к измотанным нервам персонажей. Это не тот Вуди Аллен, который когда-то представлялся приятным символом феминизма – «думающим женским медвежонком для обнимашек», как его называл Джеймс Уолкотт. Во многом «Мужья и жены» Аллена являются ответом на «Сцены из супружеской жизни» Бергмана – его фильм имеет живодерскую, выбивающую из колеи откровенность, которая поднимает на голову выше других скучных объяснений кризиса среднего возраста. Речь идет о «Сентябре» и «Другой женщине», в которых, кажется, застрял Аллен. Он создавал их снова и снова, и с каждым разом Фэрроу все больше и больше становилась серой мышкой. Кажется, что она уходит в себя в этих фильмах, как будто чувствует себя под ударом. Раздражительность ее образа все больше и больше сдавливает ее. В «Мужьях и женах» она и все остальные дают себе волю. Атмосфера тихого пассивно-агрессивного ветшания дает дорогу открытой враждебности и грубым сквернословиям. Клыки Аллена наконец чувствуют плоть.

Это его самая свободная, максимально стилистически инновационная картина со времён «Энни Холл», в ней используются ложно-документальные формы – закадровый голос, ручная камера, интервьюеры на камеру – все это, чтобы добиться журналистской злободневности: мы смотрим документальный фильм о приматах в живой природе с такой же легкостью, как на отношения и кризисы среднего возраста манхэттенцев. Под рваной формой лежит сильный драматический концепт. Когда Джек и Салли (Сидни Поллак и Джули Дэвис) объявляют своим друзьям Гейбу и Джуди (Аллен и Фэрроу), что они разводятся, вторые отвечают шоком, огорчением и неверием. «Вы встретили кого-то другого?» – спрашивает Гейб. «Я чувствую себя разбитой», – говорит Джуди, как будто бы вторая пара разбивается вместе с первой. Это ошеломляющий центральный вопрос фильма: что если расставания – явления заразные, обещание хаоса, распространяющееся,

Слева: Джульетт Льюис в роли Рэйн, одаренной в писательском мастерстве студентки, которая катализирует разрыв брака Гейба.

Напротив: отношения Аллена и Мии Фэрроу обрываются прежде завершения съемок «Мужей и жен».

как заболевание или лесной пожар, на тех, кто находится рядом?

Выясняется, что новый опыт Салли в качестве одинокой женщины, особенно ее свидания с симпатичным монтажером Майклом (Лиам Нисон), внезапно начинает интересовать строгую Джуди. Джек тем временем начинает встречаться со своим глупым инструктором по аэробике Сэм (Лизетт Энтони), что заставляет Гейба заигрывать с идеей об интрижке с одной из его студенток, 20-летней Рэйн (Джульетт Льюис), что дает Аллену еще один шанс к постоянному вызову женщины-«камикадзе». «Может быть, потому что я писатель, есть какая-то эстетика в драматическом компоненте этого, – говорит Гейб. – В этом есть какой-то драматический дух, как будто я влюбляюсь в человека и в ситуацию». Идея драматурга, который пойман в сети возбуждения от своих собственных драм, является веским само-диагнозом и может быть таким близким к истинному взгляду в себя, каким Аллен не был ни в одном из своих фильмов. Как он говорит, пожимая плечами, вечером, когда он целует Рэйн во время грозы: «Сцена просит, чтобы ее сыграли».

Не стоит говорить, что лихорадочная атмосфера эмоционального оппортунизма в фильме является подарком его актерам. Фэрроу блистает пассивно-агрессивной твердостью: Джульетт Льюис продолжает свою игру из «Мыса страха» желающей внимания девочки; но Джуди Дэвис расцветает больше всех. Идет ли речь об утомительном потоке ненависти, высказанном по телефону ее бывшему мужу во время свидания: – «Яйца бы ему оторвать!» – шипит она про Дона Жуана, или о том, как она отстраняется от поцелуя с извинением «метаболически, это не мой ритм», она играет концерт для виолончели на натянутых нервах этой женщины. В конце концов они с Джеком сходятся, разрешительный пожар теперь направляется на отношения Гейба и Джуди. Обычно, чем более унылым он становится, тем более вялыми становятся его драмы, как будто ему недостает жизненных сил для эмоциональной тонкости или как будто он болезненно занят жизненным несовершенством в истинной трагедии, но «Мужья и жены» трещит и фонит черным электрическим зарядом, в нем есть смертельно-бледная серьезность, и она не напускная и не является эстетической позой. Это удары молнии – Аллен во всей своей мрачности и убедительности.

«Когда я закончил сценарий для "Мужей и жен", это было определенно игрой воображения. Я закончил сценарий задолго до того, как произошло то, что вы читаете в газетах. Он не имеет к этому никакого отношения».

Загадочное убийство в Манхэттене

1993

Аллен долго размышлял над идеей собрать персонажей «Энни Холл» и посмотреть, что с ними произошло. «Я сохранил некоторую пленку от оригинала, так что мог бы показать их молодыми и старыми», – однажды задумал он, но «Загадочное убийство в Манхэттене» подошло к этому так близко, что он и не подозревал. Фильм был адаптацией одной из частей истории из 1977 года, которую он не использовал: та часть, в которой Энни и Элви надевают свои маски детективов и расследуют убийство в ее наполовину построенном доме. Тогда он сказал своему коллеге по писательству Маршаллу Брикману, что у него может быть история, чтобы сделать из нее кое-что, но из нее так ничего и не вышло, и 15 лет спустя в поисках новой идеи Аллен позвонил Брикману и спросил его: «Почему бы нам не попробовать придать этому форму?»

То, что Аллен вернулся на сцену своих величайших кассовых сборов и триумфа у критиков на волне своего расставания с Мией Фэрроу, неудивительно, хотя сценарий изначально был написан под Фэрроу, которая должна была сыграть Кэрол. Из-за судебного процесса по опеке над их детьми, начавшегося в августе 1992 года, он позвонил Дайан Китон осенью и предложил ей исполнить роль; она тут же согласилась и прилетела в Нью-Йорк. «Она приняла от меня миллион звонков и позволила поныть у нее на плече, – сказал Аллен. – Было весело с ней работать. Для меня это была хорошая терапия, хорошее болеутоляющее».

С Китон в главной роли направление и развитие фильма изменилось. «Она такая сильная комедийная актриса, такая яркая комедийная актриса, что все акценты сместились. Она стала комическим центром фильма. Миа может играть комедийную роль, и у нее есть чудесное чувство комедии. Но я более сильный комедиант, чем она. Китон более сильный комедиант, чем я; у нее просто более магнетический и смешной экранный персонаж. Я могу работать весь год и написать для себя тысячу смешных реплик, но когда камера направлена на нее, вы хотите видеть только ее. Я думаю, что после Джуди Холлидей, она лучшая комедийная актриса из всех, что у нас есть».

Вуди Аллен и Дайан Китон в роли детективной супружеской пары Кэрол и Ларри Липтон в повторно использованных отрезках от «Энни Холл».

Сверху: Анжелика Хьюстон в ее втором фильме Вуди Аллена, но в этот раз она не стала жертвой убийства.

Напротив: Кэрол и Ларри открывают нам взгляд на то, какими Элви и Энни могли бы стать, если бы остались вместе.

Китон пришлось преодолеть некоторую первоначальную панику в ее первой сцене с Аланом Алдой, который сыграл уже разведенного друга по имени Тед. После недели съемок Аллен «просто сказал, что это не очень», вспоминает Китон, которая делала над собой усилие, чтобы вернуться на съемочную площадку. «Конечно, я была полностью ошарашена. Но Вуди очень вразумительный. Он говорит: "Ты снова это сыграешь". Это приятная вещь о нем, он очень честный, несентиментальный. Он отвечал мне так, как всегда отвечал мне, как будто я последняя идиотка. Как будто мы уже давным-давно в браке, или как будто я его младшая сестра».

Анжелика Хьюстон, сыгравшая сексуальную писательницу в черной коже, которая помогает команде мужа-жены Аллена-Китон Кэрол и Ларри Липтон решить загадку, назвала съемочную площадку «странно свободной от тревоги, саморефлексии и боли», по крайней мере в сравнении со съемками «Преступлений и проступков», в течение которых Аллен был тихим и отстраненным. «В этом фильме он появлялся в гримвагене, чтобы посмеяться над волосами Дайан и над ее большими фотоальбомами, каждый из которых был старательно помечен желтыми стикерами. С Дайан он был открытым и доступным».

Концовка оставалась проблемой в течение долгого времени. Убийцей первоначально был продавец марок, пока Аллен не изменил его на владельца кинотеатра, который позволил ему сделать площадку с заброшенным залом, наполненным зеркалами, как в «Леди из Шанхая». Шутка, которая заканчивает картину, изначально должна была прозвучать в середине, – Аллен считал ее «хорошей шуткой, но не такой уж выдающейся" после первого монтажа фильма он понял, что она будет лучше смотреться там, так что они взяли и сняли её. Когда убийство раскрыто, а Кэрол и Ларри остались в целости и сохранности, парочка идет по авеню, болтая обо всем, что случилось. Оказалось, что между Кэрол и Тедом не было никакой искры. Ларри пренебрежительно отзывается о нем: «Если убрать его туфли на платформе и искусственный загар, и зубные коронки, что у тебя останется?» И Кэрол отвечает без запинки: «Ты». Экран темнеет.

Если бы Энни Холл и Элви Сингер поженились, вместе дожили до среднего возраста и купили велотренажер, они были бы сильно похожи на Кэрол и Ларри Липтон, главную парочку в «Загадочном убийстве в Манхэттене». «Тебе не кажется, что мы превращаемся в старую удобную пару ботинок?» – спрашивает Кэрол после вечера, проведенного с двумя их соседями снизу, Полом и Лиллиан Хаус (Джерри Адлер и Линн Коэн). Соседи кажутся достаточно милыми, но немного скучными, с их коллекцией марок и планом по парной могиле: призраки брака будущего. На следующий день миссис Хаус выносят из квартиры ногами вперед: сердечная недостаточность. Но мистер Хаус не выглядит слишком расстроенным. Это может означать только одно, заключает Кэрол: милый старик убил свою жену и собирается удрать с молоденькой девчонкой. Старая пара ботинок начинает играть роль детективов.

Это ситуация комедии Аллена о супружеском возрождении – что-то вроде «Окна во двор» для пенсионеров, беззаботных и остепенившихся одновременно, играемая актерами, которые не могут спрятать своего наслаждения, которые находят, что

«Я просто понял, что сделал, я не знаю сколько, 22, 23 картины, и я просто хотел использовать какую-то часть года, чтобы сделать эту маленькую вещь для веселья. Это что-то вроде небольшого десерта. Это не настоящий обед».

Кэрол становится одержимой таинственной смертью ее престарелой соседки.

старое притяжение по-прежнему искрится. Идея для фильма, точно так же, как и центральная пара, кажется, становится только лучше с возрастом. Ни Брикман, ни Аллен не могли сделать детективный сюжет с убийством с Элви Сингером и Энни Холл, когда их любовь была в самом разгаре, потому что она и так была достаточно загадочной. Но использование возможности сыграть мисс Марпл парочке среднего возраста, у которой наибольший выплеск адреналина происходит благодаря паре билетов на сезонную выставку в Метрополитен-музей, создает приятное, доброе чувство. И Кэрол, и Ларри имеют соперников в любви: Теда (Алана Алду), старого друга, который не скрывает своего расположения к Кэрол и снисходительно относится к ее теориям заговора о соседях, и Марику (Анжелика Хьюстон), автора в издательстве Ларри, которая вскоре также загорается своими собственными теориями и стратегиями. Тонкие нюансы этого квартета заставляют камеру Карло Ди Пальмы работать над внезапными поворотами фильма, тут работает даже головокружительный облет вокруг Манхэттенского моста. Ничто не может столь же эффектно передать послание Аллена: я вернулся.

Оживленный, очевидно из-за присутствия Китон, он исполнил то, что можно назвать его последней по-настоящему сфокусированной комедийной игрой. Это как бы покадровое резюме всей его карьеры, только в обратном порядке. Мы начинаем с ворчащего и брюзжащего профессионального скептика, который пытается сказать свое веское слово, как глава семьи: «Я твой муж; я повелеваю тебе спать. Спи! Я приказываю. Я приказываю. Спи!» По мере того, как сюжет развивается, скептицизм Ларри тает и комедия Аллена омолаживается: он исполняет уморительный номер с колодой карт и размотанной лентой, там есть даже короткое появление во время сцены в спальне, такое же редкое, как появление китов над водой, улыбки Аллена. Наконец, выдавая себя за полицейских («они понизили требования к росту»), он и Китон достигают очаровательного шумного ритма их совместной работы в «Спящем» и «Любви и смерти»: они снова могут проникнуть в наполеоновский замок. Финальная шутка великолепна, но она становится еще лучше после тигриного рыка Аллена на камеру в момент, когда Китон произносит свою ключевую реплику, он как будто говорит: вы можете себе поверить, что я иду домой вот с ней? Он выглядит лишь на 20 лет.

После выхода фильма среди критиков появилась тенденция хвалить его. «Успешный Вуди в легком весе – не больше, не меньше», – заключил Оуэн Глейберман в Entertainment Weekly; «Мягкая, нетипично легкомысленная комедия о среднем возрасте, – написала Джанет Маслин в New York Times. – Приятная, мягкая и простая». Это выглядело так, как будто отвлекшиеся от шумихи с Фэрроу все были того же мнения, что и сам Вуди Аллен, который мягко осуждал свой фильм, говоря, что в нем нет «никакого спрятанного смысла, если там вообще есть смысл». С этой точки зрения и у братьев Маркс его не было. То, что он настолько тепло изобразил портрет брака вскоре после «Мужей и жен», работы, сделанной человеком, в котором брак вызывает такое же чувство, как и испанская инквизиция, было самым

Выдающиеся способности Аллена в стиле Чаплина, когда Марика (Хьюстон) дает Ларри уроки покера.

На следующей странице: портрет, сделанный Майклом О'Ниллом, 1994.

верным знаком того, что Аллен находится во власти полного возрождения. Этот фильм стал первым плодом его творческой холостяцкой жизни, он вызвал период артистической гласности, так как, находясь в творческом одиночестве впервые за десятилетия, Аллен понял, что снова чувствует обновленную жажду коллаборации, сначала со старыми и проверенными друзьями, такими как Брикман, Китон и Алда, а затем с новым поколением актеров: Шоном Пенном, Джулией Робертс, Леонардо ДиКаприо, которые вступили в этап зрелости во время приключений Аллена в «Высокой Серьезности».

«Освобожденный», – сказал он в 1999 году, когда я попросил описать эффект, который расставание придало его работам. «Потому что мне не кажется, когда я пытаюсь создать новый проект, что у меня автоматически в голове есть персонаж. Это освобождает. Я чувствую, что могу писать, а потом подбирать актеров, а не придумывать роли под них. Сейчас я не имею в виду то, что я делал с Дайан Китон, но с Мией, которая является замечательной актрисой, это длилось слишком долго. Было просто слишком много фильмов с ее ролями. Она никогда меня не разочаровывала, но вы делаете 12, 13 фильмов и начинаете хотеть других взаимоотношений».

«Есть люди, которые все время размышляют во внутреннем линейном режиме, и они таким образом делают чудесные фильмы. А есть люди, которые думают менее линейно, более отвлеченно. И я стремлюсь к тому, чтобы делать этого больше. Порой меня тянет перемещаться. Не умышленно, а инстинктивно».

Пули над Бродвеем

1994

Сценарий был написан во время беспокойного года, в течение которого Аллен и Фэрроу делили детей. Фильм «Пули над Бродвеем» стал самым крупным испытанием его способности находить убежище и спасение в работе. Он и его соавтор Дуглас МакГрат начали встречаться в квартире Аллена каждый день в январе 1993. Они садились друг напротив друга, соединяли диваны и рассказывали друг другу свои идеи. Однажды, расхаживая взад-вперед в попытках нащупать сюжет, размахивая руками, как Грек Зорба, Аллен внезапно остановился и щелкнул пальцами в знак начала шоу. «Это бурные 20-е, и есть драматург, который считает себя великим художником»...

Затем, согласно воспоминаниям МакГрата, зазвонил телефон. Аллен поднял один палец, подождал секунду и снял трубку, он начал говорить очень тихо. «Длинная история ментальных проблем... – мог слышать МакГрат, – ... попробовал все лекарства, которые известны человеку... частные детективы...»

Аллен повесил трубку, перевел дыхание, повернулся к своему коллеге, улыбнулся, поднял руки и снова щелкнул пальцами. «Окей... бурные 20-е... драматург... великий художник, и он идет к продюсеру в поисках денег на постановку его пьесы, но он сам хочет быть режиссером, чтобы защитить свои артистические нуж...» Телефон зазвонил снова. Аллен взял трубку. «Сильная клаустрофобия...» МакГрат услышал, как он спокойно сказала в трубку: «два красных глаза в окне... отправила своего ребенка на почту... волосы в глянцевой бумаге».

Наконец, после третьего звонка, прерывающего их работу, он повесил трубку и робко улыбнулся.

«Окей, – сказал он, поднимая брови. – Давай вернемся за работу над нашей маленькой комедийной безделушкой...»

Период, последовавший после скандала с Фэрроу, стал самой быстрой перестройкой в обычно спокойной жизни Аллена. Он нашел надежного соавтора в МакГрате, остальные бросили его, включая TriStar, которая после недостаточно успешных «Мужей и жен» и «Загадочного убийства в Манхэттене» расторгла контракт на три фильма. Ужаснувшаяся отношением к его другу продюсер Жан Думаньян предложила Аллену заключить контракт с ее компанией Sweetland, что дало ему бюджет, на 25 % превышавший предыдущий, щедрое вознаграждение самого режиссера и остатки от дохода после того, как Sweetland отобьет свои инвестиции. Думаньян получила четыре предложения по дистрибьюции, которые на самом деле означали первый независимый фильм Аллена. Выбор пал на Miramax, которая предложила свои услуги заранее.

Несмотря на то что Думаньян сократила большую часть съемочной команды Аллена, которую он создал со времен «Энни Холл», «Пули над Бродвеем» стал его самым дорогим фильмом к тому времени, он стоил 20 миллионов долларов благодаря декорациям из прошлого, для которых нужны были такие локации, как старый бальный зал в New Yorker Hotel, кооператив в стиле ар-деко на 22 этаже Тудор Плейс в Манхэттене, бродвейский театр Корт на 48-ой улице. «Нью-Йорк неисчерпаем», – прокомментировал Аллен, для которого мир с эффектами сепии, с подпольными барами и газетными киосками был еще одной данью уважения работам Дэймона Раньона. «Я годами вынашивал идею о гангстере, который оказывается обладателем реального драматургического таланта, но я бы не продолжил, если бы Дуг МакГрат не был бы без ума от этого сюжета, – говорит он сейчас. – Реальное озарение в «Пулях» было, когда гангстер решил убить девушку, чтобы спасти свой спектакль. До этого момента это было лишь забавным замечанием, которое ушло на второй план, но не совсем исчезло, и вот это вот решение убить ее и создало всю идею».

Он собирался сам сыграть главную роль, но понял, что его неопытного драматурга Дэвида Шейна лучше сыграет молодой актер. Он выбрал Джона Кьюсака, который впечатлил его в «Тенях и тумане». Он выбрал Чезза Палминтери после того, как его режиссер по подбору актеров Джульет Тейлор показала ему «Бронксскую повесть» Роберта Де Ниро, в которой он сыграл водителя автобуса из Бронкса. В роли Оливии, подружки гангстера, Дженифер Тилли просили свободно импровизировать, и переигрывать экспромт любого другого актера. «После первых пяти минут на съемках я поняла, что Вуди хочет, чтобы я не только импровизировала, мне стало очевидно, что он хочет, чтобы Оливия вообще не переставала разговаривать, – отметила она. – У него была такая идея

Закадровый портрет Аллена на съемочной площадке во время съемок фильма о Бродвее 1920-х. Позже Аллен адаптировал фильм в мюзикл, который открылся в апреле 2014 года в театре Сент-Джеймс в Нью-Йорке.

«Это было великолепное, яркое время. Все было очень гламурным. Все курили папиросы, и наряжались к ужину и ходили в ночные клубы. Это время действительно было очень утонченным. Так что я хотел сделать некоторые фильмы в это время, потому что это веселье».

Сверху: «Замолчи!»

Напротив: «Кто я? Тщеславная легенда Бродвея!» Дайан Уист выдала оскароносную игру в роли Хелен Синклер, одной из самых больших нарциссов Аллена.

насчет Оливии. Он сказал: «Она в своем маленьком мире, и он просто крутится вокруг нее, а она просто болтает, болтает и болтает».

Аллену пришлось провести несколько разговоров, чтобы убедить Дайан Уист, что она справится с ролью дивы в стиле Нормы Десмонд Хелен Синклер. Изначально она была настроена скептически, как и МакГрат. «Дайан Уист на роль этой тщеславной, переигрывающей актрисы? – говорил он. – Это так не похоже на Дайан Уист. Она такая милая и ранимая». Но Аллен настаивал. «Нет, она это сыграет, – утверждал он. – Она может сыграть все». МакГрат согласился, думая: губи свою собственную картину, мне-то что? После первого съемочного дня Аллен позвонил Уист и пригласил ее на просмотр дневного материала, что они отсняли. Она села с ними, ужаснувшись тому, что она назвала «этой мучительной, мучительной попыткой сыграть эту роль – жалко, жалко».

«Ты знаешь, что это ужасно», – сказал Аллен.

«Я же тебе говорила!»

«И что ты собираешься делать?»

«Ну, тебе стоит снять трубку телефона и найти кого-то, кто с этим справится. Это должна быть не я, тебе стоит меня заменить», – ответила Уист.

«Нет, я думаю нужно что-то сделать с твоим голосом. Мы это переснимем».

Уист, у которой высокий голос, понизила его почти на октаву. После того, как сцену пересняли, Аллен сказал: «Вот так». Уист говорит: «Таким был этот персонаж. Я была на середине дубля, и он такой: "Голос! Голос!"» Чем ниже она его делала, тем смешнее он становился. К моменту Оскара «Пули над Бродвеем» получил семь номинаций, это самое большое число для фильмов Аллена со времен «Ханны и ее сестер», включая лучший фильм, режиссера, оригинальный сценарий – это стало для Аллена 11-ой номинацией на эту премию, что поставило его в ряд с Билли Уайлдером – также Уист, Тилли и Палминтери были номинированы на лучших актеров и актрис второго плана. Как и в «Ханне», Уист получила награду.

Дайан Уист – это подарок, который продолжает одарять в «Пулях над Бродвеем»: произнося вполголоса реплики чисто завлекательного характера, ловко оценивая способность Шейна снабжать ее похвалами, она является одним из самых больших нарциссов Аллена, она перестает говорить, только чтобы позволить другим людям восхищаться ее утонченным образом, она использует каждую паузу для полной ревибрации. «Пусть птицы поют песни, а наши остаются неспетыми…» – настаивает она своим хриплым баритоном, прежде чем закрыть рот Шейна своими пальцами: «Тише!» Когда реплики, как эта, достигают кульминации, они мгновенно становятся классикой, это неизменно происходит потому, что они пересекают невидимую линию электропередач. Это вмещает всю тщеславность Хелен Синклер в два слога, в отрывок поглощенного в себя хайку, но при этом оно стоит в центре драмы, пересекающейся с соревнующимися эго и конфликтующими намерениями – легкомысленный, оживленный фарс, немного высмеивающий артистический темперамент, чьи многослойные клише идут бок о бок с «Пурпурной розой Каира» на вершине достижения Аллена в роли выдумщика-балагура. Это не лучший его фильм, но он справедливо притязает на звание самого доставляющего удовольствие.

Персонажи выстраиваются в одну линию, как кегли, а потом их отшвыривает в стороны. Там есть дива, обтянутая вельветом, Уист, слегка подшофе от мартини, загребающая все пространство, чтобы победоносно показать передержанные паузы («Мистер Алвинг…

Телохранитель Оливии Чич начинает с того, что помогает ей выучить реплики, и внезапно переписывает пьесу.

дядя Ваня… Корделия… Офелия… Клитемнестра!»). Есть подружка гангстера с очень высоким голосом в исполнении Тилли, которая ужасна в своей роли, но полностью не замечает этот факт («очаровательно, очаровательно…»). Также там есть прекрасный актер Джима Бродбента, который раздувается от тортов и куриных окорочков во время репетиций; счастливая молодая девушка Трейси Уллман, которая очень похожа на свою чихуахуа. Наконец, у нас есть самый спокойный из всей этой шайки, выделяющийся в фильме своим горделивым, роскошным словоблудием: Чич Чезза Палминтери, телохранитель, который сидит на задних рядах, слушает высокопарный подкос под О'Нила Шейна, прежде чем заявить: «Это звучит, как чертов бред!»

Чич является наилучшей комбинированной фантазией Аллена, «эстет с пистолетом в кармане», словами Энтони Лэйна из New Yorker, «он так же страшен в своей защите артистической автономии, как и в роли последователя своего босса. Аллен уважает такую точку зрения, мне кажется, больше, чем он это признает». Трусливый образ Аллена всегда был прикрытием для самых сильных и мастерских желаний, многие его драмы опираются на силу его способности выйти за пределы себя и дать голос мнениям и точкам зрения, которые полностью противоречили его собственным. Он ли Дэвид Шейн, напряженный драматург, сыгранный Джоном Кьюсаком, который надменно использует своих персонажей как рупор для своих собственных сокровенных идей? Или он гангстер Палминтери, само воплощение совета, по которому переписывается пьеса Шейна («ты пишешь не так, как говорят люди») при помощи энергии, взятой на улицах? По правде, Аллен – это оба героя, ироничный гангстер в стиле Раньона, возможно, именно поэтому он делает их разговор в бильярдной долгим, каждый из них смутно очарован другим, как будто они чувствуют какое-то тайное сходство. Его поздние фильмы завалены подобного рода парами: между реальным Гилом Шефердом и вымышленным Томом Бакстером в «Пурпурной розе Каира», между Лестером Алана Алды и сыгранным им самим Клиффом в «Преступлениях и проступках», между Чичем и Шейном в «Пулях над Бродвеем». В творениях Аллена не так много злодеев,

Планирует сцену репетиции с Кьюсаком, Тилли, Трейси Уллман (Иден Брент) и чихуахуа (Мистер Вуфлс).

которые избегают открытой демонизации, но там множество доппельгангеров, сдвоенных душ и душ-близнецов, особенно в сюжетах, в которых есть тенденции к превращениям, когда один персонаж появляется в другом образе, это удовлетворяет два комедийных инстинкта Аллена – его наслаждение, унаследованное от Кауфмана, Перельмана и Тёрбера из мира вверх-дном, где верх становится низом, а также его драматическую жажду борьбы с самим собой, если так нужно и больше не с кем драться.

«Комедия с серьезным пунктом», – так Аллен описал «Пули над Бродвеем», пункт касался нечестности, с которой подается креативный гений. Здесь нет ничего, чего бы Аллен нам уже не говорил, – его Исаак Дэвис много лет назад в «Манхэттене» произносит: «талант – это удача». Но это тема, к которой он вернется в 90-е с новым запалом в «Сладком и гадком» и «Разбирая Гарри», как будто медийное обливание грязью только сформировало его желание опередить всех в наблюдении за его собственными глиняными ногами. Так много из игры Дэвида Шейна похоже на плохого Вуди Аллена («Дни слились в один, как плавящаяся кинопленка, как фильм, кадры которого исказились и стали бессмысленными…»). Это выворачивание себя самого наружу в «Пулях над Бродвеем» оставило его самого с пустыми карманами. «Я не художник!» – кричит драматург Кьюсака в конце, и это может быть освобожденным криком души самого Аллена.

«Пули над Бродвеем» принесли 13 миллионов долларов в США после релиза 18 января 1995 года, затем фильм повысил доходы за счет еще семи стран, включая Францию, где Аллен выступил по телевидению, чтобы прорекламировать фильм с помощью Шарлотты Рэмплинг, там фильм заработал 2,5 миллиона только в Париже. «Мы думали, что Вуди Аллен потерял связь с целым миром, что и говорить о его зрителях, – написал Лэйн. – Напротив, он, кажется, откровенно с нами общается, чтобы доставлять себе радость через наше удовольствие".

«В действительности я больше всего люблю делать то, что я не делаю в этот конкретный момент».

Портрет, сделанный Брайаном Хэмилом во время съемок «Пуль над Бродвеем», 1994.

Великая Афродита

1995

Аллен часто задавался вопросом о происхождении его приемной дочери Дилан Фэрроу. Чтобы быть такой умной и обаятельной, думал он, Дилан должна была унаследовать «хорошие гены». Он начал узнавать о ее биологических родителях, и у него появился проблеск идеи об усыновленном ребенке, чьи приемные родители так сильно любят его, что они находят его биологическую мать и влюбляются в нее. Или они находят ее мать, а она проститутка. Чем больше они узнают о происхождении ребенка, тем сильнее усугубляется ситуация. Это напоминало ему об Эдипе. Он всегда хотел снять фильм с греческим хором, с кучей таких шуток, какие он делал с документальной формой в «Хватай деньги и беги». «Многие вещи, которые априори принимаются как очень серьезные, как документальный стиль съемки или греческие хоры, также могут использоваться в комедии и даже очень эффективно, из-за их априорной серьезности, – сказал Аллен. – Я подумал: "Боже мой, надо туда добавить немного греческой иронии". Потом я подумал: "Этот фильм можно сделать как греческий миф"».

Над этой идеей он размышлял много лет. Древнегреческие сцены были сняты в театре на открытом воздухе, Театро Греко на кинофестивале в Таормине, на котором он присутствовал в 1971 году во время рекламной кампании «Бананов» – Аллен в первый раз за 20 лет снимал не в Америке. Он нашел актеров, пока шла рекламная компания «Загадочного убийства в Манхэттене» в Лондоне, дав роль своей жены Хелене Бонем Картер, Ф. Мюррей Абрахам, который имел подходящую шекспировскую аристократичность, получил роль солиста греческого хора. Аллен также надеялся, что найдет свою проститутку Линду Эш в Англии, и сначала отказал Мире Сорвино, которая проходила кастинг в Нью-Йорке, но Сорвино появилась в номере отеля Аллена в Лондоне на каблуках и в короткой юбке, говоря очень высоким голоском. «Когда она вошла, я подумал, что она была идеальна, – сказал Аллен. – Если честно, я не мог понять, как она прошла через консьержа».

Он сказал окончившей Гарвард актрисе: «Я не хочу даже намека на интеллигентность». Она изучала роль, прогуливаясь по Филадельфии три дня в образе своего персонажа, она разговаривала со стриптизершами и порно актрисами. Голос она взяла у подруги своей матери. Сначала Аллен не был в нем уверен. Спустя четыре недели съемок, он начал беспокоиться и спросил ее, не может ли она говорить другим голосом. «Я подумала: "Боже мой, если они не согласятся на этот голос, у меня будут проблемы". Но они согласились, и я следовала своим инстинктам, и я, или лучше сказать, она была превосходна"».

Напротив: выдающаяся игра Миры Сорвино, простодушной проститутки Линды Эш, которая принесла ей Оскара за лучшую женскую роль второго плана.

Справа: семейное времяпрепровождение с Ленни (Вуди Аллен), его женой Амандой (Хелена Бонем Картер) и их приемным сыном (Джимми Макквейд).

Мира Сорвино шла по «Великой Афродите» с беспечностью Джуди Холлидей и невозмутимостью Боудикки, ее длинные ноги дистанционно соединялись с землей покачивающимися шпильками, она становилась похожа на жирафа, показывающего чудо баланса. Ее игра, как и ее акцент, кажется, была найдена в озоновом слое, она провозглашала невероятно пустые мысли гнусавым голосом между Минни Маус и мисс Пигги. «Однажды я снималась в фильме под названием "Бобровый патруль", где бойскауты наткнулись на пьяных герлскаутов в лесу, и они их занесли в хижину и порылись в их сумках, и достали их дилдо…» Спортивный писатель из Верхнего Ист-Сайда Ленни Вейнриб (Аллен) сидит с ней с открытым ртом, его лицо выражает похоть и ужас от того, что эта красивая идиотка – мать их усыновленного ребенка. Ленни не знает, куда смотреть: на фаллические безделушки у нее в доме или на ее шикарное тело.

«Любопытство – вот, что нас убивает», – говорит солист греческого хора (Ф. Мюррей Абрахам), но это не любопытство заставило Ленни искать Линду. Причиной была ссора с его женой (Хелена Бонем Картер), которая оставила его в мечтаниях о старом чувстве из медового месяца. И не любопытство вело желание Ленни трансформировать эту пеструю распутницу и поставить ее на путь парикмахера. «Гордыня! – кричит греческий хор. – Он возомнил себя Богом!» Но это не гордыня. Это сломленная фиксация на романтике, или, если вам так больше понравится, вожделение, и провал Аллена в признании этого факта придает «Великой Афродите» до странности скрытную, уклончивую атмосферу, и заставляет сюжет поворачивать на очень странных виражах. «В моем возрасте, если я займусь с тобой любовью, на меня наденут аппарат для искусственного дыхания», – говорит Ленни. Вместо этого он становится сватом и сводит ее с молодым боксером, уморительно сыгранным Майклом Рапапортом, который счастлив вернуться на луковую ферму своего брата.

Сцены с Рапапортом одни из лучших в фильме, но это ответвление сюжета заканчивается катастрофой, так диктуют Боги Комедии, оставляя Аллену трудный выбор, так как роман, отложенный для более молодых преемников, снова встает на пути Ленни, он перетекает в ночь страсти, которая приведет к еще более странному разрешению. Является ли это несуразностью материала, ощущение того, что он не может заставить персонажей делать то, что он от них хочет? Насколько смешным вам кажется фильм, который полностью зависит от того, насколько вы оцениваете интеллектуальное превосходство спортивного писателя среднего возраста, который очевидным образом вожделеет объект своего покровительства. Интеллектуальная несимметричность встроена во все экранные романы Аллена, и, конечно, интеллектуальная неуверенность женщины – это то, что дает мужчине Аллена превосходство, уровень его вовлеченности, как ее любовника-наставника, но в «Спящем», «Энни Холл», «Ханне и ее сестрах» женщина быстро превосходит мужчину, его функция изживает себя.

В «Великой Афродите» нет никакого риска поворота на 180 градусов, ведь персонаж Сорвино находится под неусыпным покровительством. Фильм повторяет

Напротив: Аллен взял Хелену Бонем Картер во время рекламной кампании к «Загадочному убийству в Манхэттене» в Лондоне.

Справа: когда Ленни напал на след биологической матери Макса, им овладело смешанное чувство вожделения и ужаса.

Снизу: Ф. Мюррей Абрахам в роли солиста греческого хора, который комментирует происходящее в фильме.

«Одержимость опасна, но она является важным элементом комедии».

игру с названиями ее порно фильмов: «Бобровый патруль», «Волшебная киска», хотя самая великолепная вещь, касаемо игры Сорвино, заключается в ее полном отказе от понимания, что ее характер находится под покровительством. Она играет невежественно о том, как играть невежество. «Игру Сорвино отличает ее отказ дать персонажу лежать неподвижно и мурлыкать как создание чьей-то фантазии, – написал Энтони Лэйн в New Yorker. – Господство Сорвино в фильме практически неприлично; она заставляет всех остальных выглядеть апатичными и безразличными к жизни». На премии Оскар того года Сорвино выиграла в номинации на лучшую актрису второго плана, она выиграла у сильных соперниц, таких как Кейт Уинслет в роли Марианны Дэшвуд в «Разуме и чувствах» и Джоан Аллен в роли Пэт Никсон в фильме «Никсон». Это был четвертый раз, когда актриса получала Оскар за фильм Вуди Аллена.

Все говорят, что я люблю тебя

1996

Аллен всегда мечтал однажды сделать мюзикл, и во время работы над «Энни Холл» он предложил своему соавтору Маршаллу Брикману сделать одну сцену полностью пропетой. Его желание удвоилось благодаря благожелательности зрителей, которое он заработал «Пулями над Бродвеем», и высокой оценке голливудского сообщества, выраженной Оскаром для Мирны Сорвино в «Великой Афродите». «Все говорят, что я люблю тебя» стал алленовской версией пропетой и протанцованной «игристой комедии» со звездным составом, такими фильмами он упивался в юности, в них «никто никогда не лезет в карман за верным словом, и в конце все хорошо заканчивается. После двойного киносеанса, с которого ты вышел в 4 часа вечера, внезапно начинают гудеть горны, и светить солнце, и на улице 30 градусов жары. Из-за Фредерика Марча и Дугласа Фэрбенкса лично я почувствовал, что хочу повзрослеть, переехать на Манхэттен и жить такой жизнью. Я хотел открывать шампанское, иметь белый телефон и создавать шуточки, которые всегда наготове».

Его главной инновацией было включение элемента обыденной реальности: он хотел, чтобы все его актеры использовали те голоса, которые они используют, когда поют в душе. Он не стал никому из них говорить, что это будет мюзикл, до того, как они заключили контракт. «Если этот человек может петь – отлично, если не может, это тоже хорошо, – сказал он. – Важной была не техника, потому я хотел неподготовленные голоса». Только Дрю Бэрримор озвучили, после того, как она убедила Аллена, что ее пение было слишком отвратительным даже для реалистичного пения, за которое он ратовал. И Голди Хоун, и Эдвард Нортон на самом деле хорошо пели, и он сказал им, чтобы они сделали свои голоса более грубыми, чтобы они звучали, как голоса обычных людей.

Танцевальные номера, поставленные Грасиэлой Даниэле, которая ставила греческие танцы в «Великой Афродите», были сняты одним длинным кадром, в котором использовалось очень мало крупных планов, точно на такой же манере съемки настаивал Фред Астер, он хотел, чтобы было видно всех танцоров. «Это все, чего я хотел: прямые, простые сцены, и никаких склеек» – объяснял Аллен, который необычно для

Изучает Венецию с Сун-И во время съемок «Все говорят, что я люблю тебя»

IL GAZZETT

Алан Алда и Голди Хоун играют зажиточную пару с Верхнего Ист Сайда Боба и Стеффи Денбридж.

себя отлично проводил время на съемках этого фильма, – но, когда я показал его Харви Вайнштейну, который заплатил за него кучу денег не глядя, ему он не понравился. Обычно ему мои фильмы нравятся. Всегда, когда я ему показывал свой фильм, он ему нравился. Но с этим фильмом он попал в группу людей, которые считают, что в мюзикле люди должны уметь петь. Но в конце концов, он ему понравился. А я был так недоволен. Он хотел, чтобы я убрал одно ругательство, когда они говорят «ублюдок», потому что тогда он мог бы показать картину в Радио Сити Мюзик Холле. А я просто взял и не убрал это слово. Я не так свои картины делаю. Так что в конце концов он был славным парнем и спокойно выпустил фильм».

Как будто чтобы показать, насколько Аллен хочет ублажать зрителей в этот момент своей карьеры, «Все говорят, что я тебя люблю» подражает его самому успешному фильму к тому моменту: «Ханна и ее сестры». Это семейный альбом, сконцентрированный вокруг зажиточного семейства с Верхнего Ист-Сайда, состоящего из адвоката Боба Денбриджа (Алан Алда) и его жены-либералки Стеффи (Голди Хоун). Как и в «Ханне», у нас есть куча сестер, в этот раз их четыре, Лэйн и Лора (Габи Хоффман и Натали Портман), Скайлар (Дрю Бэрримор), мягкая светская девушка, обрученная с Холденом Эдварда Нортона, и Ди Джей (Наташа Лионн), умудренная опытом 13-летняя рассказчица фильма. «Честно говоря, – начинает она, – мы не обычная для музыкальной комедии семья. По крайней мере, потому что мы богатые. И мы живем здесь, на Парк Авеню в большой квартире-пентхаусе». Все хорошо, кроме одного: они в точности тот тип семейства, которую вы ожидаете увидеть в музыкальной комедии, по крайней мере в той, которая у Аллена в голове, и роскошь существования Дендриджей частично приводит к легкомысленности, которая обрамляет фильм. Это получился в меньшей степени мюзикл, чем в его мечтах, – это его суррогатная версия чувств, которые вызывали такие фильмы в его детстве. Весь фильм состоит из мелизмов – это неописуемо добрая фантазия, кажется, что указания по ее созданию давали метелкой для смахивания пыли.

То, что фильм имел половинчатый успех, может нам сказать, насколько связаны с реальностью его комедии. Старые мюзиклы 1930-х могли доставать до неба, но в их видении пентхаусной утонченности не было ничего ценного. Они громко воспевали свое видение счастья для зрителей, которым нужен был эмоциональный

Сверху: «Вот, что бывает, ребята, после кутежа».

Наверху: просматривает отснятую пленку с Наташей Лионн, которая играет 13-летнюю умудренную опытом рассказчицу.

подъем так же, как им нужен был обед. Аллен чудесно уловил эту дихотомию в «Днях радио», его почти-мюзикле 1987 года, в котором ясные полеты фантазии имели корни в реальности дождливого загородного Рокавея. От чего освобождают богачи из «Все говорят, что я люблю тебя»? Что заставляет их петь? В любой момент, когда позолоченный мир Дендриджей сталкивается с крупицами внешней реальности, в фильме начинается живая кутерьма. Это прекрасная версия Makin' Whoopee, спетой в больнице всеми медсестрами и пациентами, использующими свои койки на колесиках и инвалидные коляски точно так же, как Астер использовал свои шляпу и трость, которые намекают на радостную вульгарность, которую Мел Брукс мог добавить в свое поведение. Там также есть уморительная игра Тима Рота в роли бывшего заключенного, которого Стеффи пригласила в дом Дендриджей в качестве шага против тюремной реформы, который вскоре использует спортивную машину Скайлар для других ограблений. «Ты можешь подбросить меня на угол Парк Авеню и 93-ей?» – спрашивает Скайлар, когда они едут по дороге, преследуемые полицейскими.

«Когда я смотрю фильм, я хочу видеть танцоров рядом с собой, в полный рост. Я ненавижу, когда их отрезают по щиколотку, я ненавижу, когда отрезают их лица. Я не люблю съемку с обратной точки. Я хочу это видеть так, как я вижу это, когда плачу 10 долларов и иду в центр города, и танцоры танцуют рядом со мной».

Джо (Аллен) пытается завоевать сердце Вон (Джулия Робертс) в Венеции.

Как и с «Ханной», Аллен играет не главную роль бывшего мужа Стеффи Джо, который пытается найти путь к сердцу несчастливой в браке Вон (Джулия Робертс) в Венеции, он использует листок с подсказками, собранный Ди Джей из подслушанных разговоров с психотерапевтом Вон – сюжет. Который искал своего места с тех пор, как Аллен написал «Другую женщину» в 1988 году и повтор будней романтического авантюриста, которого он отточил в 70-е. Используя свои добытые нечестным путем знания, он распространяется на тему ее любимого художника (Тициан), цветов (маргаритка), мест отдыха (Бора Бора), каждый раз он закатывает глаза на камеру так же, как делал в «Сыграй это снова, Сэм»: сработало! Он возвращается к тому времени, когда он давал роли Дайан Китон и улучшал их взаимопонимание в течение 10 лет. Теперь он был в статусе человека, использующего топовых голливудских знаменитостей в качестве своей собственной театральной труппы, но делает он это немного безрассудно. Несмотря на пробы Робертс в застенчивости в стиле Фэрроу, она не невротична: из нее хлещет уверенность в себе, как из сверкания Colgate, она тратит большую часть своего экранного времени на создание впечатления львицы, стойко отказывающейся обедать газелью, которая пыхтит и бегает туда-сюда рядом с ней.

Фильм достигает максимального успеха, когда близко подбирается к ироническому сожалению. «Прощай любовь», – поет Джо на балконе в парижском Ritz практически шепотом, этот шепот настолько слаб, будто кажется, что малейшее дуновение унесет его в ночной воздух. В момент кульминации фильма, похожей на костюмированную вечеринку из фильма Гручо Маркса (алленновский рай!), Стеффи повторяет номер на фоне Сены, делая па и пируэты на невидимой проволоке в танце, настолько восхитительном, что на глаза наворачиваются слезы. Все ошибки фильма тают, когда он достигает своего пика. Аллен снял сцену на самом берегу реки, где более 30 лет назад он старался подбодрить настроенного на самоубийство Питера Селлерса в «Что нового, киска?» Во многих смыслах это является завершением полного цикла карьеры Аллена. «Просто напиши что-нибудь о том, как мы все сможем поехать в Париж и будем охотиться за девочками», – в этой фразе заключался рецепт успеха того фильма, по мнению продюсера Чарльза Фельдмана. Эту фразу в то время Аллен сильно осуждал, но так как число его зрителей в США продолжало уменьшаться, он все больше искал творческую пищу, поддержку и вдохновение в Европе. Если греческие сцены в «Великой Афродите» были первыми, снятыми им не дома со времен «Любви и смерти», то «Все говорят, что я люблю тебя» начинает путь, который в конечном итоге приведет

Сверху: незабываемая сцена с песней и танцами хора в стиле Гручо Маркса, поющего французскую версию Hooray for Captain Spaulding – тему фильма Братьев Маркс 1930 года «Воры и охотники».

Слева: Джо и его бывшая жена Стеффи в воодушевляющем финале фильм на берегу Сены.

Разбирая Гарри

1997

Изначально фильм назывался «Худший в мире человек», пока Аллен не понял, что название не подходит. «Разбирая Гарри» продолжает тему бессмертия художника, впервые поднятую в «Пулях над Бродвеем». «Пока главный герой развивается в своей собственной реальности, той, которой он манипулирует, все в порядке, – сказал он. – Как только он из нее выходит, когда ему приходится сталкиваться с обычным миром, где люди не танцуют и не поют на улицах, вы видите, что его жизнь – полнейшая катастрофа: он занимается саморазрушением, он заставляет всех, кто находится рядом с ним, страдать, он живет в состоянии перманентной неумеренности, он зависим от барбитуратов, он зависим от секса. Вот, что происходит с персонажем, когда он не может продолжать менять реальность согласно своим желаниям».

Аллен попробовал много актеров – Эллиотта Гулда, Дэнниса Хоппера, Роберта Де Ниро, Дастина Хоффмана, Альберта Брукса – прежде чем он оставил роль Гарри Блока себе, роль мизантропа, бабника, мерзавца и известного писателя, который распространяет свое несчастье на трех жен, шесть психотерапевтов и бесчисленное число девушек, все время расплачивающихся своей жизнью за его выдумку. «Для тебя все нигилизм, цинизм, сарказм и оргазм», – говорит его сестра Дорис (Кэролайн Аарон). «Во Франции я мог бы баллотироваться с этим слоганом и победить», – отвечает Гарри. Сюжет, включающей церемонию наград в его альма-матер, на которую Гарри не с кем пойти, кроме проститутки (Хазелль Гудман), на самом деле является вешалкой для ряда скетчей, которые Аллен достал из своего ящика с отброшенным материалом, где выдумки Гарри просачиваются в жизнь. Лучшая из них рассказывает об актере (Робин Уильямс), который постоянно выходит из фокуса; там есть сюжет о смерти, приходящей не за тем парнем, и сюжет с путешествием по аду на лифте («Седьмой этаж, СМИ. Извините, весь этаж забит»), оба эти сюжета были выброшены из «Энни Холл».

Есть какое-то раскрепощенное ощущение по поводу рваной конструкции фильма и его сквернословного сценария, как будто бы Аллен ошалел от поливаний грязи со стороны СМИ, объектом внимания которых он был в годы, последовавшие за разрывом с Мией Фэрроу, он выглядит так, как выглядели бы вы после укуса змеи: вы высасываете яд и сплевываете его. Но фильм также повторяет паттерн, заложенный много лет назад, в котором Аллен после периода успеха у общественности почувствовал отвращение от ублажения толпы и решил выбросить зловонную бомбу с картиной, созданной, чтобы проверить верных и отбросить ненадежных фанатов. Кажется, он не может долго выносить

Напротив: на съемочной площадке с Робином Уильямсом, играющим актера, который постоянно выходит из фокуса.

Сверху: Аллен бросил пытаться объяснить людям, что его схожесть с «мерзким, поверхностным, пустым и похотливым» Гарри Блоком заканчивается на печатной машинке.

почитание публики. Если вернуться в 1980-е, сделанным на удовольствие толпе был «Манхэттен», а зловонной бомбой были «Воспоминания о звездной пыли». Теперь ею стали «Все говорят, что я тебя люблю» и «Разбирая Гарри», который также спокойно можно было бы назвать «Все говорят, что я тебя ненавижу». Элизабет Шу, Джуди Дэвис, Дэми Мур и Керсти Элли, все по очереди поджаривают Гарри. Там даже есть камео для Мариэль Хемингуэй в роли строгой матроны, которая, в терминах творений Аллена, похожа на Боттичелли, который возвращается к Венере и пририсовывает ей дьявольские рога – акт яркого самовандализма.

Изначально он был рад подчеркнуть автобиографические элементы фильма («Этого персонажа я чувствую внутри себя»), но после его выхода Аллен изменил свой подход и был встречен враждебными обзорами. «Я думал, когда картина была закончена, я скажу: "О да, это определенно я", и не буду прибегать к постоянной пляске, где я говорю: "Это не я, я не так работаю, я никогда не был замкнутым, я никогда не похищал своего ребенка, мне бы не хватило нервов так поступать, я не сижу дома и не пью алкоголь, и ко мне всю ночь напролет не приходят проститутки". Если бы меня почитали представители старшего поколения, что не так, я бы, наверное, не стал этого говорить. Кроме способности постоянно писать, в фильме нет ничего, что похоже на меня, но проще всего сказать, что это так. И я перестал говорить нет».

Знаменитость

1998

«Мне всегда казалось, что культура, в которой мы живем, воспевает самых странных людей, – говорил Аллен о "Знаменитости". – Неважно, о ком идет речь – о священнике, пластическом хирурге или проститутке, которую сыграла Биби Нойвирт. Кто-то из их окружения получает статус знаменитости и становится высококлассным доктором, к которому ты просто обязан пойти, священником, которого показывают по телевизору, или известным актером, которого сыграл Леонардо ДиКаприо. Все это мне кажется интересным и забавным, все это внимание, которым мы одариваем людей, как Джоуи Баттафуоко, у которого сейчас есть собственное шоу на ТВ».

Аллен сперва не был уверен, сможет ли Кеннет Брана сымитировать американский акцент в главной роли Ли Саймона, журналиста ненадолго попавшего в круг селебрити первого ранга. Но после того, как Роберт Алтман показал ему отрывки «Лешего», Брана получил роль. Он спросил у Аллена, стоит ли ему носить очки, как делал Джон Кьюсак в «Пулях над Бродвеем», но они решили отказаться от этого. «Он так или иначе повлиял на меня, потому что я любил его фильмы всегда», – сказал Брана. Актер сказал сам себе: «Если я начну играть плохую версию самого Вуди Аллена, он меня остановит». Только Бране и Джули Дэвис предоставили полную версию сценария, как и обычно. Всем остальным дали только их сцены. Это и Леонардо ДиКаприо в роли молодой звезды – гедониста, которого ласкает его окружение, и Шарлиз Терон, которая сыграла супермодель. Она поклялась никогда не играть моделей, но Аллен написал ей письмо, которое должно было переубедить ее.

Несмотря на звездный состав, в котором были Кеннет Брана и Вайнона Райдер (сверху), а также Шарлиз Терон в роли модели (справа), «Знаменитость» провалилась в прокате.

Фильм снимал Свен Нюквист. Он был сделан в черно-белом варианте и стал последним фильмом Аллена с этим оператором. Этот фильм также становится последним в его долгом сотрудничестве с монтажером Сьюзан Морс, которая монтировала все фильмы Аллена начиная с «Манхэттена». Фильм не столько

нарратив, сколько свободно соединенные сцены на одну тему, слегка покрытую распутством. «Знаменитость» представляет собой кульминацию вульгарного периода, который начал проникать в его драмы, сначала в «Великую Афродиту», потом в «Разбирая Гарри». Некоторые называли эти три фильма трилогией о проститутках и минете.

«Его мужчины и женщины преуспевали в расшатывании нервов друг друга, – написал Джеймс Уолкотт в Vanity Fair, – но их тревоги были равными; они цеплялись за одну и ту же кушетку психоаналитика – еврейскую спасательную шлюпку. Начиная с «Великой Афродиты» баланс сексуальных сил сместился. Теперь, когда женщина открывает рот в фильмах Вуди Аллена,

ей не обязательно говорить. Так как фильмы Аллена стали более порнографическими, оральный секс стал лучшим способом занять женщину и утихомирить ее».

Поздний меланхоличный период типичен для многих мужчин-художников – они начинают размышлять над сатирами Пикассо, даже, например, Скорсезе в «Отступниках» и «Волке с Уолл-Стрит». Но в случае со «Знаменитостью» это было заметно больше и было более определенной темой, потому что очевидным субъектом фильма была слава. Аллен набрал людей для решения задачи поверхностной объективизации славы, но придался похотливой фантазии о сексуальной жизни знаменитых людей. Во многих смыслах картина является сопутствующей «Воспоминаниям о звездной пыли», но нельзя сатиризировать в сексуальных сценах. Это заслоняет обзор. На самом деле большая часть «Знаменитости» берет начало не в реальной жизни звезд первой величины, а из фантазии самого Аллена на эту тему.

В первые 30 минут медийный наглец Браны флиртует с актрисой Вайноны Райдер, ему делает минет звезда, сыгранная Мелани Гриффит, ему щекочет языком ухо модель Шарлиз Терон, и он едет в Атлантик Сити с сошедшим с ума от наркотиков актером (Леонардо ДиКаприо), там он неохотно участвует в оргии, покашливая и сбиваясь.

Почти каждый критик нападал на имитацию Браны Вуди Аллена. «Брана бормочет, качает головой

«У меня не было никакого великого озарения насчет этого, я хотел лишь отразить, что это явление в тот момент пропитывало мою культуру, что все так уважают знаменитостей, и что это так много значит. Именно это я пытался изобразить. Не знаю, насколько у меня это получилось, но я старался».

Сверху: окруженная своим помощником (Сэм Рокуэлл) и журналистом Ли Саймоном (Брана), распущенная звезда Брэндон Дэрроу приезжает в Атлантик Сити.

Напротив: игру Браны сильно критиковали за чрезмерное копирование ужимок Аллена.

охватывает весь спектр других известных алленовских судорог и манер, он изображает нервную клоунаду там, где хватило бы обычной игры», – написал Эдвард Гутманн в San Francisco Chronicle. – Его новая игра лежит на том же уровне, что и его переигранная неестественность в "Франкенштейне Мэри Шелли"». Несмотря на заверения Браны в обратном, Аллен странным образом не мог направить игру или скорректировать его актеров, которые начинали имитировать его. Еще хуже выглядит Джуди Дэвис в роли его бывшей жены, которая в одной печально известной сцене обучается делать минет на банане под руководством Биби Нойвирт. «Дэвис ковыряется в себе и пилит себя, ее мрачная игра пробирается из муравейника манерности, – написал Уолкотт. – Закипающая в «Мужьях и женах», кипящая во всю в «Разбирая Гарри», она становится подлинной триатлонисткой в «Знаменитости», она показывает слабость, которая меняет ее гравитационное поле».

«Знаменитость» рекламировалась Miramax как фильм с полностью звездным составом, имя Аллена появлялось только мелким шрифтом в рекламе. «Они, вероятно, стыдятся меня», – сказал он. Но это не помогло – фильм провалился. «Я сделал первый фильм с ДиКаприо после «Титаника», а он не принес ни копейки», – сказал Аллен, который гордился ДиКаприо, как знаком почета. Его вздорность вернулась в сезон высокого спроса, но его пассивно-агрессивная модель общения со зрителем в этот раз бежала по своему циклу намного быстрее. Если «Знаменитость» относилась к «Воспоминаниям о звездной пыли» так же, как «Все говорят, что я люблю тебя» к «Энни Холл», то его следующая картина должна была быть подобной «Зелигу»: честное самоопределение, которое он показал в своем фильме.

Сладкий и гадкий

1999

«Сладкий и гадкий» был сильно измененной версией «Джазовой детки» – сценария, написанного почти 30 лет назад. Его Аллен решил не снимать после того, как увидел реакцию UA. «Я всегда знал, что это хорошая идея, – говорил он. – Я всегда хотел сделать что-то о зацикленном на себе, эгоистичном, нервном, гениальном гитаристе». Структура оставалась такой же – слухи в виде анекдотов о джазовом гитаристе по имени Эммет Рэй в ложно-документальном стиле. Большая часть персонажей также сохранилась, включая Хэтти, немую девушку Эммета, с которой он скверно обращается. Но "Джазовая детка" намного менее забавный, – говорил Аллен. – Впечатление, которое вам давал оригинальный сценарий, состояло в том, что этот музыкант был очень самодеструктивным, и это было очень грустно. Там была большая доля мазохизма, мазохизма в стиле немецкого Эмиля Яннингса. Там не хватало души. Нам нужно было найти парня, который выглядел как Джанго Рейнхардт. Не так-то просто».

Он подумывал о Джонни Деппе на эту роль. Также всплывало имя Николаса Кейджа. Он думал сам сыграть эту роль, но решил не делать этого. Когда в конце концов режиссёр по подбору актёров Джульет Тейлор предложила Шона Пенна, Аллен засомневался. Он знал о его темпераментности, но после того, как он поспрашивал людей, которые с ним работали недавно, перестал сомневаться и встретился с 38-летним актером и тут же увлекся им. Саманту Мортон он видел в фильме «Внутри себя» и сразу понял, что она идеально подойдет на роль немой девушки.

«Я хочу, чтобы ты сыграла это, как Харпо Маркс», – сказал он ей.

«А кто это?»

«Харпо Маркс, один из братьев Маркс, который не говорит».

«Кто такие Братья Маркс?»

«Это говорило о том, насколько я стал старым, – отметил 62-летний режиссер. – Я не мог в это поверить. И я сказал, ну тебе надо их посмотреть, тебе они понравятся! И она посмотрела. Потом первые несколько дней она была так сильно похожа на Харпо Маркса, все ее движения, что мне пришлось попросить ее не делать так! Я видел ее лицо и думал, что она будет смотреться идеально. Я никогда о ней не слышал, я ничего о ней не знал. Я познакомился с ней по записи. И я сказал, давайте ее возьмем. У нее подходящее лицо».

Напротив: самопровозглашенный «второй лучший гитарист в мире» Эммет Рэй (Шон Пенн) театрально выходит на сцену.

Справа: Саманта Мортон в роли немой девушки Эметта Хэтти.

Самой приятной частью фильма было создание саундтрека. Обычно Аллен монтировал свои фильмы когда они были закончены, шел в комнату со своими собственными записями и подбирал музыку. У него до сих пор хранятся все старые альбомы. Если что-то шло не так, он вставлял другую запись. «Так как это был фильм о музыке, использовать мои любимые песни в течение фильма было еще большим удовольствием», – сказал Аллен, который взял название фильма из песни Джорджа Гершвина. «Первая песня, о которой я подумал, была Sweet and Hot, именно она, мне казалось, подходит персонажам. Но мне казалось, что Sweet and

«Слава Богу, не я это сыграл, потому что персонаж намного, намного лучше в исполнении Шона».

Пенн был прекрасен в роли несносного Эммета, проявления чувств которого были направлены только на его гитару.

Lowdown (Сладкий и гадкий) была даже лучше. Вы знаете, она была милой, и он был гадким».

В некотором роде фильм отмечен беглостью, которая стала отличительной чертой работ Аллена в поздние 90-е, его документальное обрамление является плохой заменой настоящей драматической структуры. Тем не менее «Сладкий и гадкий» предоставил самый живой портрет художника как патологического подонка в изображении Аллена. К этой теме он проникся симпатией еще со времен «Пуль над Бродвеем». Перед нами серия анекдотов в форме байопика о малоизвестном джазовом гитаристе 1930-х годов по имени Эммет Рэй (Шон Пенн), которого критики и музыканты, и сам Эммет, считают вторым после Джанго Рейнхардта, которого он называет «этот цыган из Франции». Во всех других отношениях он является вошью на теле человечества. Чувственность, с которой он играет, стоит в четком контрасте с упрямством его отношений с другими людьми, особенно с его милой подружкой Хэтти (Саманта Мортон), которая поглощает его жестокость с такой же жадностью, с какой ест шоколадное мороженое. «Мне всегда везет, – сочувствует он сам себе, когда обнаруживает, что она немая. – Тебе кто-то по голове ударил или что?»

Пенн никогда не отходит далеко от карикатуры – он позер в белом костюме-тройке, он ходит с важным видом и суетится из-за мании величия, балансирующей с чувством полной незащищенности. Но его глаза в тот момент, когда он берет в руки гитару, закрываются в неге, его брови поднимаются по мере того, как он извлекает одну прекрасную ноту за другой, мы видим изображение блаженного видоизменения. Развитие сюжета, которое то поднимает его до высот, то переворачивает все вверх тормашками, никогда до конца не достигает цели. Для Хэтти открывается карьера на немом экране, и на секунду думается, что мы находимся в еще одной комедии Аллена со сменой ролей, где Эммету придется играть вторую скрипку в нарастающей карьере Хэтти, но он улавливает угрозу и предупреждает ее. Светская дама Умы Турман прокрадывается в кадр и похищает Эммета, прося его «удивить» ее мурлыкающим фальшиво богемным голосом. Затем мы видим кадр, как они оба сидят на рельсах: его любимое место.

Этот кадр может быть единственной смешной шуткой фильма, но присутствие Турман излишне: она подчеркивает то, что мы и так уже знаем об Эммете, чей эгоизм в основном пропитывает картину. Пенн погружен в однообразную структуру фильма, однако его игра бесподобна. Он, как Кейт Бланшетт в «Жасмин» около 14 лет после этого углубляется, в одну из алленовских по-настоящему потерянных душ.

Напротив, сверху: Эммет размышляет над тем, брать Хэтти с собой или нет.

Напротив, снизу: «Хочешь сказать, ты был сутенером? Не может быть. Это просто великолепно». Светская дама Бланш (Ума Турман) воодушевлена неприглядным прошлым Эммета.

Сверху: Эммет в своей естественной среде обитания, выпивает с бродягами на железнодорожных путях.

Конец фильма представляет собой черную жемчужину, там Эммет понимает, что совершил ошибку с Хэтти, он разыскивает ее и узнает, что она вышла замуж. «Счастливо?» – спрашивает он и мгновение не может подобрать слов. Последнее, что мы видим о нем – это его попытка впечатлить Гретхен Мол на железнодорожных путях своим исполнением Sweet Sue, а потом он вдребезги разбивает свою гитару. На это изображение накладывается информация, что Эммет впоследствии исчез с глаз публики, но записал свои лучшие песни. «В нем что-то раскрылось, говорит сам себе Аллен через одну из говорящих голов. – К счастью, у нас остались его последние записи. И они абсолютно прекрасны».

Это звучит, как эпитафия, созданная им самим для него самого. Аллен появляется лишь на мгновение, для человека, который провел большую часть своей карьеры на экране, он исчезает слишком быстро. Его след сложнее найти благодаря шквалу отпирательств и уловок, которые он любит бросать в лица слишком заносчивых журналистов. Но время от времени он проливает свет на свою персону, и этот свет такой поразительный и ясный, как мимолетное появление йети. Внезапно, вот и он. «Сладкий и гадкий» – это такая работа, в которой есть грустно-сладкая боль перед финальным затемнением, что не характерно для работ Аллена. Он сделал огромное усилие, чтобы сбалансировать свой тон между восхищением к искусству и разочарованием в том, что показать художника искренне можно только при помощи драматической интриги. Как бог, он присутствует во всем, отсутствуя. Его агностицизм меньше находится в долгу у теологических воззрений, чем у профессионального вызова.

Мелкие мошенники

2000

«Мелкие мошенники» – лучший из этих четырех. Это живое эксцентрическое дурачество о преступниках-идиотах, которое в каком-то смысле похожи на «Хватай деньги и беги». Сюжет фильма появился после прочтения Алленом истории о банде воров, которые прорыли туннель в ювелирный магазин из магазина, который они арендовали по соседству. А что если ограбление не получится, но они убьют кого-то из магазина по соседству, который они сняли? «Мне по-прежнему казалось, что у меня была лишь половина истории, – сказал он. – И я начал размышлять, а что будет дальше? Они станут миллионерами. Но им будет не хватать собачьих бегов и телевизора. В действительности они хотят обычной жизни и счастья от того, что они есть друг у друга. А ведь это как раз то, что они потеряют, когда станут богатыми, так что все это внезапное богатство делает их очень несчастными».

«Мелкие мошенники» был первой из четырех идей, выуженных из прикроватной тумбочки Аллена для DreamWorks. «Я думал, что я обязан начать работу над некоторыми из этих идей, потому что я становлюсь старше, и кто знает, что со мной произойдет? Я не хочу, чтобы они лежали в ящике нереализованными, неиспробованными великолепными комедийными идеями, которые я так и не испробую». По правде сказать, фильм появился больше из-за готовности Аллена удовлетворить свою новую студию. Она была впечатлена прокатными успехами «Муравья Антца», в которой он озвучивал героя, и подписала с ним контракт на 4 фильма, но только на комедии, деньги на свои серьезные фильмы он мог брать в другом месте. Во многих смыслах фильмы, которые он делал для DreamWorks: «Мелкие мошенники», «Проклятие нефритового скорпиона», «Голливудский финал», «Кое-что еще» знаменуют если не нижайшую точку его комедийно писательской карьеры, то период вынужденного празднества драматурга, чья комедийная муза начала увядать.

Ничтожный вышедший из тюрьмы Рэй Уинклер становится посудомойщиком, он вынашивает план ограбить банк из помещения, которое находится в двух домах от него. Арендованное здание становится кондитерской. Трейси Уллман играет его жену Френчи, бывшую стриптизершу из Нью-Джерси, которая печет печеньки со своей легкомысленной кузиной Мэй (Элани Мэй). Добавьте к этому Джона Ловитца и Майкла Рапапорта в составе туповатой банды Рэя, и у вас будет достаточно высококлассная группа уморительных актеров, собранных под одной крышей – чего стоят только фразочки Уллман. Каждая сцена напичкана оскорблениями и нападками, так как Аллен заставляет своих дураков накидываться один на другого, пока сюжет запинается сам об себя в течение серии спиралевидных полос постепенно снижающейся эффективности. Выпечка Френчи начинает пользоваться невероятным спросом, и в течение года банда превращает кондитерскую в мультимиллионную

«Вы никогда не услышите, чтобы люди говорили о писателе, художнике или скульпторе: "Вы знаете, это чудесно, у него есть полный контроль над своей работой"».

Напротив: Аллен знал легендарную комедиантку Элани Мэй с 1960-х, но «Мелкие мошенники» была их единственной совместной работой к тому времени.

Сверху: Дэвид (Хью Грант), беспринципный арт-дилер, дает Френчи и Рэю (Трейси Уллман и Вуди Аллен) экспресс-курс по полотнам старых мастеров.

франшизу. И тут появляется Хью Грант в роли арт-дилера, который должен превратить Френчи в культурную женщину, в то время как Рэй пускается в новое ремесло, становясь вором драгоценностей. И у нас появляется не столько сюжет, сколько поток хороших идей, которым не хватает комедийного места. Мэй практически крадет картину при помощи длительной болтовни о погоде, чтобы отвлечь внимание от кражи Рэя – небольшая ария ветрености. На самом деле ее голова не сильно задействована. «Я просто говорю все, что у меня на языке», – говорит она.

Мэй такая забавная, а ее связь с Алленом такая тесная, что можно лишь сокрушаться о том, что это их единственная совместная работа. «Она всегда приходила вовремя, она знала свои реплики, она могла креативно импровизировать и была к этому готова, – сказал Аллен о работе с легендарной комедианткой. – Если ты не хотел, чтобы она что-то делала, она этого не делала. Она мечта. Она полностью в твоих руках. Она гениальна, а я не часто использую это слово. В ее голосе есть все». Если «Мелкие мошенники» изобилует жизнью, и неважно, находятся ли на экране они оба, оставшиеся фильмы Аллена для DreamWorks покажут, насколько ему сложно создать такое взаимопонимание на экране.

Проклятие нефритового скорпиона

2001

«Я сильно сожалел об этом и был смущен», – говорил Аллен о «Проклятии нефритового скорпиона». Это его наиболее явное любовное послание эксцентрическим комедиям и детективным сюжетам джазовой эпохи. Этот фильм является очевидной попыткой стилизации после «Теней и тумана» – и он имеет такие же результаты. «Я подвел необыкновенно одаренных актеров. У меня была Хелен Хант, которая является превосходной актрисой и комедианткой. У меня был Дэн Эйкройд, которого я считал просто уморительным. У меня был Дэвид Стайерс, который у меня уже снимался и был великолепен. Элизабет Беркли была замечательной. И фильм пользовался успехом заграницей, но не так успешен был он здесь. Но я, с моей личной точки зрения, чувствую, что, может быть, это худший фильм из всех моих фильмов, хотя на эту роль есть много кандидатов».

Преувеличение. Идея фильма пришла ему в голову около 40 лет назад, когда он писал для телевидения. Аллен играет остроумного следователя страховой компании, который под гипнозом совершает ряд краж, о которых он впоследствии не помнит, и он не понимает, что сам является вором, которого ищет. Сюжет с гипнотизером разработан изобретательно, в нем есть чудесная игра Шарлиз Терон в роли платиновой роковой блондинки, которая только что сошла с экрана «Глубокого сна». Но в фильме есть один неправильно подобранный актер – сам Аллен в главной роли С.В.Бриггса. Изначально Бриггс был частным детективом, но, когда Аллен понял, что сам сыграет главную роль, он поменял его на следователя страховой компании, но даже этого было недостаточно. Игра Аллена, которая должна держать картину, неудовлетворительно перемещается от традиционной аленновской клоунады к попытке сыграть крутого парня – это «Сыграй это снова, Сэм» с Алленом в роли Богарта.

Хелен Хант играет выпускницу Вассара Бетти Энн Фитцджеральд, которая появилась в компании, чтобы рационализировать производство. Она и Бриггс ненавидят друг друга в апробированной эксцентричными комедиями манере, которая приводит к настоящей любви. Но не может быть никакой радости между Алленом и женщиной, которая играет лучше него, и отсутствие удовольствия у Бетти от подлеца, которого она видит рядом с собой, кажется заразительным. Отсмотрев первый монтаж фильма, Аллен захотел целиком его переснять, как он уже делал с «Сентябрем», но дорогие исторические декорации уже были уничтожены. При этом DreamWorks, вдохновленная успехом «Мелких мошенников», показала фильм в 900 кинотеатрах, это была самая крупная премьера для фильмов Вуди Аллена. За первые выходные фильм принес всего 2,5 миллиона долларов. «Заставить Вуди Аллена играть человека, подсознание которого отделяется от него самого – это пойти против самой природы», – отметил Питер Райнер в New York Magazine. И Аллен был с ним согласен. «Я искал, но не смог найти никого другого, кто смог бы это сыграть и у кого был бы комедийный талант, – говорил он. – Но я был не прав».

Напротив, сверху: «Мне казалось невероятно волнующим стоять здесь, в грязной квартирке с близоруким страховым агентом». Зрители нашли странным, что С.В. Бриггс (Аллен) должен волновать роковую женщину Шарлиз Терон.

Напротив, внизу: Загипнотизированный на совершения ряда краж, о которых он не помнит, Бриггс обескуражен своим арестом.

Справа: Из-за жесткой критики его работы Аллен думал, что «Проклятие нефритового скорпиона» мог быть худшим из всех его фильмов.

Голливудский финал

2002

«Голливудский финал» был фильмом, который Аллен состряпал с Маршаллом Брикманом за несколько лет до этого. Он должен был быть фильмом для Жерара Депардье. Что если он сыграет Гудини, и величайший иллюзионист начнет страдать от клаустрофобии? Что если он также по психосоматическим причинам потеряет зрение и отправится к доктору Фрейду в Вену на лечение? Сценарий так и не был написан, но идея великого человека, который ослеп, всплыла в этом фильме 2002 года о некогда видном режиссере Вэле Ваксмане (Аллен), которому дают шанс восстановить свою карьеру, так как его бывшая жена Элли (Теа Леони) уговаривает продюсера, который также является ее женихом, дать ему кресло режиссера в нью-йоркской мелодраме. Прямо перед началом съемок Вэл слепнет от истерии, и ему приходится обманывать в течение всего фильма.

Это хорошая шутка – «Ты видел, что там снимают?» – спрашивает агент Вэла, сыгранный неподражаемым Марком Райделлом. Неизвестно, заслуживает ли она полнометражного фильма, особенно почти двухчасового, но это другой вопрос. Одной из первых потерь Аллена после перехода в DreamWorks стала Сьюзан Морс, его монтажер, и это первый его фильм, который из-за этого не кажется медлительным. Скорость молодого комика уступила более малоподвижным ритмам старого человека. И в «Голливудском финале» колеса его комедии катятся без какой-либо оглядки на то, что осталось позади. Последний раз, когда он чувствовал вмешательство студии, вернее сказать единственный раз, когда это происходило, был более 30 лет назад в «Что нового, Киска?» Как и многие фильмы, которые появились из глубин его прикроватной тумбочки, чтобы ублажить его новых студийных спонсоров, «Голливудский финал» ощущается как 30-летняя шляпа. Его сатирические цели – быстрые деньги, продюсеры, красивые дурочки на эпизодические роли, панк рок, видеозаписи – все это становится еле различимым пятном в зеркале заднего вида.

Это станет одной из его последних главных ролей, и в фильме Аллен переводит себя в полностью безумный режим. Он размахивает руками, как будто бы ловит такси в Нью-Йорке, и разжевывает свои шутки донельзя. «Это работа, за которую я убить готов, – говорит Вэл о своей новой работе, – к сожалению, люди, которых я хочу убить, дают мне эту работу». Но его игра, кажется, требует усилий, она выглядит странно одинокой, тема со слепотой только удаляет Аллена от вещи, которая ему нужна больше, чем все остальное: ему нужны его актеры-партнеры. Он и Теа Леони могут запросто быть в разных фильмах: Леони слишком уравновешена для бешеных ритмов Аллена, а Аллен слишком инфантильный для слишком большой весомости Леони. «Когда новый фильм Вуди Аллена "Голливудский финал" плюется шутками, картина приобретает безумное ощущение скрипучих нот Телониуса Монка, странных, джазовых ритмов, подходящих под эту комедию, – написал Элвис Митчелл в New York Times. – Как только энергия шуток стихает, нам остается настолько залежалая вещь, что хочется открыть окно, чтобы впустить немного свежего воздуха».

Это был первый фильм, который не был показан в кинотеатрах Великобритании, там фильм был выпущены на DVD. Спустя месяц после выхода в США картину продавали за 4,95 доллара в дисконтном магазине на Тайм-Сквер. Аллен поехал на премьеру фильма во Францию, там он открывал Каннский кинофестиваль. Режиссер был удивлен, что критики оценили его слишком по-разному. «Это был самый большой сюрприз для меня из всех фильмов, что я создал, – рассказал он Эрику Лаксу, – потому что в основном мне не нравится то, что у меня выходит в итоге, а этот фильм мне нравился».

Переоценка его собственного фильма не просто редка для Аллена, но просто неслыханна, по крайней мере когда речь идет о его комедиях, публичный вердикт насчет которых он обычно готов принять без возражений. То, что он не готов был принять оценку зрителей в этом случае, говорит о его изменившемся отношении к зрителю, который, возможно, начал больше для него значить, чем в любой другой момент его карьеры. А также это говорит о его панике и осознании того, что его третья работа для DreamWorks продолжает резкий спад кассовых сборов. И станет еще хуже, прежде чем станет лучше.

Сверху: никому не нужный режиссер ВэлВаксман (Аллен) получает назад свою бывшую жену Элли (Теа Леони).

Слева: в предыдущей сцене Вэл представляет свою девушку (Дебра Мессинг) Элли и ее жениху (Трит Уильямс).

«На каждом шагу происходит что-то смешное. И это бодрит. Но потом ты снова возвращаешься в реальный мир, который вообще не смешной. Стоит только взять газету утром и почитать о том, что происходит в реальном мире, и ты увидишь, что он испорченный, он просто плохой».

Возврат в реальность.
Портрет, сделанный Арно Добином, 2000-е.

Кое-что ещё

2003

«В книге было много смешных мест, но она не была по-настоящему хорошей», – говорил Аллен о своем собственном романе, созданном после того, как он перестал писать о Нью-Йорке. Это роман о молодом человеке, который влюбляется в красивую, но непостоянную девушку, и просит совета от более взрослого приятеля, который рассказывает ему о жизни, комедии, философии, прежде чем попадает в лечебницу. Условно она основана на опыте Аллена, который сам был начинающим писателем и рано женился. Книгу он подарил Роджеру Анджеллу, который был его редактором в New Yorker, и паре других своих друзей. «Они были очень добры ко мне и очень помогали, но я видел, что мне она просто не удалась».

Однако Аллен повторно использовал материал книги для фильма «Кое-что еще», последнего из цикла его злосчастных комедий для DreamWorks. Этот фильм повествует о молодом комедийном писателе Джерри (Джейсон Биггс), доведенном до отчаяния своей капризной подружкой Амандой (Кристина Риччи). Он ищет утешения в дружбе со старым комедийным писателем Дэвидом Добелом (Аллен), который когда-то лежал в психбольнице за нападение на своего психиатра и заварушку с негодяями, которые припарковались на его месте. Это хорошая возможность для Аллена вернуть своего персонажа на экран. Он выпускает параноидальные тирады по поводу его старых стандартов: от Фрейда и терапии до искусства и женщин. Он неизменно доводит свои тирады до конца никчемной мудростью, выдавая напыщенный непрошенный совет («Если ты будешь хорошо заботиться о своем кровоостанавливающем карандаше и будешь высушивать его после каждого бритья, он будет служить тебе дольше, чем большая часть твои отношений… Подумай об этом»). Если бы Элви Сингер выходил из себя при каждом слове «еврей», услышанном в чьей-то болтовне в ресторане, и потерял любого, кто мог бы ему помочь успокоиться, он бы, вероятно, превратился в Добела, неудачника в духе Унабомбера.

Более молодые актеры добились меньшего успеха. Фильм, снятый оператором иранского происхождения Дариусом Хонджи, разворачивается в ряде длинных кадров, которые уже давным-давно стали фирменным стилем Аллена. Джерри и Аманда ходят туда-сюда,

«Кто-то сказал, что этот фильм суммирует все, что я когда-либо говорил в своих фильмах, и этот кто-то сказал это в позитивном ключе. Возможно, так оно и есть, и для меня это негативно. Я смотрел этот фильм, и, кажется, людям он нравился. И снова это была та картина, на которую никто не пошел».

Напротив: комедийный писатель Джерри (Джейсон Бриггс) и его капризная девушка Аманда (Кристина Риччи).

Справа: мотивирующая речь для Биггса во время прогулки.

в кадр и из кадра, они болтают о «нигилистическом пессимизме», бросаются именами Юджина О'Нила, Жана-Поля Сартра, Теннесси Уильямса. Но они немного содраны с версий Элви и Энни, мы видим, как они пытаются воплотить реальные вещи, которые были в игре Элви в конце «Энни Холл». Они, как молодые куклы, которые пытаются повторить кукловода. Как писатель Аллен слишком чувствителен к стилю, чтобы мы не заметили пропасть между сценарием и игрой, которая часто появляется в его поздних комедиях. Когда он делал «Ханну и ее сестре», он мог положиться на Дайан Уист, Миу Фэрроу и Барбару Херши, которые могли исправить небольшие ошибки. На молодое поколение, потрясенное тем, что оно появляется в фильмах Вуди Аллена, нельзя было положиться. Джейсон Биггс, звезда «Американского пирога» и «Американского пирога 2», не станет тем, кто скажет оскароносному режиссеру, что дети больше не ходят в Village Vanguard, и не «занимаются любовью» и не «ходят за руку».

«Я репетировал с оператором каждое утро, мы настраивали сложное освещение, а потом делали перерыв на обед. Потом мы возвращались и снимали сцену, и мы снимали семь страниц за пять минут», – сказал Аллен, который был достаточно горд результатом своей работы. Он сопроводил свой фильм в Италию, где он открыл 16 Венецианский кинофестиваль. Но несмотря на присутствие двух молодых звезд и премьер в 1035 кинотеатрах, «Кое-что еще» стал самым провальным фильмом Аллена с премьеры «Теней и тумана». «Ничто из этого много фильму не добавило; это больше похоже на киносолянку из не до конца продуманных идей, шуток и осколков желчной полемики», – написал Питер Райнер в New York Magazine. «Реальная проблема последних его картин не в том, что они плохие», – написал Питер Бискинд в Vanity Fair, а потом уточнил: «Они не плохие, они пустые». «Кое-что еще» стал его пятым фильмом, вышедшим из старых материалов, он отразил не только то, что Аллен готов ориентироваться в изменившемся рынке кино, но и то, что его комедийная муза начала давать сбои. Интересно, что его следующий фильм будет именно об этом.

Мелинда и Мелинда

2004

Аллен долго размышлял над тем, что снять одну и ту же историю в двух вариантах: трагическом и комическом – хорошая идея. Он намекнул на это Питеру Райсу из Fox Searchlight, во время одного из нескольких телефонных разговоров. «Им не нравилось то, как я работаю, – что они не увидят сценария, не будут знать сюжета, не будут ничего об этом знать, – сказал Аллен. – Но он готов был на это пойти, это во многом его заслуга, я думаю».

Как и «Бродвей Дэнни Роуз», «Мелинда и Мелинда» оформлена как застольный разговор. Задерживаясь на обеде в Pastis в Вест-Виллидж, два драматурга (Уоллес Шоун и Ларри Пайн) скрещивают свои словесные мечи на тему природы комедии и трагедии. История рассказана дважды, чтобы понять, в каком она жанре. В «комедийной» секции регтайм едва трубит, когда Мелинда (Рада Митчелл), соседка женатой пары Сьюзан и Хоби (Аманда Пит и Уилл Феррелл), вламывается на одну из их вечеринок, знакомится с Хоби и участвует в игре в музыкальные стулья, которые закончатся их союзом. В «трагедийной» секции начинает играть струнный квартет Бартока, когда Мелинда, только что разведенная девушка, распространяющая плохие новости, как дым от сигарет, приходит в лофт к своей старой подруге и ее мужу, которых играют Клоэ Севиньи и Джонни Ли Миллер. В этой версии истории муж утомлен очевидно катастрофичной женщиной, которая соревнуется с Севиньи за внимание щеголеватого пианиста (Чиветел Эджиофор). Эта история завершается попыткой суицида.

Является ли история комедией или трагедией, неизменно один из первых вопросов, который задавал себе Аллен при съемках фильма, но это часто менялось во время работы над ним. «Комедия секса в летнюю ночь» изначально была камерной пьесой в стиле Чехова, и именно в таком ключе закончилась «Другая женщина», но потом эту историю пересказали в комической форме в «Элис». Кто-то может сказать, его воображение слишком сильно скачет, оно тянет его к комедии, когда он дергает его в обратном направлении. Определенно комедийная секция фильма менее успешная. Там Феррелл соперничает с Кеннетом Браной за титул худшего подражателя Вуди Аллена, более заметным это соперничество делает тот факт, что Феррелл сам по себе является очень сильным комическим исполнителем. На короткий момент он становится живым, когда его халат застревает в двери, когда он подслушивает за любовными играми Мелинды. Но по большей части этот большой медведь буффонады втискивается в обычную жизнь более мелкого самокритичного человечка.

У Митчелл более завораживающая игра, трогательная и нервная по очереди. Она курит сигарету за сигаретой и глотает вино в «трагической» части, когда возвращается к своим саморазрушительным романтическим наброскам.

Напротив: на натурных съемках в Нью-Йорке с ветераном операторского искусства Вилмошом Жигмондом проходит инструктаж.

Сверху: Мелинда (Рада Митчел) теряет самообладание в «трагической» части фильма. Аллен написал роль для Вайноны Райдер, но ему пришлось ее заменить, потому что бюджет не смог бы покрыть стоимость ее страховки.

Можно заметить, что Аллен не очень-то держится своих правил. Он не рассказывает одну и ту же историю по-разному, а преподносит две более или менее разные истории, связанные только главным персонажем и узором из свободно скомпонованных драматических лейтмотивов: дантист, прыжок из окна, лампа, которую трут для исполнения желаний в одной истории и для отрицания желаний в другой. В конце фильм все меньше рассказывает о сложном переплетении комичных и трагичных элементов в жизни, но больше о снижающемся интересе Аллена к первым и увеличивающемуся интересу ко вторым. У него была такая же реакция на завершенную версию «Мелинды и Мелинды», как и на «Преступления и проступки». «Мне понравилось делать картину только в серьезной ее части, – сказал он. – Ведь комическая половина никогда не интересовала меня как писателя, в отличие от другой половины. Мое сердце лежало ко второй его части».

Взгляд назад, в «Преступления и проступки» говорит о многом. В его серьезных драмах только небольшая часть достигает своей цели, и у всех у них в общем-то одна и та же тема. «Преступления и проступки» был первым фильмом, где он недвусмысленно коснулся этой темы. Затем были «Сентябрь» и «Мелинда и Мелинда». Но его следующий фильм наиболее полно раскроет тему. Наконец, он будет готов к настоящему убийству.

«Чтобы быть хотя бы таким плохим, как я, вам следует практиковаться каждый день. Я определенно музыкант-любитель. У меня нет хорошего слуха. Я очень плохой музыкант, как и игрок в теннис по воскресеньям».

Незнакомец на побережье. Потрет, сделанный Брайаном Хэмиллом, в начале 2000-х.

Матч-Поинт

2005

Изначально съемки должны были развернуться в Америке, в Хамптонсе, но начиная с «Разбирая Гарри», который принес 10,6 миллиона долларов, доходы от фильмов Аллена на родине снизились до 5 миллионов за картину, а бюджет фильмов в среднем составлял 20 миллионов. Fox Searchlight даже не пыталась заниматься дистрибьюцией «Матч-поинт», так как предыдущий его фильм «Мелинда и Мелинда» принес лишь 3,8 миллиона в США. Вместо этого рука помощи протянулась от BBC Films в Англии, компания согласилась частично профинансировать фильм, если он снимет его в Англии с местными актерами и командой. «Матч-поинт» было приятно, невероятно приятно делать», – говорил Аллен о семинедельных съемках летом 2004 года. Погода была чудесная, было много серого неба, такого, как он любит, и у него в распоряжении была целая куча талантливых актеров. Сначала он хотел Кейт Уинслет на главную роль, но актрисе казалось, что она пренебрегает семьей, если слишком много работает, поэтому она отказалась.

Джульет Тейлор предложила Скарлетт Йоханссон. Узнав, что она готова сниматься, Аллен послал ей сценарий в пятницу вечером. К вечеру воскресенья она согласилась. Они сняли с ней первую сцену сразу после ее прилета в Лондон. Скарлетт приехала сразу в паб, где они снимали, и без репетиций прекрасно сыграла пьяную девушку в сцене с Джонатаном Рисом-Майерсом. «Первые дубли были прекрасными», – сказал Аллен о своей новой звезде, в которую он через некоторое время буквально влюбился, чего с ним давно не происходило с другими актрисами. «В ней было все: личность, голос, то, как она выглядит, ее глаза, ее сила, ее губы. Все это собиралось вместе и становилось прекрасным. Этот тот случай, когда все вместе прекраснее, чем сумма отдельных частей».

Некто совершает убийство, а затем убивает соседку, чтобы сбить с толку полицейских. Начиная с этого момента появляется сюжет фильма «Матч-Поинт». Аллен думал: кто будет этим парнем? Потом он думал: у него будет связь с женщиной, которую он хочет убить. Она будет богатой, а работать он будет тренером по теннису, который начал общаться с богатыми людьми. "Матч-поинт" появился органически. Мне просто повезло, и я получил правильных персонажей в правильном месте в правильное время, – сказал Аллен. – Как в "Макбете", "Преступлении и наказании", "Братьях Карамазовых", там есть убийство, но оно использовано в философских целях, а не так, как в детективах. Я старался добавить содержания в историю так, чтобы это не была просто жанровая картина».

Сверху: Профинансированный BBC Films большой тур Аллена по Европе начался с Лондона.

Напротив: «Ты играешь очень агрессивно». Нола Райс (Скарлетт Йоханссон) присматривается к Крису Уилтону (Джонатан Рис-Майерс).

«Каждое решение, которое было сделано относительно картины не только мной, но и любым другим человеком, просто сработало. Я не уверен, что смогу когда-либо это повторить или сделать такой же хороший фильм».

Сверху: работая тренером в клубе Queen's, Крис знакомится с богатыми членами клуба, как Том (Мэтью Гуд).

Напротив, сверху: получив доступ в привилегированный мир семьи Хьюитов, Крис усиливают свою позицию, начиная встречаться с сестрой Тома Хлоей (Эмили Мортимер).

Напротив, снизу: но он рискует сорваться с социальной лестницы, закрутив интрижку с невестой Тома.

Обычно режиссер тратит много времени, шутя со своими актерами в перерывах между дублями, так что им тяжело ухватить более серьезный тон некоторых сцен, в которых они снимаются. «Я думаю, с "Матч-Поинт" я был более успешным, чем когда-либо с мрачным материалом, – сказал Аллен. – Вы знаете, я все свои фильмы пытался сделать хорошими, но некоторые удавались, а некоторые нет. С этим все, казалось, идет хорошо. Актеры подходили, операторская работа была на высоте, и история работала. Мне здесь очень повезло. Этот фильм оказался одним из счастливейших опытов из всех, что я когда-либо имел. Каждая небольшая удача, которая нужна была нам в небольшой переломный момент, приводила к хорошему».

«Матч-Поинт» несся дальше, как старый Ягуар. Это киноэквивалент винтажной спортивной машины, в которой алленовские фильмы того периода доставляли столько чистой радости: они были застенчиво стильными, в некотором смысле антиквариатными, но быстрыми, оформленными и невероятно крутыми на поворотах. Режиссура Аллена является чудом изысканных многоточий. Ирландец из обычной семьи, Крис Уилтон (Джонатан Рис-Майерс) работает в эксклюзивном клубе Queen's в Лондоне, там он помогает богатым людям, таким как Том Хьюит (Мэтью Гуд), дружелюбный, несерьезный наследник огромного состояния, оттачивать удары с отскока. За этим следует приглашение на оперу и в гости к Тому в загородный особняк, где его славная сестренка Хлоя (Эмили Мортимер) вскоре проникается симпатией к новому другу. Аллен делает восхождение Криса кажущимся простым, это гирлянда возможностей, которые ведут наверх, все это похоже на балет и перемежается винтажными моментами в саундтреке. Ключ к хорошему социальному взлету, что привносит в историю некоторую магическую составляющую или шутку, состоит в том, чтобы сделать этот момент так, как будто это не стоит ему никаких усилий.

Несмотря на то что Рис-Майерс действительно ирландец, он не является тем, кого большая часть людей видит в голове при упоминании слова «ирландец», но ощущение самозванства только помогает беспокойству, которое окутывает все грани его угрюмой мрачной игры. Когда он зависает в разговоре, он вносит в него небольшие капельки вежливости, а потом он слишком быстро начинает отвечать, иногда залезая на реплики других людей, как будто торопится вступить на личную территорию человека – ему много приходится выжидать. Вскоре его охватывает страсть к невесте Тома, сладострастнице с шелковым голосом по имени Нола Райс (Скарлетт Йохансcон), которую мы слышим, прежде чем видим. Она торжествует над противником по пинг-понгу: «Кто моя следующая жертва?» Из Йохансcон эта роль сделала звезду, ее сцены с Рисом-Майерсом имеют такое эротическое давление, которого никогда не было в работах Аллена. Он беспрестанно шутил о сексе. Он беспрестанно о нем говорил. Он рассказал нам все, что мы хотели знать, но боялись спросить. Но он никогда не снимал реальных сексуальных сцен до этого момента, таких, какая происходит между Нолой и Крисом в пшеничном поле однажды вечером. В этой сцене они

сплетаются, как две змеи, отдыхая от карабканья по социальным лестницам.

Фильм делится их двуличностью. Прежде чем мы это понимаем, глянцевое представление входит на территорию Хичкока, мрачную от схожести с «Преступлениями и проступками» самого Аллена, в которой любовница настолько начинает тяготить, что доводит мужчину до убийства. На вопрос, почему убийство должно замещать мастурбацию, любимое занятие мужских персонажей Вуди Аллена, должен ответить его аналитик, хотя Фрейд был не первым человеком, который настаивал на скрытой враждебности, которая прячется под юмором в «Остроумии и его отношении к бессознательному». Томас Гоббс в своем трактате 1651 года «Левиафан» определяет юмор как «внезапную гордость, вырастающую из внезапной концепции некоторого нашего превосходства по сравнению с недостатками других людей» – это вспышка превосходства, когда кто-то другой поскальзывается на кожуре от банана, а мы нет. Жесток даже сам язык: «ударная реплика», заставить зрителей «помереть со смеху», «сразить ее наповал». Когда мы смеемся, мы обнажаем наши зубы.

Убийства в последних работах Аллена затягивают драматическую слабину, появившуюся из-за отсутствия ударных реплик. Между тем «Матч-Поинт» разрешается ужасным концом с двустволкой. «Это коктейль из шампанского, приправленный стрихнином, – написал А. О. Скотт в New York Times. – Вам придется вернуться к безрассудному аморальном расцвету Эрнста Любича и Билли Уайлдера, чтобы найти цинизм, так же искусно перевернутый в высшее развлечение».

Сверху: режиссура Аллена вошла на новую территорию с его сценой секса под дождем.

Справа: «Матч-Поинт» был первым фильмом, который Аллен сделал со Скарлетт Йоханссон, но он не будет последним.

В Entertainment Weekly Оуэн Глейберман назвал фильм «самым живым возвратом к этой форме со времен, когда Роберт Олтмен создал "Игрока". Фильм получил более резкие отзывы от британских критиков, которые были готовы вступить в борьбу по отношению к вопросам локации и языка. Питер Брэдшоу из Guardian сказал, что «диалог скомпонован из чего-то вроде Напыщенного Английского (Posh English), который Аллен, кажется, выучил из разговорника Berlitz». А Джейсон Соломонс из Observer пожаловался, что действие фильма «разворачивается в Лондоне, это узнаваемо, но все в реальности выглядит не так». На это можно ответить лишь одно: добро пожаловать в клуб. Критики то же самое десятилетиями говорили о Нью-Йорке Вуди Аллена. Ему эти отзывы нисколько не сделали больно.

«В фильме есть сексуальность без показа реального секса. Вы понимаете, о чем идет речь. И так веселее. В реальном сексе вы можете увидеть все, что хотите. Он выглядит как пистоны или пневматическое сверло, это редко бывает сексуальным».

Сенсация

2006

Слева: Сид Уотерман (Вуди Аллен) и Сондра Прански (Скарлетт Йоханссон) со своим главным подозреваемым Питером Лайманом (Хью Джекман) в моменте, который Аллен описывал, как «тривиальная небольшая кульминация фильма».

Справа: у Аллена было множество иллюзионистов в его фильмах, но Великий Сплендини был первым, которого он сыграл сам.

«О, Скарлетт меня убивала, – сказал Аллен о работе со Скарлетт Йоханссон. – Я имею в виду, она из тех людей, которые и на экране и вне его переигрывают меня. Неважно, насколько хорошей была моя реплика, неважно, усмиряли ли мы друг друга или дразнили, она всегда делала все лучше меня. Конечно, с моей стороны, это вызывало очень много уважения. Потому что я всегда думал, что я быстрый и остроумный, так что, когда кто-то постоянно меня превосходит, я просто восхищаюсь этим. Но это правда – и любой человек на площадке сказал бы вам то же».

Написанный в первую очередь, чтобы запечатлеть взаимопонимание, которое Аллен нашел с актрисой во время съемок «Матч-Поинта», «Сенсация» вернула его на экран (на котором в последний раз его видели в «Кое-что еще») в роли Сида Уотермана, он же Великий Сплендини, олд-скульный иллюзионист, чье представление на сцене становится средством для призрака только что умершего журналиста Джо Стромбела (Иэн Макшейн) сообщить молодой журналистке Сондре Прански (Скарлетт Йохансон) о последней сенсации, которую он успел узнать. Сенсация заключается в установленной личности серийного убийцы. Фильм является непретенциозной развлекательной зарисовкой, основанной, как и «Загадочное убийство в Манхэттене», на старых фильмах в духе «Тонкий человек» с Мирной Лой и Уильямом Пауэллом. Фильм трогательный, но не особенно смешной, он рано достигает своей кульминации в сцене, где Сид и Сондра должны выдавать себя за богачей на английском пикнике. «Я хочу выяснить, кто вам делал живые изгороди», – язвит Сид. – Мой топиарный лось начал выглядеть немного поношенным вокруг рогов». Способность Аллена изображать смятенную беспечность, которая выглядит все более правдоподобной с каждой ужимкой и взмахом руки, остается в целости и сохранности, даже если в фильме ему больше нечего делать. Фильм «Сенсация» значителен главным образом потому, что дал короткий перерыв в череде ролей соблазнительниц Йоханссон. Он ей идет. Она одета в скучные свитера

и очки, ее волосы убраны назад в тугой хвост, она всматривается в возможно виновного аристократа Хью Джекмана и заваливает его вопросами. Она как будто бы не замечает, какой эффект на него производит. Йоханссон здесь играет вариант героини старых эксцентрических комедий, умной девушки, которая не замечает своего собственного сексуального потенциала.

Фильм стал хитом, собрав 39 миллионов долларов по всему миру с бюджетом в 4 миллиона. И Аллен с легкостью принял вердикт критиков о посредственности фильма. «Не кажется, что над «Сенсацией» Аллен работал ужасно много, и хотя в нем проглядывает несколько очевидных промахов и множество неровных кадров, вся вещь целиком находит приятный беззаботный отклик», – написала Манола Даргис в New York Times. «Это восходит к смешным концептам, а не к реальному положению вещей, – сказал Аллен. – «Сенсация» переходит от шутки к шутке, но концепт, который сам по себе является остроумным, здесь большой роли не играет». Йоханссон не разделяла его мнения. «Я не думаю, что что-то в нем изжило себя, – сказала она. – Я жду от него, что он напишет моего «Гражданина Кейна».

Мечта Кассандры

2007

Сверху: на съемочной площадке с Хэйли Этвелл (Анджела) последнего из трех фильмов, снятых в Англии.

Напротив: «Если ты перешагнешь через эту черту, пути назад не будет». Братья Иэн и Терри (Юэн Макгрегор и Коллин Фаррелл) поджидают свою жертву.

«Я хотел сделать главную сюжетную линию про мужчин», – говорил Аллен про фильм «Мечта Кассандры». Появился фильм из его спектакля 2004 года «Подержанная память», который он делал для театра Атлантик в Нью-Йорке. Темой опять же было убийство. Два брата в Лондоне идут к своему богатому дяде за деньгами. Один из них Терри, автомеханик и страстный игрок, второй Иэн, ресторатор, который пытается выйти из бизнеса и вложиться в отель в Калифорнии. Дядя соглашается им помочь, если они для него убьют человека. «В моей пьесе их дядя не просил оказать ему услугу, – рассказал Аллен. – Он пришел со своей подружкой, и один из братьев начал встречаться с ней – это совершенно другая история. Но в этом случае мне пришло в голову другое: а что если дядя попросит у них оказать ему услугу, услугу, которая повлечет за собой сложные моральные вопросы, кризис совести? Это дало мне интересную идею для фильма, тревожного и напряженного, с сюжетом с убийством, но который мог бы развлечь».

Режиссёр по подбору актеров Джульет Тейлор предложила Юэна Макгрегора и Коллина Фаррелла на роли братьев. Аллен сначала сомневался, он видел более молодых актеров на эти роли и провел с Фарреллом встречу, которая длилась в общей сложности 60 секунд.

«Привет, – сказал Фаррелл. – Вот и я, я думаю, теперь мне можно идти?»

«Да», – ответил Аллен, смеясь. Как только актер ушел, он сказал Тейлор: «Он подходит идеально».

Макгрегор наслаждался своим первым знакомством с рабочим методом Аллена. «Большая часть сцен снималась в одном кадре, – говорил он. – Было много диалогов. Было не так много дублей – это чудесно. Я домой приходил в 16:30. Я мог жить». Фаррелл чуть позже понял, что он сделал столько дублей за весь фильм, сколько сделал для одной сцены в киноверсии «Полиции Майами». Для написания музыки к фильму Аллен обратился к Филипу Глассу – это один из немногих раз, когда режиссер заказал оригинальную музыку для фильма. «В этом фильме я не мог понять, что нужно, и тогда мне в голову пришла идея с Филипом Глассом, – сказал Аллен. – Я позвонил ему, и он очень заинтересовался. Я хотел что-то, что бы дополняло трагедию истории. Он согласился, и, конечно, его музыка такая тяжелая, такая зловещая. Он гений. Он написал для меня невероятно зловещую, тяжелую музыку. И я сказал: "Господи, это настолько жутко и необычно, она передает зрителям все содержание истории". А он ответил: "Да нет, это любовная тема, это когда он знакомится с девушкой. Я еще не закончил с тревожной частью"».

Фильм страдает из-за чрезмерного освещения темы, к этому склоняются поздние фильмы Аллена. Если мы вдруг не поняли сообщение из жутких арпеджио саундтрека Гласса, Аллен накладывает раскаты грома, чтобы подчеркнуть просьбу об убийстве от дяди Говарда: "Берегись! Это сделка с дьяволом! Вознаграждение огромное, мне не надо тебе рассказывать

«Из всех идей с убийством одна неизменно приводит к моральному выбору. И фильм становится более содержательным, чем просто истории с загадочными убийствами и детективы».

о рисках!» – говорит Иэн (Юэн Макгрегор) в прямом раздражительном стиле, что является костылем для любого драматурга средней руки. «Сам по себе я никудышный игрок, и я строю из себя богача в арендованных машинах!» Аллен чувствует себя прекрасно среди распивочных заведений и мужских клубов Белгрейвии в «Матч-Поинте», несомненно, выскочки одинаковы во всем мире, но он терпит неудачу среди рабочего класса в Англии. Только Салли Хокинс, играющая свою роль неунывающей кокни из фильма «Беззаботная» Майка Ли, справляется с тем, чтобы добавить в свои диалоги оттенок речи кокни. Его братья звучат, как кокни, но думают, как американцы, они мечтают о яхтах, винтажных автомобилях, обедах в Claridge's, хотя Bentley Continental, Xbox и сезонные билеты на Арсенал были бы более уместными. Они аферисты в стиле Раньона в одежде Майка Ли.

«Вам не кажется, что люди в «Мечте Кассандры» приятны и напряжены, несмотря на то что играют в фильме Фаррелл и Макгрегор», – написал Майкл Филлипс в Chicago Tribune. «Как и многие его поздние фильмы, «Мечта Кассандры» кажется слишком плохо обдуманной и часто сделанной наспех, как будто бы он режиссировал ее с секундомером», – отметила Манола Даргис в New York Times. Алленовский затянувшийся тур по Англии, кажется, подошел к концу.

Вики Кристина Барселона

2008

«Я начал с Барселоны и Пенелопы, и где-то в глубине души я собирался позвать Скарлетт», – сказал Аллен о «Вики Кристине Барселоне», проекте, который появился после того, как испанские спонсоры спросили Аллена, не хочет ли он снять фильм в Барселоне с небольшой финансовой помощью правительства Каталонии. «У меня не было ни одной идеи по этому поводу, и спустя неделю или две мне позвонила Пенелопа Крус. Я с ней не был знаком; она хотела встретиться, и она была в Нью-Йорке. Я ее видел лишь в "Возвращении" и больше нигде. Мне казалось, что она в нем чудесна, и она сказала, что знает, что я снимаю фильм в Барселоне, и она будет рада принять участие… Потом я услышал, что картиной интересуется Хавьер, так что постепенно фильм начал принимать форму. Я собрал там все вместе в основном из людей».

Сначала Аллен не хотел брать Йохансcон так скоро после «Матч-Поинта» и «Сенсации». «Даже несмотря на то, что он с ума по ней сходил, и, я думаю, реально хотел брать ее, мы решили, что это не лучший выход, – рассказала Джульет Тейлор. – Нам казалось, что мы должны сделать что-то другое, что должно пройти какое-то время после других фильмов. Так что мы реально искали кого-то другого. И в какой-то момент мы поняли, что просто ходим по кругу, потому что мы обращаем внимание на людей, которые были намного менее интересны, которые вряд ли много бы привнесли в фильм».

Съемки в Испании привлекли толпу народа. Зарядившись энергией от своих молодых актеров и от удовольствия съемок в Барселоне, Аллен начал вести поддельный дневник для Guardian. В последний раз он проделывал такой номер, когда писал о съемках «Любви и смерти» для Esquire:

5 июня

Съемки стартовали неуверенно. Ребекка Холл, несмотря на то что молода и это ее первая главная роль, немного более темпераментна, чем я о ней думал, и из-за нее я отстранен от съемочной площадки. Я объяснил, что режиссер должен там быть, чтобы руководить фильмом. Я пытался, как мог, но не смог убедить ее, и мне пришлось переодеться в разносчика еды, чтобы проникнуть обратно на площадку.

На съемочной площадке с Хавьером Бардемом (Хуан Антонио), Пенелопой Крус (Мариа Елена) и Скарлетт Йохансcон (Кристина).

Некоторое время спустя после романтического вечера в Овьедо Хуан Антонио делает Вики (Ребекка Холл) еще один особенный романтический сюрприз.

«Можно было снять этот фильм по-разному, чтобы подчеркнуть в нем комедийные или драматические элементы, но вообще это мелодрама, и она остается мелодрамой. Трудно объяснить. Это драматический фильм, но в нем есть смех и много романтики».

Его игривость очевидна в конечной версии фильма, в котором прекрасные виды и разгорячённые связи придают фильму чувственность, с которой никто не был знаком в сжатой холодности, скажем, «Интерьеров». Вики (Ребекка Холл), уравновешенная и рассудительная студентка магистратуры, работает над своей диссертацией по каталонской культуре. Она обручена с милым, чувствительным юношей: комфорт устроенного будущего. Кристина (Скарлетт Йоханссон), напротив, импульсивная адреналинщица, которая в первую очередь ищет страсть и удивление. Когда она слышит о тяжелом разводе местного каталонского художника Хуана Антонио (Хавьер Бардем), то приходит в возбуждение. Когда они с ним знакомятся и он предлагает им обеим поужинать – «Жизнь коротка, жизнь уныла, в ней много боли, – объясняет он, – а это возможность сделать что-то особенное» – Вики насмехается над его бесстыдством, а Кристина надувает свои большие губки и поедает загорелого ухажера глазами.

За этим следует печальная, сладострастная комедия об удовольствиях и опасностях эпикурейства заграницей – Генри Джеймс через Эрика Ромера. В этой комедии две женщины постепенно меняются своими убеждениями. Кристина плохо себя чувствует из-за расстройства пищеварения, и Хуан Антонио сначала обращает свое внимание на чувствительную Вики, он ее завлекает в постель задушевными разговорами, игрой на гитаре и большим количеством красного вина. Во время приезда ее жениха он переключает свое внимание обратно на Кристину, которой кажется, что все ее мечты о богемной жизни сбылись, когда она вовлекается в странные отношения втроем с Хуаном Антонио и его вулканической непостоянной бывшей женой Марией Еленой (Пенелопа Крус).

Щуря глаза, Крус выплескивает каскадные тирады сквозь взлохмаченные волосы. Она играет романскую соблазнительницу во всей своей красе, это Анна Маньяни в эпоху Прозака. Но она играет с таким огнем, дымом и вкусом, что дает своему персонажу жизнь так же, как Мира Сорвино сделала это в «Великой Афродите». Она была за это вознаграждена Оскаром за роль лучшей актрисы второго плана.

Мораль фильма легко доступна – опасайся соблазна романтического богемианизма. Но Аллен-моралист уравновешивается Алленом – позднезацветшим сладострастником. «Давайте не будем впадать в эти напыщенные доводы категорического императива», – призывает в один момент Вики, но воодушевление самой Холл отбрасывает ее красиво осмотрительный интеллектуализм. Как обычно это бывает с фильмами Аллена про обмен положениями, вы чувствуете, как он впутывает две свои различные части в разговор. Он – это обе женщины, чувственная Вики и импульсивная Кристина, и он больше не может сопротивляться искушению соблазнить одну и не избавить вторую от ее иллюзий. Хуан Антонио непринужденно окутывает обеих женщин коварством, в то время как оператор Хавьер Агирресаробе омывает места и актеров в равной степени медовым, солнечным светом. Пытаясь отрицать мотива Аллена, фильм, кажется, именно это и говорит. Зрелость «Вики Кристины Барселоны» – это развитие человека, который однажды написал сценарий к фильму под названием «Ангедония» о неспособности испытывать наслаждение. Аллен всегда знал, как ублажить зрителей, становясь таким же одиноким, как жиголо, в процессе этого ублажения. Сравнительно недавно в своей жизни он, кажется, открыл что-то невероятно значительное: как самому получать удовольствие.

Мария Елена и Хуан Антонио находят нетрадиционную форму семейного счастья с Кристиной (сверху), но, когда она уходит, буйная парочка снова начинает ругаться (слева).

Слева: жизнь с Марией Еленой и Кристиной пробуждает творчество Хуана Антонио.

Снизу: Крус появляется только на середине фильма, но эффект от ее появления потрясающий.

«Действительно мое сердце задействовано больше, когда я пишу для женщин. Я не знаю почему, но помню, как эта трансформация пришла из невозможности правдоподобно написать женщину. Я не мог написать ничего, кроме однобокой женщины. А потом я начал писать для женщин все время».

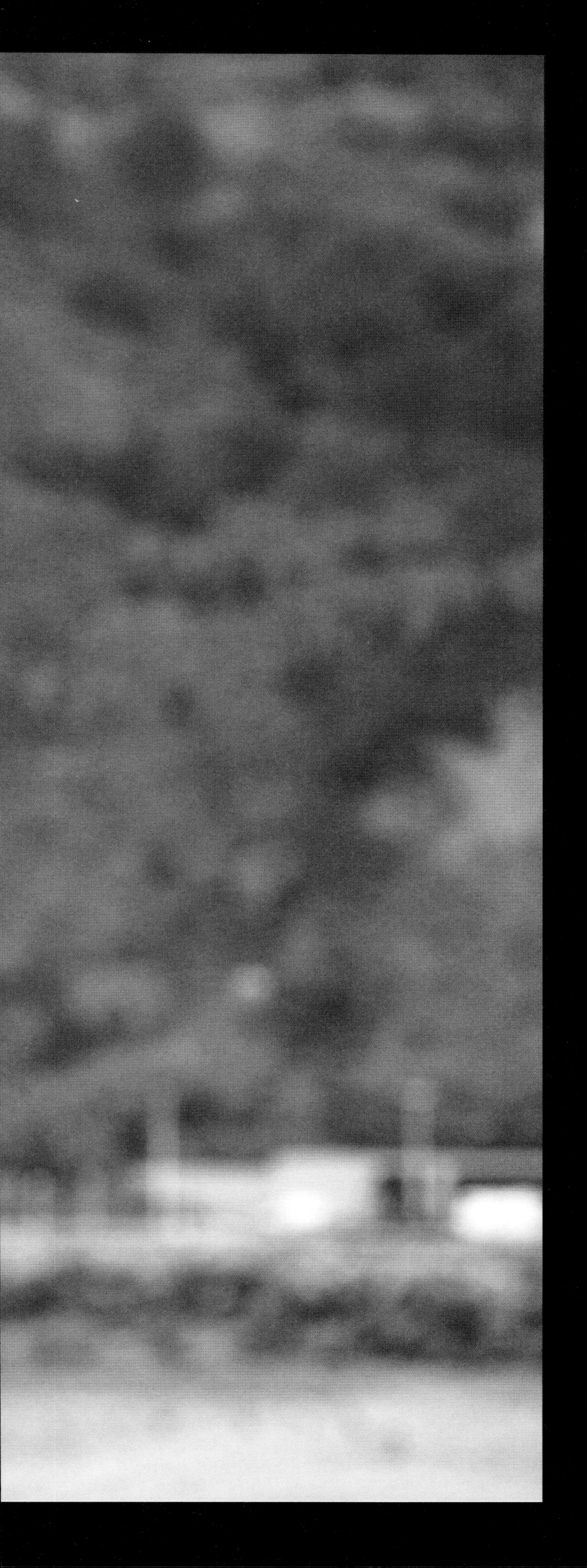

«Ты постоянно ищешь контроля, а в конце просто благодаришь за то, что пианино с подъемника не упало на твою голову».

В ожидании кинофестиваля в Сан-Себастьяне, где прошла испанская премьера «Вики Кристины Барселоны». Потрет, сделанный Элис Эрарди, 2008.

Будь что будет

2009

Сверху: Борис (Лэрри Дэвид) засыпает Мелоди (Эван Рэйчел Вуд) своими воззрениями на спорт.

Напротив: съемки в манхэттенском Китайском квартале.

Сценарий был написан еще в 1970-х для Зеро Мостела, примерно во время написания «Энни Холл». Аллен сдул пыль со сценария и пригласил в него Лэрри Дэвида. Это было третье появление Дэвида в фильмах Вуди Аллена после небольшой роли в «Днях Радио» («Все, что у вас было, это моя лысая голова», – говорил Дэвид) и в отрывке «Гибель Эдипа» в «Нью-Йоркских историях» в 1989 году. Он ничего не слышал от Аллена, пока ему не прислали сценарий «Будь что будет» с сопроводительным письмом. «Мне показалось, что сценарий гениальный, – сказал Дэвид. – Но у меня были сомнения по поводу того, смогу ли я это сыграть. Потому что это не то, что я обычно играю. Обычно я просто играю себя».

Аллен настоял на своем. «Определенно в нем есть что-то законченное, что нравится зрителю, – говорил он. – Вы знаете, то же самое было у Граучо Маркса. Зрители никогда не обижались от слов Граучо, они обижались, если он их не оскорблял, сказал он мне однажды». Он переубедил Дэвида, сказав ему, что там нет ничего, с чем бы он не мог справиться, он вдохновлял его на то, чтобы забыть о сценарии и импровизировать, как он обычно делал. Тем не менее, Дэвид был твердо настроен следовать сценарию и отходил в свой трейлер, чтобы повторить реплики между съемками сцен. «Я ничего не переписывал для Ларри, – рассказал Аллен. – Когда я достал сценарий из ящика, мне его пришлось переделать, потому что он там лежал слишком долго. Он был в спячке, вроде того. И мне надо было его освежить и немного оживить, чтобы он выглядел более современным. Но я никогда не переделывал его для Ларри. Ларри просто подошел ему, как перчатка».

Любой кадр начинался с разговора с камерой, мизантропичный Борис Ельников выдавал монологи о космической несправедливости, его провале в получении Нобелевской премии («Это политика, как и любое другое фальшивое чествование»), глобальном потеплении, терроризме, «дебильных семейных ценностях и дебильном оружии», пока его компаньоны в кофейне почесывали голову. Ему кажется, что он разговаривает с кем-то? Это ловкий трюк, который обозначился в «Энни Холл», но там Аллен разбавлял монологи Элви Сингера сценами с его прошлым и настоящим: в школьном классе, в кинотеатрах, во время обеда с семьей Энни. Там он раззадоривал нарциссизм героя, а тут он просто позволил Борису тараторить, и даже Дэвид не смог вызвать смех этим материалом. Он должен читать публичные речи, как в сериале «Умерь свой энтузиазм», но он всего лишь облаивает ноги не обращающей на него внимания вселенной. «Будь что будет» уделяет ему пристальное внимание, ведь он единственный персонаж хоть с какой-то глубиной.

Однажды вечером он видит у своей двери симпатичную молодую беглянку из Миссисипи по имени Мелоди (Эван Рэйчел Вуд). Он так любит ставить под сомнение ее образованность («Землемер!»), что разрешает ей поселиться у него и, в конце концов, женится на ней: Вуди ничего не может поделать с этой глупой Лолитой. Она вваливается в сцены со своим хвостом, становится объектом снисходительности Бориса, но возмездие, которое, вы уверены, должно его настигнуть, так и не показывает носа. Происходит нечто совершенно иное. Мать Мелоди Мариэтта (Патриша Кларксон) появляется у их дверей и сначала шокируется женитьбой своей

дочери («Он не муж, – говорит она о Борисе, – он больше похож на амбулаторного больного»). Затем она обращается под его еврейско-атеистическим влиянием в либерально-интеллектуальную ортодоксию, внезапно организуя выставку фотографов в стиле ню и живя с двумя мужчинами. Кларксон такая жизнерадостная и привлекательная, что она практически оттягивает все внимание на себя, но то, что сценарий был написан давным-давно, видно. Аллен по-прежнему не научился творчески не соглашаться с самим собой, разрешая противящимся персонажам уходить в драму. Фильм есть кивок согласия зеркалу – история Элви Сингера до появления «Энни Холл».

«Вы знаете, в какой-то момент я собирался назвать этот фильм "Худший человек в мире". Я думал, что это будет забавный персонаж – парень, который является квинтэссенцией мизантропии и не может приспособиться, не хочет приспосабливаться, все отрицает. Он просто не тот, кто хочет уживаться с жизнью».

Ты встретишь таинственного незнакомца

2010

В 1969 году Аллен снял несколько шоу для CBS, в которых он брал интервью у Билли Грэма. Это была интересная светская беседа, затрагивавшая религию, мораль, смысл жизни. Эта беседа оставила у Аллена неприязненное уважение к американскому проповеднику. «Я говорил с мрачной точки зрения, а Билли Грэм говорил мне, что даже если я прав, а он ошибается, и в жизни нет смысла, и что жизнь – это мрачный опыт, и нет никакого бога и жизни после смерти, нет никакой надежды и так далее, то его жизнь все равно лучше, чем моя, потому что он верит по-другому. Даже если он на 100 % не прав, наши жизни будут завершены, и у меня будет жалкая жизнь, основанная на пессимистичной точке зрения, а у него будет замечательная жизнь, уверившая в то, что есть что-то большее».

Этот комментарий остался с Алленом и много лет спустя стал основой фильма «Ты встретишь таинственного незнакомца» – фильма о ценности необоснованной веры. Снимал он фильм в Лондоне на испанские деньги с интернациональным актерским составом, включавшим Энтони Хопкинса в роли Альфи, загорелого, седовласого бизнесмена, который борется с надвигающейся старостью, уходя от жены по имени Хелена (Джемма Джонс), с которой он прожил 40 лет, и женясь на веселой длинноногой проститутке по имени Шармейн (Люси Панч). Ее он одевает в меха, бриллианты и покупает ей впечатляющие апартаменты на берегу Темзы. Отверженная Хелена начинает злоупотреблять скотчем и подпадает под влияние гадалки (Полин Коллинз), которая убеждает ее в том, что она получает невероятное количество позитивной энергии. Над этой идеей насмехается ее несчастливая в браке дочь Салли (Наоми Уоттс), чей грубый муж Рой (Джош Бролин), неудачливый писатель, справляется с неуспехом своего нового романа интрижкой с красивой молодой женщиной (Фрида Пинто), которую он видит в окне напротив.

Все, за исключением Хелены, гонятся за тем, чего у них нет, и в конце у них остается еще меньше, чем у них было в начале, в этой не совсем комедии о безумном желании получить то, чего ты хочешь. Чем больше пропускает игру через себя исполнитель, тем лучше его игра. С прической, которую, кажется, сделали в конце 70-х и с подобающим словарным запасом Бролин слишком шумный и взвинченный. У Наоми есть один чудесный момент без слов в машине с ее женатым боссом, галантным владельцем галереи искусств, которого сыграл Антонио Бандерас, хотя по моральной схеме фильма ее желания также превращаются в пепел. Игра Хопкинса самая живая.

Пользуясь связью, которая была налажена Майклом Кейном еще в «Ханне и ее сестрах» между двойственностью эмоций самого Аллена и его британским темпераментом, Хопкинс выкурил все страхи и сомнения режиссера в своего довольного богача, достаточно умного, чтобы знать, что его чувство собственного достоинства покидает его, и он настолько паникует перед лицом надвигающейся смерти, что не может отказаться от своих собственных неугомонных желаний. Посмотрите, какую извиняющуюся гримасу строит Альфи, когда ждет, пока подействует виагра. «Три минуты», – говорит он, постукивая по часам.

«В прошлом Аллен делал фильмы, которые были эхом Чехова и Бергмана, а это по Бальзаку: мир управляется эгоцентризмом и подлостью. И большая часть того, что мы делаем, похоже на грязную комедию», – написал А. О. Скотт в New York Times. В каком странном и замечательном месте оказался поздний Вуди Аллен: намеки на фарс, боль мелодрамы, какая-то невероятно красивая недвижимость, диалоги в гостиной, поверхностное знание поворотов сюжета О. Генри – все подается с насмешливой нравоучительной забавой на грустном спектакле человеческого несчастья.

Сверху: обсуждает с Энтони Хопкинсом (Альфи) съемочный процесс. Аллен говорит, что ему потребовались «годы крушения иллюзий», чтобы придумать эту поучительную историю о безумном желании получить то, чего ты хочешь.

Слева: дочь Альфи Салли (Наоми Уоттс) флиртует со своим высоким боссом Грегом (Антонио Бандерас).

Полночь в Париже

2011

«У меня вообще не было ни одной идеи по поводу Парижа, ни одной», – говорил Аллен, когда французские продюсеры предложили ему снять фильм в столице Франции. Он спрашивал себя, что первое приходит ему в голову, когда он думает о Париже, конечно же, романтика. Тогда у него появилось название «Полночь в Париже», которое стало лишь намеком на историю. «И я думал месяцами, что же произошло в полночном Париже? Люди встречаются и влюбляются друг в друга? У двух людей завязывается роман? И потом однажды мне пришло в голову, что некто приезжает в Париж, гуляет по ночному городу, и это полночь, и внезапно к нему подъезжает машина, он садится в нее, и его забирают в реальное приключение».

Он пытался начать съемки в 2006 году, но бросил эту идею, так как она была слишком дорогой. В 2009 Франция ввела налоговые льготы на иностранную продукцию, и Летти Аронсон, сестра Аллена, которая в тот момент была его продюсером, смогла снизить бюджет до приемлемых 18 миллионов долларов. Главный персонаж Гил изначально был интеллектуалом с Восточного побережья США, но Джульет Тейлор предложила Оуэна Уилсона, «который очень походил на парня с пляжа и с серфом», по словам Аллена. Режиссер без особого труда переписал сценарий так, чтобы он стал жителем Лос-Анджелеса. На роль сложной и требовательной невесты Гила Инес он всегда имел на уме Рэйчел Макадамс. Марион Котийяр должна была получить роль, как Хавьер Бардем и Пенелопа Крус в «Вики Кристине Барселоне», больше как национальная гордость. А Кори Столл был выбран на роль Эрнеста Хемингуэя после того, как Аллен увидел его в спектакле Артура Миллера «Вид с моста» со Скарлетт Йохансcон. «Он передал мне несколько страниц с диалогами Хемингуэя, – рассказал Столл. – Они мне жгли пальцы. Я был так взволнован тем, что буду играть Хемингуэя».

Съемки были быстрыми – всего лишь 35 дней за 7 недель летом 2010 года, Аллен наслаждался облачными днями и мокрыми тротуарами. «Я просто хотел окунуть людей в настроение Парижа», – сказал он. Аллен обсуждал со своим оператором Дариусом

Писатель Гил Пендер (Оуэн Уилсон) телепортируется в Париж 1920-х, где он встречает Адриану (Марион Котийяр), одну из муз Пикассо.

«Матисс говорил, что он хочет, чтобы его картины были чудесным удобным стулом, на который вы могли бы присесть и наслаждаться. Я чувствую то же самое: я хочу, чтобы вы сели, расслабились и наслаждались теплыми красками, как будто бы вы принимаете ванну из теплых цветов».

Сверху: Гила увозят ровно в полночь на машине времени, полной красивых девушек.

Справа: «Вы когда-нибудь занимались любовью с по-настоящему великой женщиной?» Кори Столл был доволен алленовской имитацией Эрнеста Хемингуэя.

Хонджи съемки Парижа 1920-х годов в черно-белом варианте, но в конце концов они решили снимать в цвете. «Всегда есть чувство, что, если бы вам удалось жить в другое время, все было бы более приятным. Кому-то вспомнится на мгновение Жижи, и вы думаете, о, это Париж в Прекрасную эпоху, у них были лошади и кареты, газовые лампы, и все было таким красивым. Потом вы начинаете понимать, что, если бы вам надо было пойти к дантисту, у них не было новокаина, и это лишь верхушка айсберга. Женщины умирали при родах, там была целая куча ужасных проблем. Если вы были аристократом, живущим в Париже в то время, это, конечно, другое дело. Если вы были не в высшем обществе или вы были евреем, это не было похоже на жизнь мечты. Но вы об этом просто не думаете».

Настоящим удивлением стало не то, что Вуди Аллен создал хит в 2011 году об удовольствиях и горестях ностальгии, но то, что он не сделал этого раньше. Из всех сценариев, которые он написал по поручению других стран, «Полночь в Париже» кажется тем фильмом, который мог получиться практически в любой точке его карьеры. Идея фильма касается высококонцептуальных комедий, которые он делал в 80-е. В них он представлял себя хорошо знакомым с Фицджеральдом в роли Зелига. Если заглянуть еще дальше, в его стендапы, он шутил на тему его тусовок с Хемингуэем. «Хемингуэй только что закончил работать над двумя рассказами про боксеров, которые зарабатывают на этом деньги, и хоть мы с Гертрудой Стайн и думали, что они ничего, мы считали, что над ними еще работать и работать», – писал он в своем рассказе «Помню, в 20-х», опубликованном в сборнике 1971 года «Сводя счеты». «Мы много хохотали и веселились, а потом мы надели боксерские перчатки, и он сломал мне нос».

Сюжет развивается прекрасно, без лишних объяснений, как было в «Зелиге» и «Пурпурной розе Каира». На лице Оуэна Уилсона и так достаточно объяснений, когда он с удивлением смотрит на танцующую Жозефину Бейкер или загорается идеей

«Когда я стану бабушкой, я хочу иметь возможность сказать, что я делала фильм с Вуди Алленом». Карла Бруни-Саркози, сейчас жена президента Франции Николя Саркози, удовлетворила свое желание маленькой ролью гида.

Снизу: на съемочной площадке с Уилсоном и Бруни-Саркози.

Справа: Гил и его требовательная невеста Инес (Рэйчел Макадамс) гуляют по садам Версаля.

дать Хемингуэю почитать свой роман. Уилсону удается то, что не удается многим актерам, оценить должным образом сбивчивый ритм сценария Аллена. Но он собственными силами создает для Гила смесь недоумения и очарования. «Уилсон наивен, но не глуп, и его реплики, которые могли бы звучать лениво и неосознанно, становятся философскими и необходимыми, – написал Дэвид Эдельштейн в New York Magazine. – Его запинки никогда не выглядят дурачеством».

Скотт Фицджеральд (Том Хиддлстон) и Зельда (Элисон Пилл) сталкиваются с немного случайной алленовской драматургией, они сходят со сцены почти сразу же после того, как туда попадают. Но, возможно, он просто не смог утерпеть, чтобы поскорее показать Хемингуэя Кори Столла, который листает страницу за страницей абсолютно точную пародию («Все малодушие происходит из нелюбви или из-за слишком сильной любви, что одно и то же…»), тихим голосом человека, который крутит свой собственный волос на груди. Марион Котийяр выглядит немного нелепо на особо охраняемой территории фильма. Она фактически переживает свою роль сирены, завлекая Гила еще дальше в сон внутри сна. Ей не на руку играют немного вязкие ритмы монтажа Аллена: ее сцены с Уилсоном такие медленные, что иногда кажется, что их склеили вместе из разных кадров. В свои 65 Аллен снимает роман, как будто бы пытаясь не спугнуть никого рядом.

Но это неважно. Это был первый фильм Вуди Аллена, который принес больше 100 миллионов долларов в международном прокате, и он держался в десятке самых кассовых фильмов семь недель после премьеры, вызывая бесконечные удивленные заметки от блогеров, которые спрашивали: «Как, черт возьми, такое могло случиться?» Возможно, еще более историческим, чем кассовые сборы (принимая во внимание инфляцию, фильм занял почетное седьмое место в карьерном листе режиссера,

он опередил «Бананы», но проиграл «Любви и смерти»), стало то, что Аллен получил невероятное удовольствие от успеха этого фильма, ведь он получил больше всего номинаций на Оскар со времен «Пуль над Бродвеем». Он был номинирован на четыре и получил одну награду за лучший сценарий. Благодаря этим трем победам в 16 номинациях он стал и самым старым победителем премии, и первым человеком, который получил три награды. В прошлом такого успеха хватило бы Аллену, чтобы отказаться от фильма в порыве ненависти и начать жаловаться на то, что хэппи-энды навязываются ему его психикой в самые сложные моменты его жизни, пока бы он готовил свой следующий фильм: озлобленная сатира на мелочный общественный вкус. Но, напротив, мы имели скромный, царственный монолог о приятии человеческих желаний. «Ничто не радует меня больше, чем знание того, что люди получили от этого удовольствие, – сказал он Hollywood Reporter. – Это всегда приятный бонус».

Римские приключения

2012

Сверху: Анна (Пенелопа Крус) пытается соблазнить молодожена Антонио (Алессандро Тибери)

Напротив, сверху: паяц в театре Арджентино.

Напротив, внизу: с сестрой Летти Аронсон, которая помогает ему в производстве фильмов с 1994 года.

На следующей странице: «Обстановка и особая римская чувственность в «Римских приключениях» вносят свой вклад… это выходит за рамки того, что я могу привнести в работу».

Перебрав два названия («Джазовый Декамерон» и «Обманутый Нерон»), Аллен, наконец, нашел то, что устроило компанию Sony Pictures. Именно такого расслабленно-равнодушного подхода он и придерживается на восьмом десятке. «Я размышлял о том, что именно в Риме меня так поражает, – объясняет Аллен, снова прибегнувший к средствам иностранных инвесторов, – это его энергия и хаотичность, километры пробок, ряды машин и толпы людей, дороги без тротуаров и то, сколько народа на улицах, как все сидят на ступеньках или в кафе, постоянное движение, вкус к жизни с хорошей едой, модой и кинематографом – и всё это я просто не мог показать в одной истории. Я хотел написать о туристах, о местных, о тех, кто приехал из маленьких городов, и показать все их чувства, романтику и хаос. Я понял, что мне нужно написать несколько историй».

Добродушный регулировщик движения с площади Венеции знакомит зрителя с персонажами. В самой слабой истории фильма молодожены Антонио (Алессандро Тибери) и Милли (Алессандра Мастронарди) теряют друг друга в Риме и сталкиваются с соблазном, она – в лице лысеющего Казановы-кинозвезды, он – в лице проститутки по имени Анна (Пенелопа Крус). Крус скидывает и снова надевает свое роскошное красное платье, чем напоминает Софи Лорен, и в этой истории несколько шуток Аллена про проституток приживаются неплохо. Другая история немного лучше. В ней сам Аллен играет вышедшего на пенсию оперного импресарио, отдыхающего в Риме со своей женой-психиатром, который обнаруживает, что будущий свёкр его дочери, владелец бюро похоронных услуг, великолепно поет Пуччини, но только в душе. Здесь Аллен напоминает Дэнни Роуза – его герой, воодушевившись, пытается помочь новому знакомому начать карьеру.

В третьей истории картины нервный и занудный студент архитектурного факультета Джек (Джесси Айзенберг) влюбляется в нарциссичную актрису (Эллен Пейдж), а Алек Болдуин, который играет архитектора постарше, видит себя в этом юноше и дает ему умные советы со стороны. «О, Боже, что за чушь собачья, – вздыхает он, – я разрешу тебе насладиться твоим моментом, но помни, я знаю, чем это все закончится». Роль довольно напыщенная, в чем-то сравнима с эпизодическими появлениями Богарта в «Сыграй это еще раз, Сэм», с той разницей, что персонажа Болдуина в основном игнорируют, а его циничные восклицания граничат с простым занудством. В четвертой и самой удавшейся истории фильма Роберто Бениньи играет безликого клерка по имени Леопольдо Писанелло, который однажды утром просыпается знаменитым по какой-то необъяснимой причине. Его преследуют фотографы и съемочные группы, которые снимают и официальным тоном сообщают обо всём: начиная с его манеры бриться («Мы снимаем весь процесс бритья, от первого до последнего мазка») до его предпочтений на завтрак (тост с маслом) миллионам зрителей. Материал, который Аллен использовал в «Воспоминаниях о звездной пыли» и «Знаменитости» как едкий фарс, теперь его вдохновил на прекрасную пародию на современных знаменитостей, показанную

там, где ни много ни мало появились папарацци, и помог заполнить такие затянутые «Римские приключения» бесцеремонным и буйным весельем.

Вышедший в Италии на несколько месяцев раньше, чем в остальном мире, фильм стал одним из самых популярных кинокартин 2012 года в стране, собрав 9,5 миллионов долларов. «Мы живём в мире удивительных изменений, которые могут произойти благодаря сексу, амбициям, удаче и славе. Они неожиданно и необъяснимо сваливаются кому-то на голову, как многотонная запеченная лазанья» – пишет Дэвид Дэнби в Нью-Йоркере, подчеркивая главную тему фильма, проходящую через все четыре истории.

«Желание не упустить момент, магия, которую вы создаете сами, не боясь попробовать, – вот что связывает все части картины воедино». После трех фильмов, снятых за границей, восстановив отношения с публикой и вернув себе кассовые успехи, Аллен готов вернуться в Америку.

Жасмин

2013

Сверху: «Она не просто подавлена. Она разорена». Жасмин (Кейт Бланшетт) ищет убежища у своей понимающей сестры Джинджер.

На противоположной странице: счастливое время с ее мужем Хэлом (Алек Болдуин).

Идею фильма подала Сун-И, жена Аллена (вот уже 16 лет), которая рассказала ему о подруге подруги – жене финансиста, жизнь которой рухнула после того, как она узнала об измене мужа и его участии в финансовых аферах. «Она прошла путь от дамы с чековой книжкой в руках и неограниченными суммами на счету до женщины, которая вынуждена торговаться в магазинах и даже искать работу», – рассказывает Аллен. Он считает, что это «интересная психологическая ситуация для женщины… если бы она каким-то образом сама навлекла ее на себя, получилась бы настоящая греческая трагедия».

И трагедия разворачивается в ключевой сцене фильма (Аллен называет ее «вспышкой»), в которой героиня ступает на тропу войны, губя и себя и своего мужа. «Она могла бы развестись, простить его, поговорить с ним, уйти из дома. Но она просто взбесилась и впала в ярость, что и приводит к разрушению ее семьи. Она не задумалась о последствиях своей вспышки гнева. Вы все время видите такие «вспышки» у людей. Вот вы едете по шоссе, и в вас врезается машина, и из нее вылезает водитель, готовый оторвать вам голову».

Он создал героиню фильма, держа в голове образ Кейт Бланшетт. Актриса практически согласилась сниматься в фильме еще до того, как прочитала сценарий. «Я уже было оставила все свои надежды», – рассказывает она, – столько моих знакомых работало с ним, и я решила: "Что же, режиссер не может интересоваться каждой актрисой", и просто приняла эту мысль. Я очень удивилась, когда он позвонил. Разговор был коротким – примерно две с половины минуты. Он сказал, что хочет прислать мне сценарий и спросил, не против ли я его прочесть. И я ответила: "Да, конечно, мистер Аллен". Он отправил его мне и попросил перезвонить, когда прочитаю. Я сразу же его прочитала и поняла, что это потрясающая возможность. Так что я перезвонила ему, и мы поговорили еще 45 секунд. Я сказала, что согласна на роль, а он ответил: "Прекрасно, увидимся в Сан-Франциско"».

Бланшетт ожидала от съемок обычного режима – пару дублей на одну сцену, и была удивлена, когда Аллен заставил ее делать по восемь дублей. «Я смотрела в монитор, а он качал головой. Он подошел ко мне и сказал: "Это ужасно. Это просто ужасно. Ты выглядишь как актриса, которая произносит мой текст, и я не верю ни единому твоему слову". Он с недоверием качал головой, как раввин. И мы с Питером (Сарсгаардом) просто рассмеялись. В конце концов, мы вырезали ту сцену. Он ее переписал, сделал короче и поместил в другое место. То есть частично ему не нравилась наша игра, частично место, он чувствовал, что сцена выходит вымученной. Нельзя воспринимать всё это слишком лично. В какой-то мере эта ситуация заставила меня чувствовать себя спокойнее. Он просто может подойти и сказать жестко и честно, когда что-то идёт плохо. Когда он ничего не говорит, можно быть уверенным, что он либо идет на обед, либо ты все делаешь правильно».

«Вуди действительно заставил Кейт проделать колоссальную работу, ведь она так талантлива, – говорит Алек Болдуин, сыгравший мужа Жасмин. Для него это его третий по счету фильм с режиссером. – Дубль за

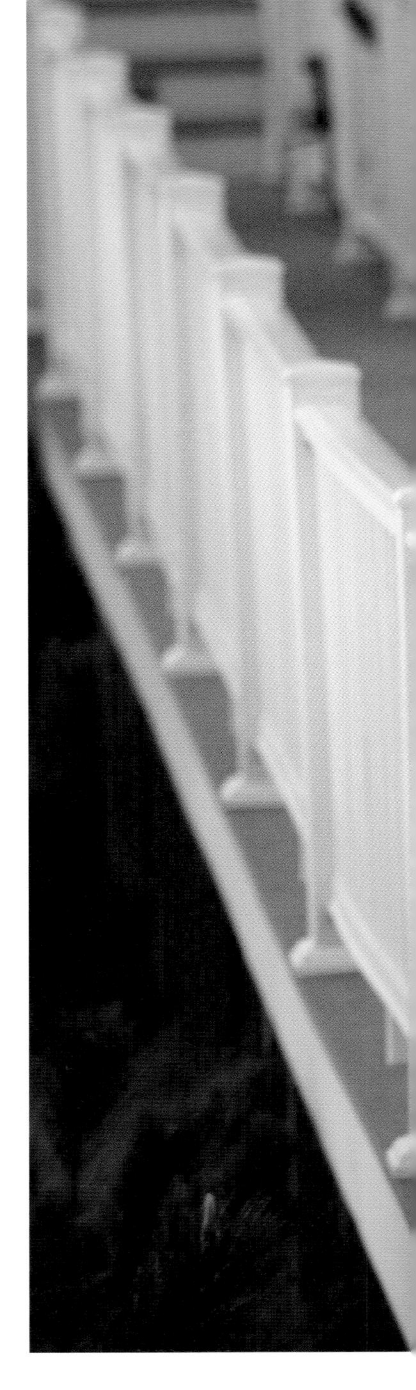

Слева: съемки попытки Жасмин помириться со своим пасынком Дэнни (Олден Эренрейх).

Справа: искусство игры оскароносной Бланшетт заключается в том, что она показала Жасмин неспособной принять свое положение.

дублем, изматывающие, эмоциональные сцены. Я сидел на съемках в конце дня и думал, как она великолепна».

Женщина сорока лет разговаривает с пассажиром, сидящим рядом с ней в самолете. В элегантном костюме от Шанель, с сумкой Гермес на коленях, в лучах солнечного света, льющегося из иллюминатора, она звонким голосом рассказывает очаровательную историю о том, как встретила своего мужа. Она продолжает свой монолог на выходе из самолета, на эскалаторе, у линии выдачи багажа, перейдя от первой встречи к браку и сексу – «не хочу слишком вдаваться в подробности». С течением истории в ее голосе слышится отчаянье. Во взгляде ее пожилого слушателя отражается паника: «Эта женщина никогда не заткнется». Этот эпизод – красиво выстроенная миниатюра, которая не только демонстрирует потенциал дальнейшей игры Бланшетт, но и показывает жизнь Жасмин до этого момента, крушение ее жизни как жены с Парк Авеню после того, как ее муж Хэл был пойман за мошенничество в стиле Берни Мэдоффа и заключен в тюрьму. Теперь ей придется жить со своей небогатой сестрой Джинджер (Сэлли Хокинс) в тесной квартире в Сан-Франциско. Поскольку фильм демонстрирует, как рухнула жизнь героини, мастерство Бланшетт здесь заключается в том, что она смогла показать неспособность Жасмин принять свое новое положение.

Аллен заимствует сюжет из «Трамвая "Желание"», но его отношение к классовым различиям, обострившееся во время его пребывания в Европе, в этом фильме максимально заметно. Две сестры друг другу почти чужие – Джинджер весела, разговорчива и терпит снисходительный тон своей сестры с таким же добродушием, что и обманы своих бойфрендов, один из которых, Оджи (Эндрю Дайс Клей), потерял 200 тысяч долларов из-за махинаций Хэла. Мы узнаем обо всём этом благодаря продуманной структуре флешбэка, настоящего чуда с точки зрения построения драматического произведения, подкрепленного злободневностью и самоуверенностью лучших работ Аллена. Вот он наконец фильм для всех тех, кто

чувствовал себя обманутым последними слухами о возвращении «настоящего» Аллена. Эта работа – больше, чем возвращение к прежним формам, это совершенно новая форма, в которой штрихи комедии с успехом вплетаются в масштабный узор трагедии, но не ради фальшивой мрачности или из уважения к арт-хаусу, а просто потому, что через нее полнее выражается творческий талант сегодняшнего Аллена. Этот фильм – возвращение к Аллену-драматургу, который создал «Интерьеры» и «Сентябрь». «Жасмин» обладает спокойной и мягкой силой, достигаемой только когда талант используется по полной и с естественной легкостью. Муза трагедии Аллена здесь не слабее, если не сказать больше, его музы комедии.

«Многое тут смотрится как фарс, но яд подозрений и социальная неприязнь оживляют сцену за сценой», – писал Дэвид Дэнби в «Нью-Йоркере». – Аллен, которому сейчас семьдесят семь, с возрастом стал тверже. Его персонажи высказывают друг другу все, что захотят, социальные столкновения между самыми разными людьми становятся жесткими и неумолимыми. Фильм резкий и решительный – его "поздний" стиль, если можно так назвать». Бланшетт понижает голос, говорит чуть хрипло и держится как каменное изваяние – и Жасмин, моргая, абстрагируется от таких неудобных деталей, как воровство ее мужа. Знала ли она, что что-то происходит? Несомненно да. Она знала и отвернулась от этого. Игра Бланшетт строится на неспособности

Сверху: роман с Дуайтом (Петер Сарсгаард), богатым вдовцом, предлагает Жасмин возможный выход из ее ситуации.

На следующей странице: «С кем здесь я должна переспать, чтобы получить мартини с лимонным твистом?»

Жасмин смотреть кому-то прямо в глаза. Она смотрит или на нижнюю часть лица, или на верхнюю, ее взгляд мечется от одной детали к другой. Но лицом к лицу с ее поклонником Дуайтом (Питер Сарсгаард) ее глаза стекленеют, в них плещется ложь, которую она собирается произнести. Именно такое актерское мастерство и может выиграть Оскар, как и произошло с Бланшетт: она сыграла отрицание так, что в него поверили почти все зрители, и лишь единицы сочли его неудачным.

Биографическое прочтение последней части очень заманчиво: узнав о романе мужа с подростком из семьи, Жасмин обрушивает все свое праведное негодование на мужа. В этом и заключается ее роковая ошибка – ее отказ прощать даже несмотря на то, что он разрушит и ее жизнь тоже. Мы слышим эхо Мии Ферроу в неистовстве Жасмин и эхо самого Аллена, который слишком хорошо знает, как это, когда твой мир рушится, когда ты теряешь семью, когда ты отвергнут своими собственными детьми. Его сравнение самого себя с Бланш Дюбуа идет со времен «Спящего», где в пародии на «Трамвай "Желание" он играет Бланш, а Дайан Китон Стэнли Ковальского. Во время съемок «Жасмин» Бланшетт спросила его: «Как вы бы сыграли это, мистер Аллен? Он ответил: «Если бы я играл эту роль». Она повернулась бы к нему и с усмешкой отметила: «Вы знаете, ведь вы смогли сыграть эту роль». Аллен немного помолчал, размышляя добрых полторы минуты, и потом ответил: «Нет, это было бы чересчур комично».

Правда, пожалуй, в том, что «Жасмин» состоит из них двоих – Аллену удалось создать свое наилучшее трагическое произведение, прочувствовав взаимосвязь

обманщика и обманутого, жертвы и мучителя. У всего есть противоположность. «Самые пылкие и волнующие драмы разыгрываются не на театральных подмостках, а в сердцах обычных мужчин и женщин, которые живут, не привлекая внимания и не показывая окружающим, какие конфликты бушуют у них в душе; внешне они могут проявиться разве что в форме нервного срыва», – написал Юнг в своем эссе «Новые пути в психологии» в 1912 году. Он объяснял свою теории об архетипе Тени, но равно мог бы описывать финал «Жасмин», когда Бланшетт сидит на скамейке в парке и бурчит себе под нос, все еще преследуя мечту о мире, в котором она невиновна, женщина, потерянная в самой себе.

«Предостерегающая басня? Нет. Я расцениваю это как интересную психологическую ситуацию для женщины. Это не тот персонаж, который я создавал сорок лет назад. Тогда у меня не было достаточного мастерства, чтобы написать подобное, и я не был знаком с этим типом женщины, пока не стал старше, а все потому, что теперь я живу в престижном районе Нью-Йорка».

Магия лунного света

2014

Колин Ферт играет фокусника 1920-х годов по имени Стэнли Кроуфорд, который только и знает, как обманывать зрителей и разоблачать шарлатанов. Его зовут на юг Франции с просьбой вывести на чистую воду прекрасную юную американку медиума Софи Бэйкер (Эмма Стоун), которая вместе с матерью (Марсия Гей Харден) поселилась у богатого семейства Катледжей и завладела их доверием. Софи морщит свой носик и делает пассы руками, артистически одевается, а ее зеленые глаза словно наполнены чувствами. «Чем больше я смотрю за ней, тем больше я озадачен», – признается Стэнли, который влюбляется, впрочем, как и должен был бы. После пробежки под дождем к обсерватории на вершине Мон-Гроса – уловка амура, позаимствованная из фильма «Манхеттен» – Стенли начинает задумываться, есть ли на небесах и земле нечто большее, чем ему грезилось в его сухой, рациональной философии.

На эту тему Аллен размышлял еще в «Комедии секса в летнюю ночь», где напыщенный ученый Хосе Феррера был околдован безумством летнего солнцестояния, и в более поздних фильмах: «Сенсация», «Проклятие нефритового скорпиона», «Ты встретишь таинственного незнакомца», где драматург в нем восторжествовал над насмехающимся рационалистом. В «Магии лунного света» он очаровывает нас кинематографическим волшебством – мы видим лужайки и теннисные корты, аллеи с оградами, дорожные поездки по Лазурному берегу, и все это снято на 35-мм камеру Дариуса Хонджи, который словно захватывает каждое пятнышко в рассеянном теплом свете. «У вас более, чем приятная внешность, при верном освещении, конечно», – говорит Стенли. «А можно спросить, в какое время дня она приятная? – спрашивает Софи, – если мне нужно будет хорошо выглядеть для собеседования». Фильм слишком длинный, чтобы быстро проскочить через его рутинную романтическую линию, которая никак не пересекается с фирменным рыцарством Ферта. Но его игра здесь изумляет. Он кто-то средний между Генри Хиггинсом и мистером Дарси, все его существо стремится освободиться от собственных жестких

«Я словно Бланш Дюбуа – заявил Аллен на съемках «Магии лунного света» на Французской Ривьере. – Я верю, что в жизни есть место определенному количеству волшебства. К сожалению, его недостаточно. Есть небольшие, случайные моменты, которые можно было бы назвать волшебными. Но по большей части это мрачная реальность. Если вы из тех, кому трудно в чем-то обмануть себя, даже если в обратное поверить куда соблазнительнее, значит, вы жертва. Подавляющая часть логики и доказательств состоит в том, что мы все являемся жертвами нечестной сделки».

Если фильм «Жасмин» рассказывает историю о том, что кто-то не может избавиться от иллюзий, то «Магия лунного света» переворачивает историю с ног на голову и повествует о человеке, который, наоборот, должен поддаться иллюзии, если хочет получить хоть малейший шанс на счастье. После трагедии полного разочарования нам необходима комедия об иллюзиях.

Сверху: Колин Ферт (Стенли Кроуфорд) изливает душу.

На следующей странице сверху: богатый наследник Брайс Кэтледж (Хэмиш Линклейтер) пытается ухаживать за Софи Бейкер (Эмма Стоун), играя на своей укулеле. Несмотря на свой скептицизм, Стенли также очарован молодой американской девушкой-медиумом (ниже).

«Я только закончил работу над "Жасмин" и хотел сделать что-нибудь романтичное, а не сурово реалистичное».

ограничений. В фильме есть прекрасный момент, когда Стенли, испугавшись, начинает молиться Богу в первый раз в жизни, а потом останавливается, испытывая отвращение к самому себе. Сложно представить себе более характерный для Аллена жест: выбить почву из-под ног у сомневающегося в себе волшебника Просперо, слишком скептичного, чтобы позволить себе поверить, слишком очарованного собственной магией, чтобы не верить.

Иррациональный человек

2015

«В жизни каждого есть такие моменты, когда вдруг осознаешь, что, если сделать выбор, может случиться нечто важное», – сказал Вуди Аллен в Каннах о своем 45-м фильме, небольшой экзистенциональной картине-головоломке в духе Хичкока и Достоевского, где режиссер снова размышляет на тему преступления и наказания, к которой он обращается со времен своего фильма «Преступления и проступки». Хоакин Феникс играет профессора философии Эйба Лукаса, чей приезд в университетский кампус на Род-Айленде тут же становится поводом для сплетен. Соблазнитель студенток, депрессивный, часто пьющий Эйб – именно тот тип пропащего человека, что очаровывает любого, кто путает творческий путь с поиском любви в работах Аллена еще с тех пор, как он и Дайан Китон обменялись рецептами в «Сыграй еще раз, Сэм».

Женский состав фильма включает Паркер Поузи в роли Риты – несчастливой в браке преподавательницы естественных наук, которая ныряет в постель Эйба с бутылкой коньяка в руках. «У вас ступор, – шепчет она, – я и вас от него избавлю». Поузи у Аллена смотрится органично, наделяя свою хищную героиню хлёстким злободневным юмором. Похуже выглядит Эмма Стоун – до этого она сыграла объект обожания Колина Ферта в «Магии лунного света», а здесь борется со своей неловкостью в роли Джилл, впечатлительной студентки, которая поддается обаянию романтично-трагического мировоззрения Эйба. «Он чертовски обворожителен и очень уязвим, – говорит она, – такой блестящий и одновременно сложный», и снова: «он так деструктивен, но при этом великолепен». Просить одного из двух ваших главных героев половину экранного времени превозносить интеллект второго – не самая мудрая затея. Вы слушаете, как на занятии Эйб отрицает всю западную философию как «словесную мастурбацию», а слышите скорее не гения за работой, а лишь эхо Элви Сингера, который охарактеризовал курсы Энни Холл по русской литературе как «умственную мастурбацию» – знакомый нам озорной мотив «Аллен против псевдоинтеллектуалов».

Кажется, что мрачное уныние Эйба связано не столько с основоположником экзистенциализма Кьеркегором, сколько с фляжкой в его кармане. Или с тем, что, как

Впечатлительная студентка колледжа Джилл (Эмма Стоун) влюблена в своего профессора философии Эйба Лукаса (Хоакин Феникс).

сам он говорит: «Я пассивный интеллектуал, который не может спать с женщинами». В старые времена Эйба из хандры обязательно бы вытащила какая-нибудь женщина. Но здесь, как и во многих последних работах Аллена, эта роль отводится убийству. Однажды Эйб и Джилл подслушивают в ресторане рассказ расстроенной женщины о судье в деле об опеке, который превращает ее жизнь в ад. Лицо Эйба загорается: а что, если он убьет ее врага за нее? Эта идея идеального убийства, когда убийца совершенно не знаком с жертвой, восходит к «Незнакомцам в поезде» Хичкока. И вот, совершив преступление, Эйб вырывается из своей депрессии. Вскоре он начинает писать, одновременно крутит роман с Ритой и Джилл, параллельно восторгаясь экзистенциальной силой убийства. В «Иррациональном человеке» не один, а целых два закадровых голоса, которые частенько ссылаются на Канта, Хайдеггера и Сартра, и это даёт нам повод подозревать, что Аллен скорее предпочитает размышлять о значении своей истории, чем рассказывать ее: слишком много мыслей, слишком мало связи между ними.

Фильм не «заиграл», и это в значительной степени на совести Феникса, который словно бы посмотрел на невероятно высокую планку, установленную для его персонажа, и решил: «не-а», а затем просто походил вокруг нее, выпячивая свой живот и доставая фляжку. Роль подходит ему своим неторопливым, пропитанным ромом ритмом, а также сочетается с его естественной способностью изображать людей, оказавшихся в тисках своих собственных размышлений: в его глазах, вспыхивает настоящий огонь, когда он уходит с места преступления.

В поздних работах Аллена сходство с великими моралистами европейского кино – с Бергманом, Ромером – заметно сильнее, чем когда-либо. Если он начал свою карьеру с портретов комических авантюристов, убегающих от всего, начиная с Вирджилла Старкуэлла в «Хватай деньги и беги» до Филдинга Меллина из «Бананов», которые весело прошли тюрьму, революцию и смерть, то здесь мы видим позднего Аллена, который сам ставит подножку своим героям и затягивает петлю вокруг их шеи.

Вуди Аллен: Актер

Рядом с Зеро Мостелем в «Подставном лице».

Так много в ранних материалах Вуди Аллена зависело от недооценки зрителями маленького паренька, который потел в софитах напротив их – по большему счету, мы до сих пор так делаем. Мы знаем его актерские ужимки очень хорошо – его запинки, жесты, панику и истерики, все то, что он делает, когда лжет или добивается живости – что он уже стал мультяшкой самого себя. Его лицо, как и лицо Чаплина, имеет практически пиктографическую простоту: пирамидальные брови, межбровные морщины, яйцевидное лицо, очки, без которых он выглядит, как только что вылупившаяся черепашка. Самоуничижение так сильно въелось в его персонаж и на экране, и вне экрана, что до сих пор трудно понять, какой же он на самом деле: один из величайших киноактеров, намеренно небрежный, как Брандо или Богарт, который, как и многие комики, повернул свою личную предрасположенность к угрюмости в свою собственную нервозную комедию. Но он преуспел больше, чем кто-либо в превращении своей замкнутости в особенную форму самолюбования. Чингисхан мог бы быть таким же робким.

Актерская работа Аллена, не считая его собственных фильмов, тяготеет к уличным авантюристам и музыкантам, но сами фильмы являются смесью всякой всячины. Он появился в «Подставном лице» (1976) в роли ничтожного букмекера, который позволяет Зеро Мостелу, писателю с волчьим билетом, использовать его имя для написания телевизионных сценариев, и впоследствии становится самым важным именем в шоу-бизнесе – это тень самого Мостела в «Продюсерах» и алленовских «Пуль над Бродвеем».

Он кажется самым таинственным из всех со своим не указанным в титрах камео в «Короле Лире» Годара (1987), где он сыграл киномонтажера, цитирующего шекспировские сонеты. Он достигает немедленного острого ритма, смотря на свою свадьбу с Бетт Мидлер в «Сценах в магазине» Пола Мазурски (1991). В то время как черный юмор является главной, и даже единственной

«Мне всегда нравилось играть, и когда я пишу сценарий и вижу роль, которую мог бы сыграть я, я делаю это. И я всегда открыт для съемок в других фильмах, но меня никто не зовет - было всего два или три предложения за тридцать лет».

Сверху: снимается с Бетт Мидлер в роли неверного мужа в «Сценах в магазине» (1991).

Слева: обсуждает съемки с Джоном Туртурро в «Под маской жиголо» (2013).

причиной его появления в роли мясника, который режет на куски свою жену в фильме «По кусочкам» (2000).

С другой стороны, его голос, сыгравший в мультфильме DreamWorks «Муравей Антц» (1998) тихого нервозного рабочего муравья по имени Зед, который привел своих товарищей-муравьев к похожей на марксистскую революцию, может считаться его ярчайшим выступлением в карьере. Сценарий братьев Вайц искусно касается интересов и увлечений самого Аллена: романтическое притяжение, карьерные разочарования, экзистенциальное остроумие. Точно так же «Под маской жиголо» (2013) был создан Джоном Тортурро под Аллена на роль владельца книжного магазина, который начинает играть роль сутенера для своего друга, местного флориста, но его бизнес загибается. «К тому, чтобы снимать его, приходилось привыкнуть, – сказал Тортурро. – Черновая версия была устрашающей. Он мне сказал незадолго до этого: «Ты хочешь моей критики? Я буду брутальным». Я смотрел на фильм, сидя от него в нескольких креслах. Он почти не смеялся, если он смеялся, то он это делал тихо. На середине я пошел в уборную и подумал: «Господи, зачем я вообще это снял?» В конце просмотра он мне сказал: «Это намного серьезнее, чем я думал… но в хорошем смысле». Я сказал: «Что ты думаешь о своей игре? Ты доволен?» Он ответил: «Мне всегда нравится, как я играю».

Перемотка вперед

В декабре 2015 Вуди Аллену исполнилось 80, но когда ему не было столько лет? Он всегда действовал, как восьмидесятилетний, мучаясь мыслями о смерти еще в школе, проводя свой второй и третий десяток в трауре по 20-м и 30-м годам в Америке. Вам нужно смотреть на фотографии, чтобы напоминать себе, что он был когда-то значительно моложе, с густыми песчано-рыжими волосами и менее веснушчатой кожей. Теперь, когда ему на самом деле 80, он выглядит так, будто стал собой. Неутолимый молодой голод по недавнему покорению мира прослеживается в «Матч-поинте», «Вики Кристине Барселоне» и «Римских приключениях» вместе с удовольствием от того, что молодое поколение актеров заняло свое место под солнцем. Возвращение юношеской озабоченности прослеживается также через тему магии, которая присутствует в работах Аллена, начиная с момента, когда Великий Перский отправил профессора Кугельмаса в роман, который он выбрал, в коротком рассказе «Образ Сиднея Кугельмаса в романе «Госпожа Бовари». Мертвые разговаривают в «Матч-поинте». Они возвращаются в «Сенсации» и отправляют сообщения живым в «Магии лунного света». Все художники превращаются в Просперо, если они долго творят.

Вступая в свой девятый десяток, Аллен, создавший свою индустрию, продолжает приближаться к образу молодой, предприимчивой пчелки. «Он хранит свои фильмы, как мед», – сказал однажды его соавтор Маршалл Брикман. 2015 год принес новости не только о новом фильме с Джесси Айзенбергом, Кристен Стюарт, Брюсом Уиллисом и Блейк Лайвли, который он снял в цифре в качестве эксперимента («Это больше, чем веяние будущего, – сказал он в Каннах, – это веяние настоящего»), но и большом контракте на написание полного сезона 30-минутного телевизионного сериала для Amazon Prime для показа в интернете, хотя у него даже нет компьютера. «Я не знаю, что такое этот Amazon. Я никогда не видел ни одного их сериала, даже по кабельному телевидению. Я никогда не смотрел «Клан Сопрано» или «Безумцев». Я каждый вечер ухожу из дома, а когда возвращаюсь, я смотрю конец бейсбольной или баскетбольной игры, и там Чарли Роуз, и я иду спать. Люди из Amazon долго ходили ко мне и говорили, пожалуйста, возьмитесь за это, когда захотите. Я долго говорил, что у меня нет идей, что я вообще не смотрю телевизор. Я ничего об этом не знаю. Это продолжалось примерно полтора года, и они делали все более и более хорошее предложение. Наконец, они сказали, послушайте, мы сделаем все, что вы хотите, просто напишите для нас 6,5 часов… все вокруг меня начали на меня давить, давай, сделай это, что ты потеряешь?.. Я был нагло самоуверен, что я сделаю это так же, как я делаю фильмы – это будет кино в шести частях. Оказалось, что все не так. Для меня это было очень, очень трудно. Это не кусок пирога. Я отработал каждый

Портрет Карло Аллегри, 2010.

«Я не знаю, что я буду делать, когда выйду на пенсию. Я не рыбачу».

пенни, который они мне заплатили, и я только надеюсь, что они не говорят: «Господи, мы ему такую хорошую сумму заплатили и дали ему свободу, и вот что он нам дал?»

Его первая любовь – писательство, остается его самой настоящей любовью. В роли кинорежиссера, дни его экспериментаторства, возможно, остались позади. В роли комедийного актера, он может уступать новому поколению быстротой реакции. Но его пародия на Хемингуэя в «Полночи в Париже» отражает ту же прекрасную подачу, которую он выдавал десятилетиями раньше в рассказах для New Yorker. А структура «Жасмин» с легкостью сравнима с «Ханной и ее сёстрами» и «Пурпурной розой Каира». Сходите на марафон выходного дня фильмов Вуди Аллена, и вы увидите и сияние на солнце, как сам Аллен сиял в «Сыграй это снова, Сэм», и невероятный темп и логику его воображения, которое неутомимо прядет сценарий за сценарием, год за годом. И его фильмы остаются одним из чудес этой сферы.

Фильмография

Указаны даты премьер в США, кроме отмеченных

Портрет, сделанный Эндрю Шварцем во время монтажа «Бродвея Дэнни Роуз». 1983.

Что нового, киска?
(Benedict Pictures Corporation/National Recording Studios/Toho Company)
Премьера: 22 июля 1965 года, продолжительность 108 минут.
Режиссеры: Клайв Доннер, Ричард Талмадж
Сценарий: Вуди Аллен
Оператор: Жан Бадаль
В ролях: Вуди Аллен (Виктор), Питер Селлерс (доктор Фриц Фассбендер), Питер О'Тул (Майкл Джеймс), Роми Шнайдер (Кэрол Вернер), Капучине (Рене Лефевр), Пола Прентисс (Лиз Биен), Урсула Андресс (Рита, парашютистка)

Что случилось, тигровая лилия?
(Benedict Pictures Corporation/National Recording Studios/Toho Company)
Премьера: 2 ноября 1966 года, продолжительность 80 минут.
Режиссеры: Вуди Аллен, Сенкичи Танигути
Сценарий: Вуди Аллен, Луиза Лассер, Лен Максвелл, Фрэнк Бакстон, Джули Беннетт, Микки Роуз, Бен Шапиро, Брина Уилсон.
Оператор: Кадзуо Ямада
Роли дублировали: Вуди Аллен, Джули Беннетт, Фрэнк Бакстон, Луиза Лассер, Лен Максвелл, Микки Роуз, Брина Уилсон.

Казино «Рояль»
(Columbia Pictures/Famous Artists Productions)
Премьера: 28 апреля 1967 года, продолжительность 131 минута.
Режиссеры: Джон Хьюстон, Вэл Гест, Кен Хьюз, Джозеф МакГрат, Роберт Пэрриш, Ричард Талмадж
Сценарий: Ян Флеминг, Вольф Манковиц, Джон Лоу, Майкл Сойерс
Оператор: Джек Хилдьярд
В ролях: Вуди Аллен (Джимми Бонд), Питер Селлерс (Ивлин Трембл / Джеймс Бонд),
Урсула Андресс (Веспер Линд / Джеймс Бонд), Дэвид Нивен (сэр Джеймс Бонд), Орсон Уэллс (Лё Шифр), Джоанна Петтет (Мата Бонд), Далия Лави (агент)

Хватай деньги и беги
Run(ABC/Jack Rollins & Charles H. Joffe Productions/ Palomar Pictures International)
Премьера: 18 августа 1969 года, продолжительность 85 минут.
Режиссер: Вуди Аллен
Сценарий: Вуди Аллен, Микки Роуз
Оператор: Лестер Шорр
В ролях: Вуди Аллен (Вирджил Старквелл), Джанет Марголин (Луиза), Марсель Хиллэр (Фриц), Жаклин Хайд (мисс Блэр), Лонни Чепмен (Джейк), Ян Мерлин (Эл), Джеймс Андерсон (Уорден), Говард Сторм (Фред), Марк Гордон (Винс), Луиза Лассер (Кей Льюис)

Не пейте эту воду
(AVCO Embassy Pictures)
Премьера: 11 ноября 1969 года, продолжительность 100 минут.
Режиссер: Ховард Моррис
Сценарий: Вуди Аллен, Р.С. Аллен, Харви Буллок
Оператор: Харви Дженкинс
В ролях: Джеки Глисон (Уолтер Холландер), Эстель Парсонс (Мэрион Холландер), Тед Бесселл (Аксель Маги), Джоан Делани (Сюзан Холландер), Майкл Константин (Комиссар Кроджек)

Киска, киска, я люблю тебя
(Three Pictures)
Премьера: 25 марта 1970 года, продолжительность 99 минут.
Режиссер: Род Амато
Сценарий: Вуди Аллен (оригинальный сценарий "Что нового, киска?"), Род Амато
Оператор: Тонино Делли Колли
В ролях: Иэн МакШейн (Фред Си Доббс), Джон Гэвин (Чарли Гаррисон), Анна Колдер-Маршалл (Милли Доббс), Джойс Ван Пэттен (Анна), Северн Дарден (Доктор Фахрквардт)

Бананы
(Jack Rollins & Charles H. Joffe Productions)
Премьера: 28 апреля 1971 года, продолжительность 82 минуты.
Режиссер: Вуди Аллен
Сценарий: Вуди Аллен, Микки Роуз
Оператор: Эндрю Костикян
В ролях: Вуди Аллен (Филдинг Меллиш), Луиза Лассер (Нэнси), Карлос Монтальбан (генерал Варгас), Нати Абаскаль (Иоланда), Якобо Моралес (Эспозито), Мигель Анхель Суарес (Луис), Давид Ортис (Санчес), Рене Энрикес (Диас), Сильвестр Сталлоне (хулиган в метро)

Сыграй это ещё раз, Сэм
(Paramount Pictures/Rollins-Joffe Productions/APJAC Productions)
Премьера: 4 мая 1972 года, продолжительность 85 минут
Режиссер: Герберт Росс
Сценарий: Вуди Аллен
Оператор: Оуэн Ройзман
В ролях: Вуди Аллен (Алан Феликс), Дайан Китон (Линда Кристи), Тони Робертс (Дик Кристи), Джерри Лейси (Хамфри Богарт), Сьюзен Энспак (Нэнси), Дженнифер Солт (Шерон), Джой Бэнг (Джули), Вива (Дженнифер)

Всё, что вы всегда хотели знать о сексе, но боялись спросить
(Jack Rollins-Charles H. Joffe Productions/Brodsky-Gould)
Премьера: 6 августа 1972 года, продолжительность 88 минут
Режиссер и автор сценария: Вуди Аллен
Оператор: Дэвид Уолш
В ролях: Вуди Аллен (шут, Фабрицио, Виктор Шакапопулис, сперматозоид), Джон Каррадайн (доктор Бернардо), Лу Джейкоби (Сэм Масгрейв), Луиза Лассер (Джина), Энтони Куэйл (король), Тони Рэндалл (оператор), Линн Редгрейв (королева)

Спящий
(Jack Rollins & Charles H. Joffe Productions)
Премьера: 17 декабря 1973 года, продолжительность 89 минут
Режиссер: Вуди Аллен
Сценарий: Вуди Аллен, Маршалл Брикман
Оператор: Дэвид Уолш
В ролях: Вуди Аллен (Майлз Монро), Дайан Китон

Q-tips

(Луна Шлоссер), Джон Бек (Эрно Виндт), Мэри Грегори (доктор Мелик), Дон Кифер (доктор Трайон), Джон Маклайам (доктор Арагон), Бартлетт Робинсон (доктор Орва)

Любовь и смерть
(Jack Rollins & Charles H. Joffe Productions)
Премьера: 10 июня 1975 года, продолжительность 85 минут
Режиссер и автор сценария: Вуди Аллен
Оператор: Гислен Клоке
В ролях: Вуди Аллен (Борис Грушенко), Дайан Китон (Соня), Георг Адет (старый Нехамкин), Феодор Аткин (Михаил), Джеймс Толкан (Наполеон), Джессика Харпер (Наташа)

Подставное лицо
(Columbia Pictures/The Devon Company/Persky-Bright Productions/Rollins-Joffe Productions)
Премьера: 17 сентября 1976 года, продолжительность 95 минут
Режиссер: Мартин Ритт
Сценарий: Уолтер Бернстайн
Оператор: Майкл Чэпмен
В ролях: Вуди Аллен (Ховард Принс), Зеро Мостел (Хекки Браун), Андреа Марковиччи (Флоренс Баррет), Майкл Мерфи (Альфред Миллер), Хершел Бернарди (Фил Сассман), Римак Рамси (Хеннесси), Марвин Лихтерман (Майер Принс), Ллойд Гоу (Делани), Дэвид Маргулис (Фелпс)

Энни Холл
(Rollins-Joffe Productions)
Премьера: 20 апреля 1977 года, продолжительность 93 минуты
Режиссер: Вуди Аллен
Сценарий: Вуди Аллен, Маршалл Брикмен
Оператор: Гордон Уиллис
В ролях: Вуди Аллен (Элви Сингер), Дайан Китон (Энни Холл), Тони Робертс (Роб), Кэрол Кейн (Эллисон), Пол Саймон (Тони Лэйси), Шелли Дювалль (Пэм), Джанет Марголин (Робин), Коллин Дьюхёрст (мама Холл), Кристофер Уокен (Дуэйн Холл), Маршалл Маклюэн (в роли самого себя)

Интерьеры
(Rollins-Joffe Productions)
Премьера: 2 августа 1978 года, продолжительность 93 минуты
Режиссер и автор сценария: Вуди Аллен
Оператор: Гордон Уиллис
В ролях: Дайан Китон (Рената), Мэри Бет Хёрт (Джой), Джеральдин Пейдж (Ева), Морин Стэплтон (Перл), Кристин Гриффит (Флин), Ричард Джордан (Фредерик), Э. Г. Маршалл (Артур), Сэм Уотерстон (Майк)

Манхэттен
(Jack Rollins & Charles H. Joffe Productions)
Премьера: 25 апреля 1979 года, продолжительность 96 минут
Режиссер: Вуди Аллен
Сценарий: Вуди Аллен, Маршалл Брикмен
Оператор: Гордон Уиллис
В ролях: Вуди Аллен (Исаак), Дайан Китон (Мэри), Майкл Мёрфи (Яли), Мариэль Хемингуэй (Трейси), Мерил Стрип (Джилл)

Воспоминания о звёздной пыли
(Rollins-Joffe Productions)
Премьера: 26 сентября 1980 года, продолжительность 89 минут
Режиссер и автор сценария: Вуди Аллен
Оператор: Гордон Уиллис
В ролях: Вуди Аллен (Сэнди Бэйтс), Шарлотта Рэмплинг (Дорри), Джессика Харпер (Дэйзи), Мари-Кристин Барро (Изобель), Тони Робертс (Тони Робертс), Эми Райт (Шелли), Хелен Ханфт (Вивиан Оркин), Джон Ротман (Джек Эбель), Джудит Робертс (певица), Дэниел Стерн (актёр)

Комедия секса в летнюю ночь
(Orion Pictures)
Премьера: 16 июля 1982 года, продолжительность 88 минут
Режиссер и автор сценария: Вуди Аллен
Оператор: Гордон Уиллис
В ролях: Вуди Аллен (Эндрю), Миа Фэрроу (Ариэль), Хосе Феррер (Леопольд), Джули Хэгерти (Далси), Мэри Стинбёрген (Эдриан), Тони Робертс (Максвелл), Кейт Макгрегор-Стюарт (миссис Бейкер)

Зелиг
(Orion Pictures)
Премьера: 15 июля 1983 года, продолжительность 79 минут
Режиссер и автор сценария: Вуди Аллен
Оператор: Гордон Уиллис
В ролях: Вуди Аллен (Леонард Зелиг), Миа Фэрроу (Юдора Флетчер), Патрик Хорган (рассказчик).

Бродвей Дэнни Роуз
(Orion Pictures)
Премьера: 27 января 1984 года, продолжительность 84 минуты
Режиссер и автор сценария: Вуди Аллен
Оператор: Гордон Уиллис
В ролях: Вуди Аллен (Дэнни Роуз), Миа Фэрроу (Тина Витале), Ник Аполло Форте (Лу Канова), Милтон Берл (в роли самого себя), Херб Рейнольдс (Барни Данн), Пол Греко (Вито Рисполи)

Пурпурная роза Каира
(Orion Pictures)
Премьера: 1 марта 1985 года, продолжительность 82 минуты
Режиссер и автор сценария: Вуди Аллен
Оператор: Гордон Уиллис
В ролях: Миа Фэрроу (Сесилия), Дэнни Айелло (Монк), Джефф Дэниэлс (Том Бакстер / Джил Шепперд), Эдвард Херрманн (Генри), Джон Вуд (Джейсон), Гленн Хедли (проститутка), Дайан Уист (Эмма), Ван Джонсон (Ларри Уайлд)

Ханна и её сестры
Sisters(Orion Pictures/Jack Rollins & Charles H. Joffe Productions)
Премьера: 14 марта 1986 года, продолжительность 103 минуты
Режиссер и автор сценария: Вуди Аллен
Оператор: Карло Ди Пальма
В ролях: Миа Фэрроу (Ханна), Вуди Аллен (Микки Сакс), Барбара Херши (Ли), Дайан Уист (Холли), Майкл Кейн (Эллиот), Кэрри Фишер (Эйприл), Морин О'Салливан (Норма), Ллойд Нолан (Эван)

Дни радио
(Orion Pictures)
Премьера: 30 января 1987 года, продолжительность 88 минут
Режиссер и автор сценария: Вуди Аллен
Оператор: Карло Ди Пальма
В ролях: Вуди Аллен (рассказчик) Миа Фэрроу (Салли Уайт), Джулия Кавнер (мать), Майкл Такер (отец), Сет Грин (Джо), Джош Мостел (дядя Эйб), Дайан Уист (тётя Би), Джули Курнитц (Айрин), Рене Липпин (Сил)

Сентябрь
(Globo Video/MGM Home Entertainment/Orion Pictures/RCA–Columbia Pictures International Video)
Премьера: 18 декабря 1987 года, продолжительность 82 минуты
Режиссер и автор сценария: Вуди Аллен
Оператор: Карло Ди Пальма
В ролях: Миа Фэрроу (Лэйн), Денхолм Эллиотт (Ховард), Сэм Уотерстон (Питер), Дайан Уист (Стефани), Элейн Стритч (Диана), Джек Уорден (Ллойд), Розмари Мерфи (Миссис Мэйсон)

Король Лир
(The Cannon Group/Golan-Globus Productions)
Премьера: 17 мая 1987 года (Каннский кинофестиваль, Франция), 22 января 1988 года (США), продолжительность 90 минут
Режиссер: Жан-Люк Годар
Сценарий: Жан-Люк Годар, Ришар Дебюин, Норман Мейлер,
Оператор: Софи Ментиньё
В ролях: Вуди Аллен (режиссёр Алиен), Бёрджесс Мередит (Дон Леаро), Молли Рингуолд (Корделия), Жан-Люк Годар (профессор Плагги), Фредди Бюаш (профессор Казанцев), Лео Каракс (Эдгар), Жюли Дельпи (Вирджиния)

Другая женщина
(Jack Rollins & Charles H. Joffe Productions)
Премьера: 18 ноября 1988 года, продолжительность 81 минута
Режиссер и автор сценария: Вуди Аллен
Оператор: Свен Нюквист
В ролях: Джина Роулэндс (Марион Пост), Миа Фэрроу (Хоуп), Иэн Холм (Кен Пост), Блайт Даннер (Лидия), Джин Хэкмэн (Ларри Льюис), Бетти Бакли (Кэти), Марта Плимптон (Лора), Сэнди Деннис (Клер)

Нью-йоркские истории
(Фильм-антология, состоящий из трёх частей, которые сняты тремя разными режиссёрами: Мартином Скорсезе, Френсисом Фордом Копполой и Вуди Алленом)
(Touchstone Pictures)
Премьера: 10 марта 1989 года, продолжительность 124 минуты
Часть Вуди Аллена: Oedipus Wrecks (Гибель Эдипа/ Новый Эдип/Эдипов комплекс/Кошмарная мамочка)
Сценарий: Вуди Аллен
Оператор: Спид Хопкинс
В ролях: Вуди Аллен (Шелдон), Миа Фэрроу (Лиза), Кирстен Данст (дочь Лизы)

Преступления и проступки
(Jack Rollins & Charles H. Joffe Productions)
Премьера: 3 октября 1989 года, продолжительность 104 минуты
Режиссер и автор сценария: Вуди Аллен
Оператор: Свен Нюквист
В ролях: Вуди Аллен (Клифф Стерн), Мартин Ландау (Джуда Розенталь), Анжелика Хьюстон (Долорес Пейли), Клер Блум (Мириам Розенталь), Алан Алда (Лестер), Миа Фэрроу (Халли Рид), Сэм Уотерстон (Бен).

Элис
(Orion Pictures)
Премьера: 25 декабря 1990 года, продолжительность 102 минуты

Режиссер и автор сценария: Вуди Аллен
Оператор: Карло Ди Пальма
В ролях: Миа Фэрроу (Элис Тейт), Уильям Хёрт (Даг Тейт), Джо Мантенья (Джо), Алек Болдуин (Эд), Джун Скуибб (Хильда), Блайт Даннер (Дороти), Гвен Вердон (мать Элис), Джуди Дэвис (Викки)

Сцены в магазине
(Touchstone Pictures/Silver Screen Partners)
Премьера: 22 февраля 1991 года, продолжительность 89 минут
Режиссер Пол Мазурски
Сценарий: Пол Мазурски, Роджер Л. Саймон
Оператор: Фред Мёрфи
В ролях: Бетт Мидлер (Дебора Файфер), Вуди Аллен (Ник Файфер), Билл Ирвин (Мим)

Тени и туман
(Orion Pictures)
Премьера: 20 марта 1992 года, продолжительность 85 минут
Режиссер и автор сценария: Вуди Аллен
Оператор: Карло Ди Пальма
В ролях: Вуди Аллен (Кляйнман), Миа Фэрроу (Ирми), Джон Малкович (клоун), Дональд Плезенс (доктор), Джон Кьюсак (студент Джек), Джоди Фостер (проститутка), Кэти Бэйтс (проститутка), Лили Томлин (проститутка), Майкл Кирби (убийца)

Мужья и жёны
(TriStar Pictures)
Премьера: 18 сентября 1992 года, продолжительность 108 минут
Режиссер и автор сценария: Вуди Аллен
Оператор: Карло Ди Пальма
В ролях: Вуди Аллен (Гэбриел Рот), Миа Фэрроу (Джуди Рот), Джуди Дэвис (Салли), Сидни Поллак (Джек), Джульетт Льюис (Рэйн), Лиам Нисон (Майкл Гейтс), Лизетт Энтони (Сэм)

Загадочное убийство в Манхэттене
(TriStar Pictures)
Премьера: 18 АВГУСТА 1993 года, продолжительность 104 минуты
Режиссер и автор сценария: Вуди Аллен
Оператор: Карло Ди Пальма
В ролях: Вуди Аллен (Ларри Липтон), Дайан Китон (Кэрол Липтон), Алан Алда (Тед), Анжелика Хьюстон (Марша Фокс), Джерри Адлер (Пол Хаус), Линн Коэн (Лиллиан Хаус), Рон Рифкин (Сай).

Пули над Бродвеем
(Miramax/Sweetland Films/Magnolia Productions)
Премьера: 18 сентября 1992 года, продолжительность 108 минут
Режиссер и автор сценария: Вуди Аллен
Оператор: Карло Ди Пальма
В ролях: Вуди Аллен (Гэбриел Рот), Миа Фэрроу (Джуди Рот), Джуди Дэвис (Салли), Сидни Поллак (Джек), Джульетт Льюис (Рэйн), Лиам Нисон (Майкл Гейтс), Лизетт Энтони (Сэм)

Великая Афродита
(Sweetland Films/Magnolia Productions/Miramax)
Премьера: 11 января 1996 года, продолжительность 95 минут
Режиссер и автор сценария: Вуди Аллен
Оператор: Карло Ди Пальма
В ролях: Вуди Аллен (Ленни Вейнриб, Хелена Бонэм Картер (Аманда Вейнриб), Мира Сорвино (Линда Эш), Майкл Рапапорт (Кевин), Питер Уэллер (Джерри Бендер), Клер Блум (миссис Слоан).

Все говорят, что я люблю тебя
(Miramax/Buena Vista Pictures/Magnolia Productions/Sweetland Films)
Премьера: 3 января 1997 года, продолжительность 101 минута
Режиссер и автор сценария: Вуди Аллен
Оператор: Карло Ди Пальма
В ролях: Вуди Аллен (Джо Берлин), Джулия Робертс (Вон Сиделл), Голди Хоун (Стеффи Дэндридж), Алан Алда (Боб Денбридж), Наташа Лайонн (Джуна Берлин), Дрю Бэрримор (Скайлар Денбридж), Эдвард Нортон (Холден Спенс), Тим Рот (Чарльз Ферри), Габи Хоффман (Лэйн Денбридж), Натали Портман (Лора Денбридж).

Разбирая Гарри
(Sweetland Films/Jean Doumanian Productions)
Премьера: 12 декабря 1997 года, продолжительность 96 минут
Режиссер и автор сценария: Вуди Аллен
Оператор: Карло Ди Пальма
В ролях: Вуди Аллен (Гарри Блок), Ричард Бенджамин (Кен), Кёрсти Элли (Джоан), Билли Кристал (Ларри / Дьявол), Джуди Дэвис (Люси), Боб Балабан (Ричард), Элизабет Шу (Фэй), Деми Мур (Хелен), Робин Уильямс (Мел), Кэролайн Аарон (Дорис), Эрик Богосян (Берт), Мэриэл Хэмингуэй (Бет Крамер), Эми Ирвинг (Джейн), Тоби Магуайр (Харви Стерн), Стэнли Туччи (Пол Эпштейн)

Самозванцы
(First Cold Piece/Fox Searchlight Pictures)
Премьера: 2 октября 1998 года, продолжительность 101 минута
Режиссер и автор сценария: Стэнли Туччи
Оператор: Кен Келсч
В ролях: Оливер Плэт (Морис), Стэнли Туччи (Артур), Билли Конноли (Мистер Спаркс), Эллисон Дженни (Максин), Стив Бушеми (Счастливый Фрэнкс), Вуди Аллен (Директор по кастингу)

Муравей Антц
(DreamWorks/Pacific Data Images/DreamWorks Animation)
Премьера: 2 октября 1998 года, продолжительность 83 минуты
Режиссеры: Эрик Дарнелл, Тим Джонсон
Сценарий: Тодд Элкотт, Крис Вайц, Пол Вайц
Оператор: Кендал Кронкхайт
Роли озвучивали: Вуди Аллен (Z-4195 или Зед), Сильвестр Сталлоне (Уивер), Шерон Стоун (принцесса Бала), Джин Хэкмен (генерал Навозник), Энн Бэнкрофт (Королева-матка), Дэнни Гловер (сержант Барбатус), Дэн Эйкройд (оса Чип), Джейн Куртин (оса Маффи), Дженнифер Лопес (Ацтека), Кристофер Уокен (полковник Короед)

Знаменитость
(Sweetland Films/Magnolia Productions)
Премьера: 20 ноября 1998 года, продолжительность 113 минут
Режиссер и автор сценария: Вуди Аллен
Оператор: Свен Нюквист
В ролях: Хэнк Азариа (Дэвид), Кеннет Брана (Ли Саймон), Джуди Дэвис (Робин Саймон), Вайнона Райдер (Нола), Джо Мантенья (Тони Гарделла), Леонардо Ди Каприо (Брэндон Дэрроу), Фамке Янссен (Бонни), Мелани Гриффит (Николь Оливер), Шарлиз Терон (супермодель), Гретхен Мол (Викки)

Сладкий и гадкий
(Sweetland Films/Magnolia Productions)
Премьера: 3 декабря 1999 года, продолжительность 95 минут
Режиссер и автор сценария: Вуди Аллен
Оператор: Чжао Фэй
В ролях: Шон Пенн (Эммет Рэй), Саманта Мортон (Хэтти), Ума Турман (Бланш), Вуди Аллен (в роли самого себя), Кэти Хэмилл (Мэри), Джон Уотерс (мистер Хэйнс), Винсент Гуастаферро (Сид Бишоп), Энтони Лапалья (Эл Торрио), Гретхен Мол (Элли), Брэд Гарретт (Джо Бедлоу)

Мелкие мошенники
(DreamWorks/Sweetland Films)
Премьера: 19 мая 2000 года, продолжительность 94 минуты
Режиссер и автор сценария: Вуди Аллен
Оператор: Чжао Фэй
В ролях: Вуди Аллен (Рэй Уинклер), Трейси Ульман (Френчи Уинклер), Хью Грант (Дэвид), Элейн Мэй (Мэй), Майкл Рапапорт (Денни), Тони Дарроу (Томми), Джон Ловитц (Бенни), Брайан Маркинсон (полицейский), Элейн Стритч (Чи-Чи Поттер)

По кусочкам
(Comala Films Productions/Kushner-Locke Company/Ostensible Productions)
Премьера: 26 мая 2000 года, продолжительность 95 минут
Режиссер: Альфонсо Арау
Сценарий: Билл Уилсон
Оператор: Витторио Стораро
В ролях: Вуди Аллен (Тэкс Коули), Шэрон Стоун (Кэнди Коули), Мария Кучинотта (Дэси), Чич Марин (Мэйор Мачадо), Дэвид Швиммер, (Отец Лео Жером), Кифер Сазерленд (Офицер Бобо)

Свой парень
(Film Foundry Partners/GreeneStreet Films/Intermedia Films/SKE Films/Union Générale Cinématographique/Wild Dancer Productions)
Премьера: 3 мая 2000 года (Франция), 9 марта 2001 (США), продолжительность 95 минут
Режиссеры и сценаристы: Питер Аскин и Дуглас МакГрат

Оператор: Рассел Бойд
В ролях: Аллан Каминг (Генерал Батиста), Энтони ЛаПагила (Фидель Кастро), Дэнис Лири (Офицер Фрай), Дуглас МакГрат (Алан Кимп), Джон Туртурро (Крокер Джонсон), Сигурни Уивер (Дэйзи Кимп), Вуди Аллен (Лоусер)

Проклятие нефритового скорпиона
(DreamWorks/Perdido Productions)
Премьера: 24 августа 2001 года, продолжительность 103 минуты
Режиссер и автор сценария: Вуди Аллен
Оператор: Чжао Фэй
В ролях: Вуди Аллен (страховой детектив Бриггс), Хелен Хант (Бетти Энн Фицджеральд), Дэн Эйкройд (Крис Магрудер), Шарлиз Терон (Лора Кенсингтон), Брайан Маркинсон (Эл), Уоллес Шоун (Джордж Бонд), Дэвид Стайерс (Волтан), Элизабет Беркли (Джилл), Джон Шак (Майз)

Голливудский финал
(DreamWorks/Gravier Productions/Perdido Productions)
Премьера: 3 мая 2002 года, продолжительность 112 минут
Режиссер и автор сценария: Вуди Аллен
Оператор: Ведиго фон Шульцендорф

В ролях: Вуди Аллен (Вэл), Теа Леони (Элли), Трит Уильямс (Хэл), Дебра Мессинг (Лори), Марк Райделл (Эл), Джордж Хэмилтон (Эд), Мэриэн Селдес (Александра), Тиффани Тиссен (Шэрон Бейтс)

Кое-что ещё
Else(DreamWorks/Gravier Productions/Canal+/Granada Film Productions/Perdido Productions)
Премьера: 19 сентября 2003 года, продолжительность 108 минут
Режиссер и автор сценария: Вуди Аллен
Оператор: Дариус Хонджи
В ролях: Вуди Аллен (Дэвид Добел), Джейсон Биггз (Джерри Фолк), Кристина Риччи (Аманда Чейз), Дэнни Де Вито (Харви Векслер), Стокард Чэннинг (Пола Чейз), Джимми Фэллон (Боб), Уильям Хилл (психиатр), Эрика Лирсен (Конни), Дайана Кролл (в роли самой себя), Карсон Грант (Рон Келлер)

Мелинда и Мелинда
(Fox Searchlight Pictures/Gravier Productions/LF Hungary Film Rights Exploitation/Perdido Productions)
Премьера: 17 сентября 2004 года (Международный кинофестиваль в Сан-Себастьяне, Испания), 18 марта 2005 (США), продолжительность 99 минут
Режиссер и автор сценария: Вуди Аллен
Оператор: Вилмош Жигмонд
В ролях: Чиветел Эджиофор (Эллис Мунсонг), Уоллес Шоун (Сай), Уилл Феррелл (Хоби), Стив Кэрелл (Уолт), Рада Митчелл (Мелинда Робишо), Клоэ Севиньи (Лорел), Джош Бролин (Грег Ирлингер), Джонни Ли Миллер (Ли), Винесса Шоу (Стейси), Брук Смит (Кэсси), Аманда Пит (Сьюзан)

Матч-пойнт
Point(BBC Films/Thema Production/Jada Productions/Kudu Films)
Премьера: 28 декабря 2005 года, продолжительность 124 минуты
Режиссер и автор сценария: Вуди Аллен
Оператор: Реми Адефарасин
В ролях: Скарлетт Йоханссон (Нола Райс), Джонатан Рис-Майерс (Крис Уилтон), Эмили Мортимер (Хлоя Хьюит Уилтон), Мэтью Гуд (Том Хьюит), Брайан Кокс (Алек Хьюит), Пенелопа Уилтон (Элеонора Хьюит), Морн Ботс (Мишель), Роуз Киган (Кэролл), Эдди Маршан (Ривс), Миранда Рэйсон (Хизер), Зои Тэлфорд (Саманта), Джеффри Стритфилд (Алан Синклер), Джеймс Несбитт (детектив Баннер)

Сенсация
(BBC Films/Ingenious Film Partners/Phoenix Wiley/Jelly Roll Productions)
Премьера: 28 июля 2006 года, продолжительность 96 минут
Режиссер и автор сценария: Вуди Аллен
Оператор: Реми Адефарасин
В ролях: Скарлетт Йоханссон (Сондра Прански / Джэйд Спенс), Хью Джекман (Питер Лайман), Вуди Аллен (Сид Уотерман / Чудини / Сплендини), Ромола Гараи (Вивьен), Иэн Макшейн (Джо Стромбел), Кевин Макнелли (Мистер Тинсли)

Мечта Кассандры
(Iberville Productions/Virtual Studios/Wild Bunch)
Премьера: 18 июня 2007 года (Испания), 18 января 2008 (США), продолжительность 108 минут
Режиссер и автор сценария: Вуди Аллен
Оператор: Вилмош Жигмонд
В ролях: Юэн Макгрегор (Иэн), Колин Фаррелл (Терри), Хэйли Этвелл (Анджела Старк), Салли Хокинс (Кейт), Клэр Хиггинс (Мать), Джон Бенфилд (Отец), Том Уилкинсон (Говард), Фил Дэвис (Мартин Бёрнс), Джим Картер (босс гаража)

Вики Кристина Барселона
(The Weinstein Company/Mediapro/Gravier Productions)
Премьера: 15 августа 2008 года, продолжительность 96 минут
Режиссер и автор сценария: Вуди Аллен
Оператор: Хавьер Агирресаробе
В ролях: Ребекка Холл (Вики), Скарлетт Йоханссон (Кристина), Хавьер Бардем (Хуан Антонио Гонзало), Пенелопа Крус (Мария Елена), Крис Мессина (Даг), Патриша Кларксон (Джуди Нэш), Кевин Данн (Марк Нэш), Хулио Перильян (Чарльз), Кристофер Ивэн Уэлч (рассказчик)

Будь что будет
(Sony Pictures Classics/Wild Bunch/Gravier Productions/Perdido Productions)
Премьера: 19 июня 2009 года, продолжительность 92 минуты
Режиссер и автор сценария: Вуди Аллен
Оператор: Харрис Савидис
В ролях: Ларри Дэвид (Борис Ельников), Эван Рэйчел Вуд (Мелоди Сент-Энн Селестин), Патриша Кларксон (Мариэтта), Эд Бегли-младший (Джон), Генри Кэвелл (Рэнди Джеймс), Кристофер Ивэн Уэлч (Говард Камински), Джессика Хект (Хелена), Олек Крупа (Моргенштерн)

Ты встретишь высокого мрачного незнакомца
(Mediapro/Versátil Cinema/Gravier Productions/Dippermouth Productions/Antena 3 Films)
Премьера: 23 сентября 2010 года, продолжительность 98 минут
Режиссер и автор сценария: Вуди Аллен
Оператор: Вилмош Жигмонд
В ролях: Наоми Уоттс (Салли Чаннинг), Джош Бролин (Рой Чаннинг), Энтони Хопкинс (Альфи Шепридж), Джемма Джонс (Хелена Шепридж), Фрида Пинто (Дия), Антонио Бандерас (Грег), Люси Панч (Шармейн), Полин Коллинз (Кристал), Юэн Бремнер (Генри Стрэнглер), Роджер Эштон-Гриффитс (Джонатан)

Полночь в Париже
(Gravier Productions/Mediapro/Pontchartrain Productions/Televisió de Catalunya/Versátil Cinema)
Премьера: 10 июня 2011 года, продолжительность 94 минуты
Режиссер и автор сценария: Вуди Аллен
Оператор: Дариус Хонджи
В ролях: Оуэн Уилсон (Гил Пендер), Рэйчел Макадамс (Инес), Курт Фуллер (Джон), Мими Кеннеди (Хелен), Майкл Шин (Пол Бейтс), Нина Арианда (Кэрол Бейтс), Карла Бруни (гид), Леа Сейду (продавщица Габриэль), Ив Хек (Коул Портер), Соня Ролланд (Жозефина Бейкер), Элисон Пилл (Зельда Фицджеральд), Том Хиддлстон (Фрэнсис Скотт Фицджеральд), Кэти Бэйтс (Гертруда Стайн), Кори Столл (Эрнест Хэмингуэй), Марсьяль Ди Фонсо Бо (Пабло Пикассо), Марион Котийяр (Адриана), Эммануэль Юзан (Джуна Барнс), Эдриен Броуди (Сальвадор Дали), Адриен де Ван (Луис Бунюэль), Том Кордье (Ман Рэй), Девид Лоу (Том Элиот), Ив-Антуан Спото (Анри Матисс), Винсент Менжу Кортес (Анри де Тулуз-Лотрек), Оливье Рабурда (Поль Гоген), Франсуа Роста (Эдгар Дега)

Римские приключения
(Medusa Film/Gravier Productions/Perdido Productions/Mediapro)
Премьера: 6 июля 2012 года, продолжительность 112 минут
Режиссер и автор сценария: Вуди Аллен
Оператор: Дариус Хонджи
В ролях: Вуди Аллен (Джерри), Джуди Дэвис (Филлис), Элисон Пилл (Хейли), Флавио Паренти (Микеланджело), Фабио Армилиато (Джанкарло), Роберто Бениньи (Леопольдо), Алек Болдуин (Джон), Джесси Айзенберг (Джек), Эллен Пейдж (Моника), Грета Гервиг (Салли)

Париж-Манхэттен
(Vendôme Production/France 2 Cinéma/SND)
Премьера: 2 апреля 2012 года, продолжительность 77 минут
Режиссер и автор сценария: Софи Лелуш
Оператор: Лоран Машель
В ролях: Патрик Брюэль (Виктор), Алис Тальони (Алис), Марине Дельтерме (Элен), Луи-До де Ленкусен (Пьер), Мишель Омон (отец), Мари-Кристин Адам (мать), Янник Сулье (Винсент), Вуди Аллен (в роли себя)

Жасмин
Премьера: 23 августа 2013 года, продолжительность 98 минут
Режиссер и автор сценария: Вуди Аллен
Оператор: Хавьер Агирресаробе
В ролях: Кейт Бланшетт (Жанетт «Жасмин» Фрэнсис), Салли Хокинс (Джинджер), Бобби Каннавале (Чили), Алек Болдуин (Гарольд «Хэл» Фрэнсис), Питер Сарсгаард Дуайт Уэстлейк), Луи Си Кей (Эл), Эндрю Дайс Клэй (Огги), Майкл Стулбарг (доктор Фликер), Тэмми Бланчард (Джейн).

Под маской Жиголо
Премьера: 7 сентября 2013 года (Международный кинофестиваль в Торронто), 18 апреля 2014 года (США), продолжительность 90 минут
Режиссер и автор сценария: Вуди Аллен
Оператор: Марко Понтекорво
В ролях: Вуди Аллен (Мюррей), Джон Туртурро (Фиорованте), Шэрон Стоун (Паркер), София Вергара (Селима), Ванесса Паради (Авигейл), Тоня Пинкинс (Отелла)

Магия лунного света
(Dippermouth Productions/Gravier Productions/Perdido Productions/Ske-Dat-De-Dat Productions)
Премьера: 15 августа 2014 года, продолжительность 97 минут
Режиссер и автор сценария: Вуди Аллен
Оператор: Дариус Хонджи
В ролях: Колин Ферт (Стэнли Кроуфорд), Эмма Стоун (Софи Бейкер), Саймон Макберни (Ховард Бёркен), Айлин Эткинс (тётя Ванесса), Марша Гей Харден (миссис Бейкер), Джеки Уивер (Грейс Кэтледж), Хэмиш Линклейтер (Брайс (сын Грейс), Эрика Лирсен (Кэролайн), Джереми Шамос (Джордж), Кэтрин Маккормак (Оливия)

Иррациональный человек
(Annapurna Pictures/Gravier Productions/Perdido Productions)
Премьера: 24 июля 2015 года, продолжительность 96 минут
Режиссер и автор сценария: Вуди Аллен
Оператор: Дариус Хонджи
В ролях: Хоакин Феникс (Эйб Лукас), Эмма Стоун (Джилл Поллард), Паркер Поузи (Рита Ричард), Джейми Блэкли (Рой)

Телевидение

Шоу Эда Сулливана (CBS/Sullivan Productions)
Член авторской группы, 1954

Комедийный час Colgate
(Colgate-Palmolive Peet/NBC)
Член авторской группы, 1955

Стэнли (Max Liebman Productions)
Первый показ: 24 сентября 1956 года
Член авторской группы

Шоу Сида Цезаря (NBC)
Первый показ: 2 ноября 1958 года
Соавтор

В кино (NBC)
Первый показ: 3 мая 1959 года
Соавтор

Ура любви (CBS)
Первый показ: 2 октября 1960 года
Соавтор

Честная камера
(Allen Funt Productions/Bob Banner Associates)
Член авторской группы и актер, 1960–1967

Шоу Гэрри Мура, эпизод №4.3(CBS)
Первый показ: 10 октября 1961 года
Член авторской группы

Шутники (ABC)
Пилотную серию показали в 1962, но запуск так и не состоялся
Автор

Шоу Сида Цезаря (ABC)
Первый показ: 3 октября 1963 года
Соавтор и актёр

Шоу Вуди Аллена (Granada Television)
Первый показ: 10 февраля 1965 года (UK)
Автор и актёр

Джин Келли в New York, New York (NBC)
Первый показ: 14 февраля 1966 года
Соавтор и актёр

Мир: раскрась его в счастливые цвета (Hanna-Barbera)
Пилотную серию показали в 1967, но запуск так и не состоялся
Член авторской группы и актёр

Крафт мюзик холл: Вуди Аллен о 1967 годе
(Bob Banner Associates/Yorkshire Productions)
Первый показ: 27 декабря 1967 года
Член авторской группы и актёр

Крафт мюзик холл: Особенное от Вуди Аллена (CBS)
Первый показ: 21 сентября 1969 года
Автор и актёр

Хот Дог (Lee Mendelson-Frank Buxton Joint Film Productions)
Первый показ: 12 сентября 1970 года
Второй ведущий

Люди кризиса: История Харви Уаллингера (WNET)
Отдельное шоу показали в 1971 году, но более не транслировали
Автор, режиссёр и актёр

Не пей воду (фильм для ТВ)
(Jean Doumanian Productions/Magnolia Productions/
Sweetland Films)
Первый показ: 18 декабря 1994 года
автор, режиссёр и актёр

Une aspirine pour deux (France 2)
Первый показ 1 августа 1995 года (Франция).
Автор

Солнечные парни
(Hallmark Entertainment/Metropolitan Productions/
RHI Entertainment)
Первый показ: 28 декабря 1997 года.
Актёр

Печаль и Жалость
(Télévision Rencontre/Norddeutscher Rundfunk/
Télévision Suisse-Romande)
Первый показ: 18 сентября 1969 года (Западная Германия), премьера в США: 7 июля 2000 года
Презентовал премьеру в США в 2000 году

Звуки города, который я люблю (короткий документальный отрывок из “Концерта для Нью-Йорка”)
Первый показ: 20 октября 2001 года
Автор и режиссер

Barcelona, la Rosa de Foc (Mediapro)
Первый показ: 8 сентября 2014 года (Испания)
Повествователь в англоязычной версии

Театр

От А до Я
Музыкальное обозрение, в котором содержатся скетчи, написанные Вуди Алленом
Премьера: 20 апреля 1960 года
(Plymouth Theatre, New York City)

Не пей воду
Премьера: 17 ноября 1966 года
(Morosco Theatre, New York City)

Сыграй это снова, Сэм
Премьера: 12 февраля 1969 года
(Broadhurst Theatre, New York City)

Свет плавучего маяка
Премьера: 27 апреля 1981 года
(Vivian Beaumont Theatre, Lincoln Center, New York City)

Вызовы смерти
Антология из коротких пьес, написанных Дэвидом Мэметом (Интервью), Элейн Мэй (Горячая линия) и Вуди Алленом (Централ-Парк Вест)
Премьера: 6 марта 1995 года
(Atlantic Theater Company, New York City)

Уголок автора
Две одноактных пьесы: Риверсайд драйв и Олд Сейбрук
Премьера: 15 мая 2003 года.
(Atlantic Theater Company, New York City)

Подержанная память
Премьера: 22 ноября, 2004 года
(Atlantic Theater Company, New York City)

Собственно говоря
Антология, состоящая и коротких пьес Итана Коэна (Говорящее лекарство), Элейн Мэй (Джордж мёртв) и Вуди Аллена (Мотель “Медовый месяц”)
Премьера: 20 октября 2011 года
(Brooks Atkinson Theatre, New York City)

Пули над бродвеем: музыкальный спектакль
Премьера: 10 апреля 2014 года.
(St. James Theatre, New York City)

Книги

Сводя счеты
New York: Random House, 1971

Без перьев
New York: Random House, 1975

Побочные эффекты
New York: Random House, 1980

Три одноактных пьесы: Риверсайд драйв, Олд Сейбрук, Централ-Парк Вест
New York: Random House, 2004

Чистая Анархия
New York: Random House, 2007

Защита безумия: полное собрание сочинений
New York: Random House, 2007

«Через свои фильмы я всю свою жизнь говорил людям, что не существует большого сходства между мной на экране и мной в реальной жизни, но почему-то они не хотят ничего знать об этом. И я думаю, что это даже уменьшает получаемое от фильма удовольствие. Люди прислушиваются ко мне и благосклонно кивают, но в реальности они не ведутся на это.»

Портрет, сделанный Дженнифер С. Альтман, 2011.

Избранная библиография:

Книги

Allen, Woody. The Insanity Defense: The Complete Prose. New York: Random House, 2007.
Bach, Steven. Final Cut: Art, Money, and Ego in the Making of Heaven's Gate, the Film that Sank United Artists. New York: William Morrow, 1985.
Bailey, Peter J. The Reluctant Film Art of Woody Allen. Lexington, KY: University Press of Kentucky, 2001.
Bailey, Peter J., and Sam B. Girgus, eds. A Companion to Woody Allen. Chichester, West Sussex: Wiley-Blackwell, 2013.
Baxter, John. Woody Allen: A Biography. London: Harper Collins, 1998.
Benayoun, Robert. Woody Allen: Beyond Words. London: Pavilion, 1986.
Berger, Phil. The Last Laugh: The World of Stand-up Comics. New York: Cooper Square Press, 2000.
Björkman, Stig. Woody Allen on Woody Allen. New York: Grove Press, 1993 (revised 2005).
Brode, Douglas. The Films of Woody Allen. New York: Citadel, 1991.
Caine, Michael. What's It All About? London: Century, 1992.
De Navacelle, Thierry. Woody Allen on Location. New York: William Morrow, 1987.
Epstein, Lawrence J. The Haunted Smile: The Story of Jewish Comedians. Oxford: PublicAffairs, 2002.
Farrow, Mia. What Falls Away: A Memoir. New York: Doubleday, 1997.
Fox, Julian. Woody: Movies from Manhattan. London: Batsford, 1996.
Hirsch, Foster. Love, Sex, Death, and the Meaning of Life: The Films of Woody Allen. Cambridge, MA: Da Capo Press, 2001.
Kael, Pauline. The Age of Movies: Selected Writings of Pauline Kael. Edited by Sanford Schwartz. New York: Library of America, 2011.
Kapsis, Robert E., and Kathie Coblentz, eds. Woody Allen: Interviews. Jackson, MS: University Press of Mississippi, 2006.
Keaton, Diane. Then Again: A Memoir. New York: Random House, 2012.
Lax, Eric. On Being Funny: Woody Allen and Comedy. New York: Charterhouse, 1975
Lax, Eric. Woody Allen: A Biography. New York: Alfred A. Knopf, 1991.
Lax, Eric. Conversations with Woody Allen. New York: Alfred A. Knopf, 2007.
Lee, Sander H. Anguish, God and Existentialism: Eighteen Woody Allen Films Analyzed. Jefferson, NC: McFarland, 2002.
Meade, Marion. The Unruly Life of Woody Allen. London: Phoenix, 2001.
Rosenblum, Ralph., and Robert Karen. When the Shooting Stops…the Cutting Begins: A Film Editor's Story. New York: Viking, 1979.
Schickel, Richard. Woody Allen: A Life in Film. Chicago: Ivan R. Dee, 2003.
Sikov, Ed. Mr. Strangelove: A Biography of Peter Sellers. New York: Hyperion, 2002.
Silet, Charles L. P., ed. The Films of Woody Allen: Critical Essays. Lanham, MD: Scarecrow Press, 2006.
Wolcott, James. Critical Mass: Four Decades of Essays, Reviews, Hand Grenades, and Hurrahs. New York: Knopf Doubleday, 2013.

Статьи и интервью

Abrams, Simon. "Simply Do It: Talking with Woody Allen about Directorial Style." rogerebert.com, July 24, 2014.
Allen, Woody. "Woody Allen's Diary." Guardian, January 12, 2009.
Andrew, Geoff. "Woody Allen: Guardian Interviews at the BFI." Guardian, September 27, 2001.
Barrett, Chris. "Jeff Daniels Talks about His Role in The Purple Rose of Cairo." YouTube video, 2:19. Posted March 31, 2009. www.youtube.com/watch?v=NYVLHMZIftw
Billen, Andrew. Interview. Observer, April 16, 1995.
Blair, Iain. "Deconstructing Woody: The Director Considers Life, Art and Celebrity." http://dailytelegiraffe.tripod.com/celebritywoodyinterview.html
Blanchett, Cate. "In Conversation: Cate Blanchett Meets Woody Allen." Harper's Bazaar, December 2013.
Brooks, Richard. Interview. Observer, August 23, 1992.
Cadwalladr, Carole. "Woody Allen: 'My Wife Hasn't Seen Most of My Films…and She Thinks My Clarinet Playing Is Torture.'" Observer, March 13, 2011.
Calhoun, Dave. "Woody Allen: 'Making Films Is Not Difficult.'" Time Out, September 16, 2013.
Calhoun, Dave. "Woody Allen: 'I Was Happy Until I Was Five.'" Time Out, September 8, 2014.
Clark, John. "Citizen Woody." Los Angeles Times, December 1, 1996.
Cooney Carrillo, Jenny. "Allen, Woody: Sweet and Lowdown." urbancinefile.com, July 13, 2000.
Cox, David. "Just Don't Ask Woody Allen What's Good about Vicky Cristina Barcelona." Guardian, February 9, 2009.
Didion, Joan. "Letter from Manhattan." New York Review of Books, August 16, 1979.
Dowd, Maureen. "The Five Women of Hannah and Her Sisters." New York Times, February 2, 1986.
Dowd, Maureen. "Diane and Woody, Still a Fun Couple." New York Times, August 15, 1993.
Ebert, Roger. "Woody Allen and The Purple Rose of Cairo." Chicago Sun-Times, March 10, 1985.
Ebert, Roger. "Great Movies: Annie Hall." Chicago Sun-Times, May 12, 2002.
Foundas, Scott. Interview. blogs.villagevoice.com, August 12, 2008.
Foundas, Scott. "Woody Allen on Whatever Works, the Meaning of Life (or Lack Thereof), and the Allure of Younger Women." blogs.villagevoice.com, June 18, 2009.
Foundas, Scott. "A Meeting of Minds." DGA Quarterly, Fall 2010.
Foundas, Scott. Interview. Los Angeles Weekly, May 19, 2011.
Franks, Alan. Interview. Times, February 15, 1997.
Fussman, Cal. "Woody Allen: What I've Learned." Esquire, September 2013.
Germain, David. "DreamWorks Signs Woody Allen." Associated Press, May 17, 2000.
Goldstein, Patrick. "What's the Buzz on Woody?" Los Angeles Times, May 21, 2000.
Gould, Mark R. "Woody Allen's Manhattan Tells Us Why Life Is Worth Living." atyourlibrary.org
Greenfield, Robert. "Seven Interviews with Woody Allen." Rolling Stone, September 30, 1971.
Gussow, Mel. "Annie Hall: Woody Allen Fights Anhedonia." New York Times, April 20, 1977.
Hillis, Aaron. "Woody Allen on Cassandra's Dream." January 21, 2008.
Hiscock, John. Interview. Telegraph, September 29, 2009.
Hiscock, John. "Woody Allen: 'At Last, I'm a Foreign Filmmaker.'" Telegraph, September 14, 2012.
Husband, Stuart. "Woody Allen: 'I've Spent My Whole Life under a Cloud.'" Telegraph, September 24, 2013.
Itzkoff, Dave. "Annie and Her Sisters." New York Times, July 17, 2013.
Itzkoff, Dave. "A Master of Illusion Endures." New York Times, July 16, 2014.
Jagernauth, Kevin. "Scarlett Johansson Says She's Waiting for Woody Allen to Write Her Citizen Kane." blogs.indiewire.com, November 1, 2011.
James, Caryn. "Auteur! Auteur!" New York Times Magazine, January 19, 1986.
Jeffreys, Daniel. Interview. Independent, October 24, 1996.
Jones, Kent. "Woody Allen: The Film Comment Interview (Expanded Version)." filmcomment.com, May/June 2011.
Kakutani, Michiko. "Woody Allen: The Art of Humor." Paris Review, Fall 1995.
Kilday, Gregg. "Woody Allen Reveals How He Conjured Up His Biggest Hit, Midnight in Paris." Hollywood Reporter, January 7, 2012.
Lacey, Liam. "At Seventy-Six, Woody Allen Shows No Signs of Slowing Down." Globe and Mail, July 3, 2012.
Lahr, John. "The Imperfectionist." New Yorker, December 9, 1996.
Lax, Eric. "For Woody Allen, Sixty Days Hath September." New York Times, December 6, 1987.
Lax, Eric. "Woody and Mia: A New York Story." New York Times, February 24, 1991.
Longworth, Karina. "Woody Allen on His New Film, To Rome with Love, and Some Very Old Themes." Los Angeles Weekly, June 21, 2012.
Lucia, Cynthia. "Contemplating Status and Morality in Cassandra's Dream: An Interview with Woody Allen." Cineaste, Winter 2007/Spring 2008.
MacNab, Geoffrey. "Why Cassandra's Dream Is Turning Out to Be Woody Allen's Nightmare." Independent, December 1, 2014.
Maslin, Janet. "How the Graphic Art Feats in Zelig Were Done." New York Times, August 1, 1983.
McGrath, Douglas. "If You Knew Woody Like I Knew Woody." New York Magazine, October 17, 1994.
Miller, Prairie. "Sweet and Lowdown: Woody Allen Interview." http://www.woodyallen.art.pl/eng/wywiad_eng_11.php

БЛАГОДАРНОСТИ

Mitchell, Sean. "Funny Isn't Good Enough: Woody Allen's Got Another Movie Coming Out, But There Are a Few Other Things on His Mind." Los Angeles Times, March 15, 1992.
Mottram, James. "'I Really Don't Care': After That Twitter Scandal, Actor Alec Baldwin Discusses Fatherhood, Working with Woody Allen and Being in the Public Eye." Independent, July 22, 2013.
Murray, Rebecca. Vicky Cristina Barcelona press conference: "Filmmaker Woody Allen Discusses Vicky Cristina Barcelona." movies.about.com, 2008.
Nesteroff, Kliph. "The Early Woody Allen 1952–1971." blog.wfmu.org, February 14, 2010.
Pond, Steve. "How Cate Blanchett Got Ready to Play a Boozer in Woody Allen's Blue Jasmine." The Wrap, July 26, 2013.
Prunner, Vifill. "Mariel Hemingway—Manhattan: The Birth of a Legend." thenewcinemamagazine.com, April 21, 2010.
Radish, Christina. "Woody Allen Talks To Rome with Love, the Importance of Music in His Films, How He Feels about Improvisation, and His Outlook on Retirement." collider.com, June 20, 2012.
Rhys, Tim. "Made in Manhattan." MovieMaker, Spring 2004.
Romney, Jonathan. "Scuzzballs Like Us." Sight & Sound, April 1998.
Ross, Scott. "The Night Woody Allen and Billy Graham Argued the Meaning of Life." nbcarea.com, May 30, 2012.
Rottenberg, Josh. "Woody Allen on His Prolific Career." Entertainment Weekly, December 16, 2005.
Shoard, Catherine. "Woody Allen on Blue Jasmine: 'You See Tantrums in Adults All the Time.'" Guardian, September 26, 2013.
Smithey, Cole. "Woody Allen Discusses Melinda and Melinda." filmcritic1963.typepad.com, May 7, 2005.
Szklarski, Stephen J. "Carlo Di Palma: An Interview." Independent Film Quarterly, Fall 2001.
Taylor, Juliet. Interview. Observer, May 21, 2000.
Verdiani, Gilles. "Woody Allen, C'est Moi." http://dailytelegiraffe.tripod.com/celebrityinterviewfrenchpremiere.htmlWolfe, Tom. "The 'Me' Decade and the Third Great Awakening." New York Magazine, August 23, 1976.
Zuber, Helene. "Spiegel Interview with Woody Allen: 'Nothing Pleases Me More than Being Thought of as a European Filmmaker.'" Der Spiegel, June 20, 2005.
"Capone Interviews Woody Allen about Cassandra's Dream." aintitcool.com, January 20, 2008.
"Comedians: His Own Boswell." Time, February 15, 1963.
"Scoop: Q & A with Woody Allen." http://cinema.com/articles/4167/scoop-q-and-a-with-woody-allen.phtml

ВЕБ-САЙТЫ

Severywoodyallenmovie.com
woodyallenwednesday.com

ДОКУМЕНТАЛЬНЫЕ ФИЛЬМЫ

Барбара Копл "Блюз дикого человека", 1997
Роберт Б. Уайде "Вуди Аллен", 2012

АВТОРЫ ФОТОГРАФИЙ

Для розыска и признания владельцев авторских прав были приложеы все возможные усилия. Мы заранее извиняемся за любые непреднамеренные упущения и будем рады, если возникнет случай, чтобы добавить соответствующее упоминание в любое будущее издании книги.

T: верх; B: низ; L: лево; R: право; C: центр

Использованные изображения: 2–3 (Nicholas Moore/Contour by Getty); 7, 288 (Arthur Schatz/The LIFE Premium Collection); 19 (Grey Villet/The LIFE Picture Collection); 26 (John Minihan/Evening Standard); 28 (Philippe Le Tellier); 30 (United Artists/AFP); 31 (American International Pictures); 33 (Columbia Pictures/Terry O'Neill); 69, 71, 73–74 (United Artists/Ernst Haas); 77, 78, 80–81, 94–95, 97–103, 108 B, 109 (United Artists/Brian Hamill); 87, 92–93, 230–231 (Brian Hamill); 117 (Hulton Archive); 123, 141, 158–159, 170 (Orion/Brian Hamill); 178, 182 (TriStar/Brian Hamill); 179 (Rose Hartman); 188, 191, 194–195 (Miramax/Brian Hamill); 211 (Hubert Fanthomme/Paris Match); 228–229 (Fox Searchlight/Brian Hamill); 257 (Miguel Medina/AFP); 258 (Bertrand Langlois/AFP); 285 (Jennifer S. Altman/Contour by Getty); The Kobal Collection: 12 TL, 12 TC, 46, 49, 57, 58 B, 59–61, 63, 65–67, 83, 91, 106–107(Rollins-Joffe/United Artists); 12 BL, 13 TR, 124–125, 127, 130–131, 144 T, 149 B, 150–151, 160, 162, 168 (Orion/Rollins-Joffe/Brian Hamill); 12–13 B, 180–181 (TriStar/Rollins-Joffe); 13 BR (Gravier Prods./Perdido Prods.); 39–40 (ABC/Rollins-Joffe/Cinerama); 118–119 (Orion/Warner Bros./Kerry Hayes); 152 (Orion); 164 (Orion/Brian Hamill); 176 (TriStar/Brian Hamill); 183 B (TriStar/Rollins-Joffe/Brian Hamill); 197 (Magnolia/Sweetland/Doumanian Prods./Brian Hamill); 198, 212 (Magnolia/Sweetland/Doumanian Prods.); 206 (Sweetland/Doumanian Prods./John Clifford); 226 (DreamWorks/Gravier Prods./Brian Hamill); 233–234, 236–237 (Jada Prods./BBC Films/DreamWorks/Clive Coote); 238 (BBC Films/Focus Features); 241 (Perdido Prods./Wild Bunch); 242–244, 246 (Weinstein Co./Mediapro/Gravier Prods.); 250, 254–255, 256 T, 258–259 (Gravier Prods.); 264–269 (Gravier Prods./Perdido Prods.); 271 (Dippermouth/Gravier Prods./Perdido Prods.); 275 B (Zuzu/Antidote Films); The Ronald Grant Archive: 12 BR (TriStar); 166–167 (Orion); 217 (Sony Pictures); Rex: 12–13 T, 138–139, 147 (Orion/Everett Collection); 13 BL (Miramax/Everett Collection); 34–35 (ABC/Cinerama/Everett Collection); 53 B (Paramount/Everett Collection); 58 T, 70 (United Artists/Everett Collection); 75 (United Artists/Sipa Press); 136, 154, 165 (Orion/Moviestore Collection); 161 (Orion/Snap Stills); 176–177 (TriStar/Snap Stills); 196 (Magnolia/Sweetland/Sipa Press); 208 (Alex Oliveira); 214, 215 T, 253 T, 270 (Sony Pictures/Everett Collection); 218, 220 B, 221 (DreamWorks/Everett Collection); 238–239 (Focus Features/Everett Collection); 240, 245 B (Weinstein/Everett Collection); 253 B (Sony Pictures/Snap Stills); Photofest: 13 TL, 114–115, 118, 121, 126, 128–129, 132–135, 139–140, 142–143, 144 B, 145, 149 T, 150, 153, 155–156, 163, 169, 171–173 (Orion); 18 L, 20, 25 (© NBC); 38 (Cinerama Releasing Corporation); 48, 68, 72, 79, 82, 84, 88–90, 96 (United Artists); 52 (Paramount); 174–175, 190, 192–193, 199, 202, 203 B (Miramax); 207 (Fine Line Features); 213, 216 T, 256 B (Sony Pictures Classics); 220 T, 223 B, 235 (DreamWorks); 245 T (The Weinstein Company); 275 T (Buena Vista); GlobePhotos: 14; 64 (United Artists); akg-images: 17; 105 (Manuel Bidermanas); 108 T (United Artists/Album); Corbis: 11, 187 (Michael O'Neill/Corbis Outline); 18 R (Bettmann); 32 (Columbia/Sunset Boulevard); 36 (Morton Beebe); 37 (ABC/Cinerama/Sunset Boulevard); 56 (United Artists/Steve Schapiro); 110–111 (United Artists/Sunset Boulevard); 120 T (Orion/Warner Bros./Sunset Boulevard); 120 B (Orion/Warner Bros./Bettmann); 208–209 (Miramax/Sunset Boulevard); 224–225 (Arnault Joubin/Corbis Outline); 272 (AKM-GSI/Splash News); 274 (Columbia/Steve Schapiro); 279 (Andrew Schwartz/Corbis Outline); WA archive: 17, 21; © Rowland Scherman: 22–23; Image Courtesy of the Advertising Archives: 24; mptvimages.com: 29, 62 (United Artists); 51 (Paramount); 183 T (TriStar); Photoshot: 41 (Cinerama); 47 (United Artists); 113 (Orion); 185 (TriStar); 55 (Paramount); 205 T (DreamWorks); 210 (Miramax); 215 B, 273 (Sony Pictures); 223 T (DreamWorks); Magnum Photos: 43 (Philippe Halsman); TopFoto: 44; © Dennis Brack: 50; Alamy: 53 T (Paramount/AF archive); 148 (Orion/AF Archive); 184 (TriStar/Pictorial Press Ltd); 216 B (Sony Pictures/Pictorial Press Ltd.); 219 (DreamWorks); 260 (Gravier Prods./Medusa Film/AF Archive); © AP/PA Images: 85; 261 B (Pier Paolo Cito); 276–277 (Carlo Allegri); Camera Press London: 146 (Orion/DDP); 204 (Miramax/DDP); 205 B (DreamWorks/DDP); 232 (Jane Hodson); 248–249 (Starlitepics); Mary Evans Picture Library: 157 (Orion/Rue des Archives); eyevine: 200–201, 203 T (Graziano Arici); ACE Pictures: 227, 251; © Walter McBride Photography: 247; Photo by Philippe Antonello: 261 T, 262–263 (Medusa Film).

На следующей странице. Портрет фотографа Артура Шатца, 1967 год.

«Лично я не заинтересован в том, чтобы оставить наследие, потому что я твердо убежден: если после того, как вы умрете, вашим именем назовут улицу, это никак не поможет вашему метаболизму. Я видел, что случилось с Рембрандтом, Платоном и всеми этими замечательными людьми – они просто лежат там, внизу».